seu filho no dia-a-dia

dicas de um pediatra experiente

Dr. Antonio Marcio Junqueira Lisbôa

seu filho no dia-a-dia

dicas de um pediatra experiente

2ª EDIÇÃO

EDITORA RECORD
RIO DE JANEIRO • SÃO PAULO
2003

CIP-Brasil. Catalogação-na-fonte
Sindicato Nacional dos Editores de Livros, RJ.

Lisbôa, Antonio Marcio Junqueira
L75s Seu filho no dia-a-dia: dicas de um pediatra
2ª ed. experiente / Antonio Marcio Junqueira Lisbôa. – 2ª ed. – Rio de Janeiro: Record, 2003.

Compilação da obra publicada anteriormente em 5 volumes separados
ISBN 85-01-06583-8

1. Crianças – Cuidado e higiene. I. Título.

CDD – 649.1
03-0079 CDU – 649.1

Capa: PORTO + MARTINEZ
Ilustração em massinha: FERNANDA VALVERDE
Foto: ELISA GUERRA

Ilustrações de miolo: TONY KLOPPER

Impresso no Brasil

ISBN 85-01-06583-8

PEDIDOS PELO REEMBOLSO POSTAL
Caixa Postal 23.052
Rio de Janeiro, RJ – 20922-970

Sumário

Medo

Comportamento

Irmãos

Obesidade

Exercícios físicos

Sexo

Violência

Televisão

PARTE DOIS

Saúde

Sinais e sintomas

Alergia

Cigarro

Dentição

Visão

Gripes e resfriados

Garganta

Doenças

Dores

Cocô e xixi

Características

Medicina

Dia da criança

Dedicatórias

Este livro é dedicado às mães, que desempenharam um papel fundamental em minha vida. Cinira, minha mãe e razão da minha existência; Lelena, que sempre me tratou como um filho; Judith, minha primeira professora; Therezinha, primeira esposa, mãe de meus filhos Antonio Marcio, Antonio Carlos, Marcia Teresa e Claudia Thereza; Beth, segunda esposa, mãe de meu filho Luís Felipe; Maria Elena, amiga e mãe de cinco filhos; Luísa, Andréa, Marina e muitas Marias, mães de clientes com as quais muito aprendi. O amor, o carinho, a amizade, a compreensão, a ajuda e o incentivo de vocês são os responsáveis por tudo de bom que me aconteceu.

Também não posso deixar de dedicar este livro aos ancestrais médicos, que me motivaram com o exemplo de como deve ser exercida a medicina, mostrando-me a beleza, as dificuldades e alegrias de uma profissão que ultimamente vem sendo pouco compreendida. Se tive algumas vitórias, devo àqueles que nortearam a minha vida profissional. Irineu Lisbôa, meu Pai (com P maiúsculo), sanitarista e renomado radiologista, que transformou em amor minha aversão à medicina, revelando-me por que os médicos eram considerados sacerdotes. Antonio Maximiano Xavier Lisbôa, meu avô, médico e um dos fundadores da Santa Casa de Misericórdia, que deu seu nome a uma das principais ruas da cidade e à maternidade de Itajubá, sul de Minas. Gaspar Lisbôa, meu tio. Grande clínico e obstetra, bondoso e extremamente dedicado à profissão, foi um símbolo da medicina praticada no interior.

E dedico ainda este trabalho aos meus filhos Antonio Marcio, Antonio Carlos, Marcia Teresa, Claudia Thereza e Luiz Felipe; aos meus netos Paula, João, Pedro, João Paulo, Alice, Eduardo, Carolina e Pedro. A todos os clientes que me chamavam de "tio" e hoje de "vovô". E a todas as outras crianças, razão da existência dos pediatras.

ANTONIO MARCIO JUNQUEIRA LISBÔA

Introdução

Há muitos anos, quando ainda morava no Rio, pais de crianças de quem eu cuidava, colegas e amigos achavam que eu deveria escrever um livro para os pais. Os pedidos me sensibilizaram. Entretanto, os anos foram passando, os estudos, o trabalho, as pesquisas, as reuniões científicas e as publicações médicas enchiam o meu dia-a-dia, e o livro foi ficando cada vez mais esquecido.

Um dia, meu amigo Ricardo Noblat pediu-me para escrever um artigo semanal, dedicado aos pais, para o *Correio Braziliense*, importante jornal de Brasília. Expliquei-lhe que poderia fazê-lo, porém essa seria uma nova experiência, em um terreno para mim inexplorado, portanto, sujeito a riscos.

Em linguagem simples, às vezes coloquial, sem nenhuma preocupação em mostrar erudição, tentei colocar nos artigos meus conhecimentos e, principalmente, minha experiência de quase meio século no trato diário com as crianças e seus pais. Nesses longos anos, aprendi a admirá-los e a respeitá-los.

As crianças — meus filhos e "sobrinhos" — permitiram que eu descobrisse como a grandeza interior desses pequeninos seres é tão desconhecida por nós, adultos. Querida, amada, desprezada, sadia, doente, deficiente, excepcional, superdotada, rica, pobre, miserável, negligenciada, maltratada, violentada, imigrante, índia, rebelde, infratora, feliz, infeliz, superprotegida, trabalhadora, órfã, sem pai, sem mãe, filha única, primogênita, caçula... Cada uma delas tem suas peculiaridades, suas formas próprias de sobrevivência, que constituem uma fonte inesgotável de ensinamentos para os adultos dispostos a compreendê-las.

As mães enviavam perguntas ao jornal e as respostas eram dadas através dos artigos. Cada vez mais, as pessoas — mães, pais, avós, tios, diretoras de colégio e, surpreendentemente, os colegas médicos — me perguntavam se eu não pretendia republicá-los sob a forma de coletânea. Achei que tinham razão. Como os artigos, em sua maioria, tinham de ser condensados, resumidos ou reduzidos à metade, para o espaço do jornal, publicá-los em livro permitiria transcrevê-los na íntegra e, ainda mais, ampliá-los e atualizá-los.

A princípio, resolvemos publicar dois livros. O primeiro com artigos relacionados, mas não exclusivamente, a problemas comportamentais — o perfil das mães, as crianças que não comem, não dormem, as birrentas, agressoras, travessas, desobedientes. O segundo com orientações sobre assuntos diversos e problemas que possam, eventualmente, ter causas orgânicas, tais como a criança que faz xixi na cama ou cocô nas calças, o choro do bebê, as cólicas, a febre.

A diversidade e o número de perguntas que continuaram chegando acabaram por fazer com que o primeiro livro se estendesse em mais três.

Nesta edição, porém, decidimos unir os cinco livrinhos num só. Com isso, ganham os leitores, que terão a facilidade em tirar suas dúvidas consultando um único volume.

Um doce de Papai Noel (sobre o autor)

Antigamente, achava compreensível a iniciativa de meus três filhos, André, Gustavo e Sofia, de me pedirem, vez ou outra, para ir ver o Dr. Marcio Lisbôa, mesmo quando não sofriam de doença alguma. Dr. Marcio parece um Papai Noel. Só lhe faltam a roupa vermelha e a barba postiça de algodão para ser um Papai Noel de verdade. É gordinho como um Papai Noel, risonho como ele, bem-humorado e paciente com as crianças. E sempre as atraiu ao seu consultório com um truque infalível — a distribuição de balinhas.

Ocorre que André completou 18 anos, aprendeu a pilotar carros e prepara-se para o vestibular de jornalismo; Gustavo, com 16 anos, pintou o cabelo de verde (verde fosforescente), pôs uma argola no nariz e vive desancando os burgueses em geral, e os pais burgueses em particular; e Sofia... bem, Sofia está com 13 anos, corpinho de 17 para encantamento alheio e desespero do pai, e namora um tal de César, que nunca vi nem desejo ver tão cedo. Vez por outra, os três ainda inventam uma desculpa qualquer para consultarem o Dr. Marcio — uma dor nas costas, uma dor de cabeça, um mal-estar misterioso que Gustavo alega quando está cansado ou com preguiça de ir à escola. Nunca mais pediram nem receberam balinhas do Dr. Marcio, mas permanecem reféns da simpatia e, principalmente, de sua sabedoria.

Dr. Marcio comportou-se sempre como um aliado das crianças e contra mães à beira de um ataque de nervos — as crianças nunca esquecem isso, mesmo depois que crescem.

Pensem bem, pais, mães, médicos e tantos quantos os que se debruçarem sobre este livro por mera curiosidade: existe coisa melhor no mundo do que dispor de uma pessoa, ao alcance de um telefonema, a qualquer hora do dia, capaz de oferecer respostas simples, sensatas, para as dúvidas mais cruéis e dilacerantes alimentadas pelo ser humano? "Meu filho de dois meses dormiu a noite toda e perdeu a mamada. Isso é normal? Ele vai sobreviver?" "Minha filha tem 14 anos, boa saúde, mas se recusa a comer. O que faço com ela?" "Meu filho almoçou e tomou banho em seguida. Dá constipação?" "Gripe mata? É caso de internamento?" Dr. Marcio tem respostas para essas e quaisquer outras dúvidas. Imagine a pergunta mais absurda sobre crianças, saúde, gravidez, relacionamento entre pais e filhos; Dr. Marcio conhece as respostas. Por experiência adquirida em livros, seminários e milhares de horas de consultório e também por uma sabedoria inata, aquele dom inexplicável de ter sempre um conselho razoável e, no mais das vezes, certo em qualquer ocasião.

Tive o privilégio de entregar meus filhos aos cuidados do Dr. Marcio e de, mais tarde, convencê-lo a repartir seus conhecimentos com os leitores do *Correio Braziliense* em uma coluna semanal. Acertei duas vezes. Lamento, tão-somente, que meus filhos tenham crescido depressa, principalmente Sofia. E que minha presença ao lado deles no consultório do Dr. Marcio se tenha tornado dispensável. Porque eu também gostava das balinhas que ele distribuía. E ali também me sentia um pouco criança. Era divertido.

RICARDO NOBLAT

PARTE UM

Mães

Minha mãe

Amor, aceitação e estabilidade constituem os três pilares da segurança, essenciais para o bom desenvolvimento emocional das crianças. A mãe é a pessoa que mais contribui para que o filho cresça em um ambiente onde existam essas três condições, sendo a maior responsável pelo amor. O amor materno é ternura, benevolência, compreensão. De sua qualidade dependerá o futuro afetivo do filho. Esse amor deve começar antes do nascimento.

É lindo ver uma grávida olhando para a barriga, acariciando-a e conversando com seu filhinho. Muitas vezes, ela desconhece o valor desse gesto para o futuro afetivo de seu filho. O amor materno é o maior de todos. Dá tudo, sem nada esperar em troca. Sua característica mais forte é ser incondicional.

Hoje é dia de homenagear as mães. Não é sem razão que elas são cantadas em prosa e verso. A minha, Cinira, possuía todos os defeitos de uma boa mãe. Gostava tremendamente de mim, mas dizia que não era "coruja", que não me superprotegia, que não me tratava como filho único, o que talvez não fosse muito verdadeiro, pois eu vivia reclamando da falta de irmãos para dividir comigo o excesso de cuidados recebidos.

Era noite, chovia demais e eu estava acampado com os colegas da Escola de Instrução Militar 313, num sítio vizinho a Leopoldina. Minha mãe sabia que a única roupa que eu tinha era a farda e que, naquela altura, devia estar encharcado. Resolveu então ir até o acampamento verificar a situação da turma e, eventualmente, acabar com o meu desconforto. Meu pai custou a demovê-la da idéia, mostrando a situação constrangedora que me criaria. Ela não foi, mas, quando soube, no outro dia, que havíamos passado a noite molhados e curtindo um frio de rachar, procurou o responsável e não o perdoou.

Ao chegar em casa, alta madrugada, ao abrir a porta, minha mãe infalivelmente estava a minha espera: "Meu filho, correu tudo bem? Tem café no bule, leite na geladeira, e fiz uns biscoitinhos para você, que estão no armário da copa." Eu sempre repetia: "Mamãe, são quatro horas da madrugada, você devia estar dormindo e não me esperando." "Eu estava sem sono, acordei quando você entrou", respondia ela, negando que estivesse de vigília aguardando minha chegada.

Eu era considerado um dos mais bem vestidos do curso primário e até mesmo do colégio. Embora todos achassem que minhas roupas fossem compradas, eram, na verdade, confeccionadas por ela.

Nunca apanhei. Utilizava uma psicologia da mais alta eficiência. Uma noite, eu e meu primo Eduardo fomos dar uma volta após o jantar. Tínhamos em torno de seis anos. Ao passarmos em frente ao cinema, vimos que o filme daquela noite, *O Ouro Escondido*, era estrelado por um de nossos ídolos — Tom Mix. Estávamos enlevados olhando o cartaz do filme, quando se aproximou de nós o dentista da família e nos convidou a assistir ao espetáculo. A sessão acabou às nove horas. Ao chegarmos em casa, nossas famílias estavam transtornadas. Já havíamos sido procurados por toda a cidade. Eduardo morava em frente a minha casa. Minha mãe levou-me para a varanda do segundo andar, e ali fiquei durante uma hora, ouvindo os berros de meu amigo, que estava sendo devidamente castigado. Ao terminar o choro, minha mãe simplesmente disse: "Pode ir dormir." Nunca mais fugi.

Sempre que posso vou a Leopoldina, para o que eu chamo de "carregar as baterias", ou seja, refazer minhas forças. Lá, eu ficava horas recostado no colo de minha mãe, que coçava a minha cabeça e conversava até que eu adormecesse. Já sexagenário, ela ainda me chamava de "filhote", como se eu fosse uma criancinha.

Ao visitar seu túmulo, há alguns meses, acercou-se de mim uma pessoa que me disse: "Nunca vi uma mãe amar tanto um filho, como a D. Cinira amou o senhor." "Eu também não", respondi. Como pediatra, o que de melhor poderia desejar a todas as crianças é que elas tivessem a mãe que eu tive.

As mães

O maior desafio da prática pediátrica é saber escutar e entender as mães. Muitas vezes, representam verdadeiro enigma, por suas incoerências e ansiedades. Ao mesmo tempo, são tão cheias de amor, afeto e dedicação, que se tornam, simultaneamente, objeto de irritação ou de admiração. O pediatra que consegue decifrar o enigma torna-se vitorioso. Aqueles que não conseguem compreendê-las, ao contrário, fracassam. Isso explica por que alguns profissionais, embora competentes, não conseguem fazer clínica, enquanto outros, verdadeiras nulidades, são considerados salvadores de crianças, logo "abaixo de Deus".

O trabalho do pediatra tem peculiaridades que o diferenciam do médico de adultos. Talvez uma das mais importantes seja a existência, quase obrigatória, de um interlocutor entre o médico e a criança, durante as consultas. Este interlocutor é quase sempre a mãe, algumas vezes o pai, e, poucas vezes, outras pessoas do núcleo familiar, ou não. Obviamente, as informações obtidas são filtradas por essa pessoa, que lhes dará um cunho pessoal, o que poderá facilitar ou dificultar o diagnóstico e o manejo da situação clínica.

Para vocês terem uma noção das dificuldades, eu diria que a conversa com as mães pode ser influenciada por uma série de fatores, tais como etnia, idade, estado civil, condições socioeconômicas e culturais, e outros. Uma consulta com uma mãe anglo-saxônica é bem diferente da realizada com uma mãe latina. Um pediatra americano, que conheci há muitos anos, disse a um casal italiano que o filho deles estava com leucemia. Foi um deus-nos-acuda. Em segundos, a família adentrou o consultório, todos choravam e se abraçavam, e o pobre pediatra, pálido, não entendia nada.

O saxônico é mais conciso, e o latino, prolixo. O pobre fala menos, e o rico, mais. Naqueles, a anamnese muitas vezes é feita a saca-rolhas. E nem sempre a pessoa culta é melhor informante. Durante o atendimento, o pediatra tem que respeitar as culturas, credos e tabus locais: "banho depois da refeição dá congestão", "banana de manhã, ouro, de tarde, prata, de noite, mata", "manga com leite mata" e assim por diante.

As mães casadas, solteiras, desquitadas, divorciadas ou viúvas têm comportamentos distintos, que deverão ser levados em consideração nas consultas. A mãe com um único filho é bem diferente daquela que tem oito. Diversos livros de medicina tratam exclusivamente da problemática do filho único. Além disso, há variações do comportamento materno em relação aos cuidados com os filhos, logicamente influenciadas pelos fatores já descritos anteriormente, que nos permitem reconhecer diferentes tipos de mães: a amorosa (sem excesso), a coruja (amorosa em excesso), a perfeccionista, a exigente, a ansiosa, a superprotetora, a distraída, a alienada, a tirânica, a preocupada, a despreocupada, a ausente e, infelizmente, a malvada.

Vamos exemplificar nossa tipologia reproduzindo uma conversa no consultório entre o pediatra, a mãe alienada e a babá. "D. Jofrinda, o Marcelinho vomitou hoje?" "Maria, o Marcelinho vomitou hoje?" "Não, senhora." "Não, senhor, não vomitou." "E teve febre?" "Maria, ele teve febre?" "Sim, senhora." "De quanto?" "Maria, de quanto?" "Não sei, o termômetro quebrou." "Ela não sabe, o termômetro quebrou." "A senhora acha que o Marcelinho está esperto?" "Maria, o Marcelinho está esperto?" "Sim, quando baixa a febre." "Sim, doutor, quando baixa a febre."

E as corujas? São gozadíssimas, mas têm uma vantagem altamente positiva: amam seus filhos. Como se comportam? Vamos ver: "Doutor, antes de examinar a Dani, diga-me uma coisa: o senhor tem alguma cliente mais bonita? Não, não tem. O senhor sabe, ela tem só quatro meses, mas já está quase falando. Eu sei que o senhor não acredita, mas é verdade. As pessoas que vão a minha casa dizem que nunca viram uma criança tão desenvolvida! Puxou ao pai dela. Ele também começou a falar 'angu' e 'dadá', com quatro meses. Eu conheço muitas crianças, mas igual a Dani, não existe. Existe, doutor? Não diga que existe, pois eu não acredito."

A detalhista: "Doutor, chegamos hoje de Maceió. Foi uma viagem duríssima! O senhor conhece Maceió? Tem praias lindas, mas dizem que as crianças costumam pegar um verme que dá em cachorro. Imagine que o carro furou dois pneus. Deu muito trabalho. Foi numa cidadezinha cujo nome não me recordo, mas o Alaor sabe. A Patricinha se deu muito bem. Acho que engordou um pouco. Aliás, ela nunca foi de comer muito. Estou telefonando para saber se posso dar vacina. O reforço daquela que dá febre. Chegamos ontem e a casa está cheia de mofo. Vou ter que contratar uma pessoa para limpar a casa."

E a preocupada: "Doutor, estive aí no consultório hoje. Sou mãe da Gabriela. Ela está resfriada. O senhor acha que ela vai ter febre? E se a tosse piorar, o que eu faço? Há perigo de que ela tenha uma convulsão? Existe convulsão sem febre, não? O senhor tem certeza de que ela não tem aquela coisa, que dá febre alta e mata? Nem gosto de dizer o nome da doença. Por que o senhor pediu exame de fezes? Se der negativo, o que o senhor vai fazer?"

A despreocupada: "O Alfredo teve um pouco de febre esta noite. Não passou de 39,5. Hoje, está com muita tosse e a febre continua mais ou menos igual. Será que amanhã ele poderá ir à escola e nadar?" O Alfredo (dois anos) está com uma febre altíssima, sentindo-se mal, louco para dormir. "A senhora não se preocupe, pois vou dar-lhe um atestado, para que ele possa justificar sua falta junto à direção da escola e ao professor de natação."

Durante a consulta, podemos conhecer algumas características da personalidade das mães, além das acima citadas: as pessimistas, que sempre acham que o que foi prescrito não vai dar certo: "Viu, eu não disse que não ia melhorar?", dizem após algumas *horas* de tratamento; as vibrantes, na fala, nos gestos e nas comparações: "Na idade de sete meses, minha primeira filha já andava e falava"; as sem autoridade, que deixam o filho destruir o consultório sem uma palavra; as sem personalidade, que permitem ser interrompidas e desautorizadas pelo marido, sogra, babá, vizinha; as desleais, que enganam seus filhos, dizendo que vão levá-los à sorveteria e, em vez disso, levam-nos ao laboratório para tirar sangue; as dominadas, que fazem tudo o que o filho quiser, para que ele não fique triste ou chore; as sem senso de oportunidade, que passam metade do tempo da consulta atendendo ou falando ao telefone, principalmente nos celulares; as sem senso de responsabilidade, que esquecem de tomar a temperatura das crianças, de comprar ou mesmo de dar os medicamentos, e colocam os acontecimentos sociais acima do bem-estar e da saúde do filho; as mentirosas, que prometem recompensas caso a criança coma, tome banho, ou escove os dentes, e não as cumprem; as chantagistas, que tentam conseguir as coisas utilizando-se de trocas: "se você dormir cedo, vou levá-la ao circo"; as ameaçadoras, que tentam mudar o comportamento das crianças com ameaças, com histórias tenebrosas, com o saci-pererê, lobisomem, bicho-papão, barbudo, dragão e outras figuras temidas do mundo infantil; as tirânicas, que, além das ameaças, usam de castigos, inclusive físicos, para que as crianças não discordem delas em nenhum momento; as superprotetoras, que agarram os filhos, colocam no colo, balançam, tentam acariciá-los, dizem que não vão deixar o médico encostar nelas, antes, durante e depois do exame, perturbando a consulta e contribuindo, assim, para que eles se tornem covardes.

Existem mães e Mães (que são aquelas que nasceram para amar seus filhos). À minha Mãe, o meu muito obrigado pelo imenso amor que me dedicou.

Mães que trabalham fora de casa

Cada vez mais, as mulheres trabalham fora de casa ou estudam. Nenhum pediatra duvida que as crianças preferem ter suas mães em casa para cuidar delas, protegê-las e amá-las. Nada substitui o amor materno. É em torno desse amor que se solidificam as relações com a mãe, em primeiro lugar, depois com o pai e, em seguida, com outros membros da constelação familiar, na qual ocupam lugar de destaque as avós e as babás.

As mães que trabalham fora ou estudam tentam realizar a difícil tarefa de conciliar a vida doméstica com a profissional. Mesmo sabedoras das repercussões desfavoráveis de sua ausência sobre a saúde de seu filho, necessitam trabalhar ou estudar, seja para se realizarem, seja por necessidade de sobrevivência, principalmente quando são o arrimo do lar, precisam auxiliar no orçamento doméstico, ou, ainda, para permitir que os maridos possam estudar e progredir em suas carreiras.

Para que possam se ausentar por longos períodos, têm que deixar seus filhos aos cuidados de outras pessoas. Precisam contratar babás ou enfermeiras ou matricular as crianças em creches.

Qual a melhor solução para a criança? Que ela não seja retirada de seu ambiente. Então, será melhor deixá-la com uma babá ou enfermeira? Realmente, ainda existem casas que têm empregadas antigas, de inteira confiança, que praticamente fazem parte da família. Há 40 anos, tive uma que havia sido babá de minha esposa e que, depois, viria a se tornar também a de meus filhos. Chamava-se Dite. Cuidava deles com carinho, contava histórias, ajudava nos cuidados diários. Melhor do que a maioria das creches, pelo menos até três anos de vida.

Mas hoje em dia é grande o rodízio de empregadas. Então, será prudente deixar a criança com alguém praticamente estranho? Acredito que, nessa situação, deva se recorrer à creche. Aí surge outro problema. Nem todas as creches estão estruturadas para atender às necessidades de crescimento e desenvolvimento, durante os anos mais importantes da vida da criança. Isso obriga a uma escolha cuidadosa e criteriosa, para que o filho não seja prejudicado. Existem boas creches com pessoal habilitado.

Existem ainda duas outras formas para atender crianças de mães que têm de se ausentar de casa por longos períodos: as creches familiares, em que uma pessoa conhecida, geralmente mãe, dispõe-se a tomar conta dos filhos das vizinhas. O modelo, como todos os outros, tem vantagens e desvantagens. A maior vantagem é permitir que a criança fique com seus amigos, num meio que é o seu. A outra forma, para mim a melhor de todas, vem sendo utilizada com sucesso há séculos: conseguir que avós e tias, que tenham disponibilidade de tempo, cuidem dos netinhos ou dos sobrinhos. Por que não utilizarmos essas pessoas que irão se sentir úteis e certamente cuidarão bem de nossos filhos? A única dificuldade é que existem mães que vão achar que avós são, na realidade, sogras e aí...

O papel da mãe não pode ser avaliado por horas de presença e, sim, pela alegria que mãe e filho sentem ao estarem juntos. A grande maioria das que trabalham fora consegue cumprir bem o seu papel. Entretanto, não é pequeno o número de pais e mães que lastimam ter deixado passar os lindos anos de infância de seus filhos, sem haver participado deles, por excesso de trabalho ou de estudo.

Mães que trabalham em casa

Com o advento da era industrial, da urbanização, do aumento da complexidade social, as mulheres passaram a trabalhar mais fora de casa. Falo *mais*, porque existe um conceito errôneo de que as mulheres que se dedicam aos afazeres do lar não trabalham.

Therezinha, minha primeira esposa, toda vez que lhe perguntavam se trabalhava, respondia que sim, em casa. Algumas pessoas poderão questionar essa colocação. Para essas, aconselho passarem um fim de semana em casa, sem empregada, lavando e passando roupa, cozinhando, e, o mais complicado, tomando conta das crianças. Tenho certeza de que, após a experiência, valorizarão mais o trabalho no lar.

"Mamãe, quero fazer cocô." "Mamãe, estou com fome." "Julinho, não bata no seu irmão." "Mariazinha, tire o dedo da tomada." "Mamãe, quero fazer xixi." "Mamãe, a fralda do Luizinho já está suja de novo." "Mamãe, quero fazer cocô." "De novo, meu filho!" "Lê uma historinha pra mim? A do leão? Não, a do macaco." "Mas essa já li dez vezes!" "Mas é dessa que eu gosto." "Compra um sorvete?" "Agora não posso, pois seu pai vai sair com os amigos e tenho que arrumar a roupa dele." "Hoje é domingo e papai está jogando tênis, dá para você sair comigo?"

E olhem que isso ocorre todos os dias, inclusive aos sábados e domingos, sem férias, sem 13º salário, sem direitos trabalhistas, sem aposentadoria, para, no fim, serem designadas como do lar, de prendas domésticas e outras denominações que levam a pensar que são umas boas-vidas, que não fazem nada. E o pior, após anos de labuta diária, às vezes, são dispensadas ou substituídas por alguém mais jovem, sem direito a reclamações trabalhistas. Se o marido é rico, poderão ser beneficiadas com uma pensão; porém, se pobres, ficarão "ao Deus dará", confiando na generosidade dos amigos e parentes, ou tentando empregar-se com mais de quarenta anos, o que é extremamente difícil até para os homens. Se eu fosse adolescente diria: "É dose!"

Sugiro que, pelo menos num fim de semana, o marido ou o homem da casa fique tomando conta do lar e, lógico, das crianças. E que, uma vez por ano, as mães tenham direito a um mês de férias enquanto o pai ou marido fica encarregado do lar — proposta feita por um pediatra que adora proteger as mães para que elas fiquem cada vez mais junto de seus filhos.

O trabalho no lar deveria ser remunerado e protegido pela Previdência Social, por ser altamente meritório. Seria uma grande medida, entre outras, para diminuir a escalada de violência, pois, como se sabe, o carinho e o amor são os grandes antídotos contra as drogas, a delinqüência e outros comportamentos anti-sociais.

A mãe refém do filho

A palavra *refém* pode ser entendida de duas maneiras. A primeira, como se tratando de uma mãe definitivamente apaixonada e presa aos encantos do bebê, da mesma forma que uma mulher estaria em relação a determinadas virtudes de um homem. A segunda, como a escravização da mãe às diversas facetas do comportamento de seu filho.

Por que existe essa diferença? Obviamente, as causas devem ser muitas, porém a principal, do meu ponto de vista, é que existe um despreparo para a maternidade. A maioria das mulheres, embora educadas desde pequenas para serem mães e com a idéia de que essa seria a função primordial de suas vidas, não sabe o que é gerar um filho, carregá-lo na barriga por nove meses, pari-lo, amamentá-lo, alimentá-lo, cuidá-lo na saúde e na doença, criá-lo, educá-lo, protegê-lo, defendê-lo, discipliná-lo. Enfim, torná-lo um cidadão útil e respeitado. Embora parte dessa tarefa deva caber ao pai, sem dúvida, a carga pesada é a da mãe, ainda mais hoje, quando boa parte dos lares conta somente com elas.

Não é sem razão que as virtudes maternas sejam cantadas em prosa e verso e que a maioria das teorias e projetos sobre o desenvolvimento emocional das crianças tenha por base uma família nuclear, onde as mães assumem os cuidados principais e quase totais do bebê e desempenham o papel mais importante para seu bom desenvolvimento emocional. Esse fato é confirmado pelo que dizem as pessoas: a mãe é elogiada, quando uma criança é bem ajustada, e é culpada, quando ela tem problemas.

Cabe ao pai encorajar e dar todo apoio à mãe, principalmente no primeiro ano de vida, após o qual, segundo os kleinianos, o binômio mãe-filho é substituído pelo trinômio pai-mãe-filho. Embora o papel do pai seja muito importante, é secundário em relação ao da mãe. Será que as mulheres sabem o que é ter um filho, as alegrias e tristezas, as dificuldades, os problemas, e o trabalho que se tem para criá-los?

Após quase meio século de convivência com mães e filhos, na minha opinião, boa parte das mulheres não sabe o que custa educar um filho. Vêem aqueles garotinhos lindos, rechonchudos, gostosos, interessantes, atraentes, nas casas dos amigos, nos parques, no colo das mães, nas ruas, e, talvez, lembrando-se do seu tempo de criança, queiram ter uma bonequinha animada, que faz tudo, olha, ri, conversa, anda. Não sabem que essas bonequinhas, realmente lindas e interessantes, dão muito trabalho, às vezes mesmo antes de nascer. E depois, muito mais.

As mulheres que desejavam ser mães, que choraram de alegria ao ter seu neném no colo pela primeira vez, que babam ao ver seu sorriso, que fazem questão de amamentá-lo, tocá-lo, cheirá-lo, segurá-lo, que vivem namorando seu filho, são reféns, no bom sentido.

As despreparadas acham muito aborrecido ter de trocar um monte de fraldas sujas todos os dias. Optam pela mamadeira para não atrapalhar sua vida social e não as obriga a acordar à noite; colocam uma babá, que diminui o trabalho e também a necessidade de ficar perto da criança; chateiam-se com as cólicas e o choro do bebê; não agüentam as travessuras; não têm tempo para conversar com o filho; não sabem discipliná-los, apelando para superproteção, chantagens ou castigos; não agüentam a criança agarrada na sua saia; são permissivas ou autoritárias.

Essas se acham reféns ou escravas e não conseguiram descobrir a beleza interior que existe em seus filhos. A maternidade é uma profunda experiência emocional e pessoal que pode levar à satisfação ou à frustração.

Pais

O pai ideal

Festeja-se todo ano o Dia dos Pais. Estive pensando no perfil do pai ideal, aquele que eu desejaria para todas as crianças. Que contribuição do pai o faz tão importante para a estruturação da personalidade dos filhos e para a consolidação da família na época atual?

Até há alguns anos, considerava-se que os filhos pertenciam às mães, maiores responsáveis, e às vezes únicas, por sua educação e formação: "Esse negócio de cuidar de crianças é papel de mulher"; "pergunte à mãe dele, eu trabalho e não sei o que se passa em casa". Os bons maridos eram aqueles que ajudavam as mulheres quando solicitados. O pai reservava-se para resolver problemas comportamentais de maior ou menor gravidade. Embora encarregado dos castigos, aceitava e conformava-se com seu papel. Boa parte dos pais era praticamente desconhecida dos próprios filhos ou até odiada.

Já se esboça uma reação contra esse tipo de comportamento, visível em nossos consultórios, onde os pais jovens comparecem e participam das consultas, fazem perguntas, trocam as fraldas e ninam os filhos. Estão presentes durante as consultas do pré-natal, quando se divertem com os movimentos do feto, e no parto. Participam dos cuidados com o recém-nascido, estimulam a amamentação, dividem afazeres domésticos e confortam as esposas em suas incertezas, dando-lhes a segurança de que elas tanto necessitam.

Assim, o pai ideal começa a participar ativamente da vida do filho desde antes do nascimento. Fotografa o nenê na sala de parto, na maternidade, durante a primeira mamada, em casa, no consultório. Quer registrar para sempre esses momentos. Diverte-se quando o bebê sorri, descobre as mãos e surgem os primeiros dentinhos. Ajuda-o a sentar-se, a engatinhar, a ficar de pé e a dar os primeiros passos. Veste-o com a camisa de seu clube favorito, leva-o ao parque, participa das correrias e dos brinquedos, das aulas de natação. Mostra-o aos amigos, dizendo "Este é o Marcio, meu filho!", e conta, orgulhoso, seus feitos.

Dá-lhe atenção, carinho, amor e segurança. Não o castiga, ouve suas explicações, conversa e dialoga, mostrando o que está errado e qual seria a conduta correta. Se o filho gosta de automóveis, coloca-o na direção de um carro, para fingir que ele está dirigindo. Estimula-o a aprender a nadar, a andar a cavalo, de bicicleta. Leva-o para a fazenda e ensina-lhe o nome das plantas e dos bichos. Ensina-o a pescar e, depois, à margem do riacho, faz uma fogueira e frita os peixes para comerem juntos. Dedica quase todos os seus dias de férias para levá-lo aos parques, ao mar, às montanhas. Faz passeios de trem intermináveis, e, com o filho no colo, mostra-lhe as belezas da natureza; leva-o para comer pastéis nas estações.

Com o exemplo do pai, o filho aprende os grandes valores: a disciplina, a importância da justiça, da honestidade, da verdade, o horror à mentira, os limites, o respeito ao próximo, o valor da determinação e da persistência, o sentido de responsabilidade, a defesa de seus direitos. O pai ideal está sempre ao lado do filho nos momentos alegres ou tristes, nas vitórias ou nas derrotas. É o companheiro e o amigo de todas as horas. Se é esse o relacionamento que você tem com seu filho, você se enquadra no perfil do pai ideal, o mesmo que eu tive a felicidade de ter.

Quero ser um bom pai

Para ser considerado bom, como primeira e mais importante condição, um pai deve gostar do filho. Sem amor, as coisas ficarão complicadas. Entretanto, só amor não é suficiente. Além disso, o filho espera do pai amizade e autoridade. Tem que ser o "paizão", "o amigão" de todas as horas, boas ou más. Principalmente nos momentos difíceis, quando se ouve aquele berro, "Paiiiii!", ou um pedido de socorro, de apoio, dentro de casa, à procura da pessoa que traz segurança.

A segurança deve ser derivada da autoridade, que não tem nada a ver com autoritarismo, em que as ordens são acompanhadas, com freqüência, de punições. O pai frouxo, que atende a todos os desejos do filho, por incrível que pareça, não é um bom pai, por não lhe transmitir a segurança necessária a seu correto desenvolvimento emocional.

Existe uma certa confusão dos pais em relação à autoridade e ao carinho, que muitos acreditam ser valores excludentes entre si, o que não é verdade. Um pai pode ser muito carinhoso e ter autoridade, o que é o ideal. O relacionamento com o filho pode ser comparável à construção de uma casa, que começa com a base, os alicerces, e aos poucos recebe os tijolos. Cada tijolo representa um acontecimento bom ou mau. À medida que o tempo passa, a casa vai sendo erguida, com alicerces tão fracos que qualquer vendaval pode afetá-la, destruí-la; forte e bonita, com tijolos ajustados e alinhados, bem-acabada; ou feia, mal-estruturada e cheia de falhas, com paredes desalinhadas. Os arquitetos e os mestres-de-obras são os pais. Os alicerces e a estrutura, importantes para a segurança da casa, são construídos nos seis primeiros anos, tempo que a criança leva para formar sua personalidade.

Com seis anos, já se pode ter uma idéia precisa de como será a casa quando pronta ou como será a criança quando adulta. Daí a grande importância dos primeiros anos de vida, que irão determinar se a personalidade da criança será firme, segura, bem-acabada, pronta para enfrentar de forma vitoriosa os vendavais da vida, ou, pelo contrário, insegura, frágil e mal preparada.

Para ser um bom pai, o nosso trabalho começa quando decidimos ter um filho. O filho não desejado geralmente não é amado, e seu futuro passará a ser ameaçado desde o nascimento. Existem algumas dicas que poderão ajudar nosso trabalho de mestre-de-obras para "construir" um filho que goste de nós. Elas devem ser aplicadas cedo, antes de o filho nascer. Curta a gestação de sua mulher. Passe a mão em sua barriga. Fale e cante para o bebê — já se sabe que ele ouve e gosta. Sinta os pulinhos. Ao ficar "grávido", você estará começando a construir os alicerces da casa.

Se você não tem medo de sangue, assista ao parto. Assim que seu filho nascer, coloque-o no colo, olhe-o bem nos olhos. Aliás, você e sua mulher deveriam fazer o mesmo. O olho-a-olho é uma conduta freqüente entre os animais — a mãe lambe e olha a cria, que, por sua vez, olha a mãe. Esse comportamento, extremamente importante para a ligação mãe-filho entre animais, tem sido descuidado entre os humanos, principalmente pelo aumento exagerado das operações cesarianas. Imite as mães, pois você estará colocando um pouco mais de cimento e ferro nos alicerces do relacionamento com seu filho.

Embora a mãe seja mais importante para o bebê até os dois anos de idade, aceite o dito com reservas. Ajude sua mulher a cuidar do bebê. Se possível, vença o nojo e troque-lhe as fraldinhas. Converse com seu filho recém-nascido, com seu filho bebê. Ponha-o no colo, conte-lhe histórias, cante, mesmo que você não tenha uma boa voz. Ele vai adorar. Cada afago, cada historinha, cada cantiga é mais um tijolinho bem colocado na relação com ele.

Seu filho está crescendo. Ajude-o a engatinhar. Ensine-o a andar, deixe-o sentir a segurança de suas mãos, que irão ajudá-lo para sempre. Brinque com ele de "cavalinho", de "mocinho e bandido", role no chão, abrace-o e beije-o bastante. Você trabalha o dia inteiro? Reserve um tempinho à noite para seu filho. Lembre-se de que tudo o que você fizer terá um retorno, bom ou mau.

Alguém disse que um filho é como um capital empatado, que poderá render muitos dividendos se você acreditar e jogar nele. Todo mundo gosta de carinho e atenção. A criança, mais ainda. E, lembre-se, estamos cada vez colocando mais tijolinhos. Se a criança já for maiorzinha, gostará de correr e brincar; participe, jogue bola, pule corda, penteie bonecas (não pega mal!), coma "comidinhas" e sucos imaginários que ela preparar. Um dos meus filhos adorava que eu lhe contasse como foi seu nascimento, que demorou um pouco e acabou numa cesariana, principalmente por causa do final da história, quando eu dizia: "Minhas coronárias não agüentam mais!" Chegava de mansinho e pedia: "Papai, conte aquela das coronárias." Repeti a história uma centena de vezes, e em todas as vezes ele me fitava, sorrindo, com os olhos brilhando, à espera do fim. Isso aconteceu há exatos vinte anos, e até hoje nos lembramos da história. São tijolinhos...

Desenvolva a criatividade e a imaginação de seu filho: faça-o desenhar, ensine-o a criar os próprios brinquedos (caixa de fósforos, paus de vassouras), jogue com ele (damas, xadrez), estimule-o a contar histórias. Acompanhe-o nos passeios, na natação, na ginástica, no futebol. Sobretudo, elogie-o e, se necessário, repreenda-o; não seja sempre bonzinho. Os alicerces e a estrutura estão prontos. Vamos ao acabamento.

Aceite seu filho como ele é e não como você queria que ele fosse, embora isso possa ser difícil. Cuidado para não expressar as suas expectativas, pois poderá frustrá-lo. Você pode desejar que seja um atleta e ele talvez goste de artes e de leitura.

Coloque as necessidades de seu filho e de sua família acima das suas ou verifique se não existe uma forma de compatibilizá-las. Não fique cobrando a todo momento o que fez por ele, o que acha que ele lhe deve. Não se ache o senhor da verdade. Tente entender o ponto de vista de seu filho. Se você realmente achar que ele está errado, aconselhe-o de maneira amistosa e firme. Nunca deixe que sua autoridade seja questionada, mas também nunca a mantenha praticando o autoritarismo.

Não destrua o que de mais importante tem seu filho, a auto-estima, rotulando-o de irresponsável, burro, incapaz, incompetente, irrecuperável. Pelo contrário, elogie-o sempre que possível, enaltecendo suas qualidades, principalmente morais.

Uma boa maneira de saber como foi o dia em relação a seu filho é perguntar-se ao deitar: "Hoje abracei e elogiei meu filho?" Todo mundo gosta de ser elogiado, de ser tratado com carinho e compreensão. Não deixe que as preocupações de seu trabalho sejam levadas para casa. Se estiver muito angustiado e preocupado, utilize, se necessário, o silêncio, mas não agrida sua família.

Você é que deve ser o centro de equilíbrio e confiança. Se errou ou traiu a confiança de seu filho, peça-lhe desculpas; fará bem para você e para ele. Ele aprenderá que todos podem errar e que, nesses casos, as desculpas são necessárias. Não confunda pedir desculpas com perda da autoridade, porém não viva pedindo desculpas.

Não seja muito indulgente, negligente, fraco, rígido, dominador, controlador. Se você tem vários filhos, lembre-se de que, embora se comportem de formas diferentes, todos devem ser especiais para você e o maior presente que poderá dar a eles é você mesmo.

Fase oral

Necessidade de sugar

O reflexo de sucção começa na vida intra-uterina. Já foram fotografados inúmeros fetos, nos últimos meses de gestação, chupando os dedos, lambendo a placenta e o cordão umbilical e deglutindo o líquido amniótico. Existem referências a crianças que nasceram com os dedos na boca. Assim, esse ato deve ser considerado normal, como uma forma preparatória ao ato de mamar, essencial para a sobrevivência.

A chamada fase oral, de Freud, dura do nascimento até os dezoito meses. Nesse período, o bebê poderia ser considerado "uma grande boca", pois a utiliza para satisfazer seus desejos de prazer. Deleita-se em sugar tudo, desde o mamilo, que lhe oferece um alimento gostoso, capaz de saciar-lhe o apetite, até o dedo, os bicos ou qualquer outra coisa. Com todas essas fontes de gratificação, ele irá estabelecer um vínculo afetivo, de prazer.

A sucção serve também como uma válvula de escape para as angústias e tensões. Adultos com personalidades "orais", fixadas nesse período, têm uma vontade imperiosa de fumar, roer as unhas, chupar lápis ou canetas, mastigar os colarinhos dos pijamas, comer ou beber excessivamente, para preencher seus vazios ou diminuir suas angústias.

Quando os bebês sugam os dedos, uma interpretação errônea e freqüente das mães é achar que eles estão com fome e colocá-los no seio. A descarga das tensões pelos bebês não deve ser feita através da comida e, sim, usando os dedos, os bicos e as chupetas. Sempre que se sentem inseguros, desconfortáveis e tristes, eles apelam para o dedo ou a chupeta. Daí, o risco de considerá-los "maus hábitos" e tentar coibi-los de qualquer maneira.

Existem crianças que, após a mamada, querem continuar sentindo o prazer da sucção e apelam, mais uma vez, para o dedo ou a chupeta. Ao crescer, os vão abandonando gradativamente, e encontrando outros motivos de satisfação.

Essas explicações tornam-se necessárias porque certas pessoas acham o hábito de chupar o dedo ou a chupeta deplorável, até mesmo vergonhoso, e que precisa ser corrigido precocemente, a qualquer preço. Outras o vêem como expressão de uma necessidade que deve ser compreendida e respeitada. Como bem disse em um artigo o Dr. J. M. Martin, "o pai, depois de fumar o seu cachimbo e a mãe, o seu cigarro, satisfazendo suas necessidades orais de estímulo, recusam à criança a chupeta, que é o seu único prazer". E eu pergunto: "Será isso justo?"

O certo é que toda criança costuma chupar alguma coisa desde os primeiros dias de vida, hábito que vai gradativamente desaparecendo entre um e três anos. A persistência, acima dessa idade, pode significar que a criança ou a família esteja com problemas. As condutas a serem seguidas, nesses casos, ainda provocam opiniões divergentes.

Meu filho chupa dedo

"Menino, tira o dedo da boca!" "Você vai acabar com a boca torta de tanto chupar o dedo." Advertências que são ouvidas a toda hora e que, em vez de melhorar, costumam complicar a situação.

Mães consultam os pediatras preocupadas porque seus bebês chupam prazerosamente os dedos, principalmente o polegar, quando estão com fome, com sono, inquietos, desconfortáveis, chateados, infelizes, com os dentinhos nascendo ou mesmo sem nenhum motivo especial. Querem saber o que deve ser feito, antes que eles fiquem dentuços ou tenham algum problema mais sério.

Quase todas as crianças pequenas chupam o dedo. Elas têm uma necessidade imperiosa de sugar. Infelizmente, alguém, um dia, chegou à conclusão de que o hábito era prejudicial e que deveria ser combatido. Tal raciocínio, que poderia ser aceitável quando se tratasse de crianças acima de dois ou três anos, generalizou-se.

Felizmente, ninguém fez correlações entre os alegres bebezinhos chupadores de dedos e o adulto "dedo duro", o que, aí sim, tornaria a situação bem mais séria. O bebê, como já foi dito, está na fase oral, período em que a boca é fonte de prazer. Para ele, é gratificante, reconfortante, agradável, divertido e gostoso chupar o dedo. Ele se sente mais calmo, tranqüilo e relaxado.

A vantagem do dedo sobre a chupeta é que ele poderá sugá-lo à vontade, sem necessitar do auxílio de outras pessoas. Enquanto a chupeta é utilizada com freqüência para manter a criança ocupada, deixando de aborrecer os adultos, ou, ainda, para diminuir a ansiedade materna, o dedo é usado pelo bebê como fonte de aprendizado.

Nos primeiros dias, quando suga, ele fecha os olhos, pois não é capaz de desenvolver mais de uma atividade de cada vez. Se olha ou ouve alguma coisa, pára de sugar. Ficando tranqüilo, diminui a sucção e utiliza sua energia para explorar o ambiente. Com algumas semanas, quando esvazia gulosamente o seio e não consegue satisfazer o seu instinto de sucção, sente vontade de colocar algo na boca — o dedo, a chupeta, o travesseirinho, a fralda —, tal qual fazem os cãezinhos, que sugam as patas ou os pêlos, os próprios ou de seus irmãos.

Como o seio é mais difícil de ser esvaziado, a turma que mama no peito leva mais tempo sugando. Assim, chupa menos os dedos do que a turma das mamadeiras, principalmente se essas tiverem bicos com furos grandes.

Em resumo, o hábito de chupar os dedos é considerado normal até um ano, ou até o fim da fase oral (dezoito meses), quando a maioria o deixou para trás. Alguns bebês começam a abandoná-lo já a partir dos cinco meses. Mas o ato de chupar os dedos não deve ser motivo de preocupação, aceitando-se como limite máximo os quatro anos. Até essa idade, o hábito não poderá ser responsabilizado pela ocorrência de doenças ou de alterações nas arcadas dentárias.

E o que fazer para que um bebê não chupe dedo? Nada! Deixe-o à vontade. Sozinho, ele saberá abandonar o companheiro no momento oportuno. Caso contrário, vamos ajudá-lo, quando estiver maior. Mas se você quer que ele mantenha o hábito por muito tempo, é fácil: diga-lhe para não pôr o dedo na boca, tire o dedo toda vez que ele voltar a chupá-lo, castigue-o, demonstre por todas as formas que você não gosta de vê-lo fazendo isso. Diga que é feio, é sujo, que seus dentinhos vão apodrecer e assim por diante. Dessa maneira, você estará reforçando o hábito e atormentando-o, prejudicando o seu desenvolvimento emocional.

Apesar de muitos acharem que esse hábito é normal até cinco anos, em minha opinião, as crianças com mais de três anos têm-no por outros motivos, como insegurança. O dedo é o ponto de apoio por meio do qual descarregam todas as suas angústias e preocupações, a falta de carinho ou de atenção, o abandono, o desamor, a injustiça, os maus-tratos, a raiva, conseqüências de conflitos emocionais com os pais, os familiares ou as pessoas que a rodeiam.

Não há como justificar os meios utilizados para que a criança deixe o dedo, como colocar pimenta, quinino ou outros preparados azedos ou picantes; e engessar, colocar esparadrapo no dedo, bater, castigar, amarrar os braços, ofendê-la, chamando-a de boba e feia. Ainda mais quando os pais são fumantes, comedores de canetas ou lápis, roedores de unhas e, em outras palavras, não conseguiram sair completamente da fase oral.

Temos que conhecer os problemas da criança e tentar ajudá-la a resolvê-los, o que será mais trabalhoso, porém, mais resolutivo e gratificante. O que devemos fazer se quisermos que a criança deixe o dedo? Oferecer, sempre que esteja com ele na boca, um brinquedo, um objeto ou qualquer outra coisa que a obrigue a usar as mãos e lhe dê prazer. Sentindo-se satisfeita, alegre, alvo de nossa atenção e carinho, a criança tende a esquecer o hábito.

Como diria o saudoso médico do Rio de Janeiro Prof. Silva Mello, a respeito da atuação dos pais na repressão ao uso do dedo ou da chupeta: "A interferência direta dos pais é quase sempre prejudicial, sobretudo porque eles também necessitam de conselhos psicológicos." E eu acrescentaria: ainda mais se tiverem tido dificuldades em superar a fase oral e continuarem necessitando de algum estímulo para superar suas angústias, tensões ou mesmo para se sentirem felizes, como um cigarrinho. Por último, dedo não constitui um problema. A criança acima de quatro anos que ainda recorre a ele é que deve ser ajudada.

Meu filho usa chupeta

Há muito tempo, a chupeta vem sendo usada para acalmar as crianças. Até meados deste século, a chupeta foi usada livremente, sem constrangimento, havendo um consenso sobre suas vantagens. Seu uso passou a ser questionado quando ela passou a ser considerada anti-higiênica, capaz de aumentar a incidência de cáries e alterar a posição da arcada dentária.

Por incrível que pareça, até hoje, não existe uma concordância sobre o uso ou não das chupetas. Há trinta anos, promovemos uma reunião de pediatras, psicólogos e odontólogos para discutir o assunto. Após acaloradas discussões, não se chegou a um resultado conclusivo. Os pediatras foram, em sua maioria, favoráveis; os odontólogos, contra; os psicólogos, dividiram-se. A controvérsia continua e os profissionais se dividem em dois grandes grupos: o dos favoráveis — os "chupeteiros" — e o dos contrários — os "não-chupeteiros".

Os "chupeteiros" acham que as chupetas acalmam os bebês, previnem o chupar dos dedos, costume bem mais difícil de fazê-los deixar e que provoca maiores alterações na arcada dentária; são abandonadas mais cedo do que os dedos; não provocam infecções, desde que sejam lavadas com a freqüência necessária; não são causadoras de cáries, desde que não se coloque açúcar.

Se usarmos bicos chatos, em substituição aos redondos, e se retirarmos a chupeta antes dos três anos, é muito pouco provável que se alterem as arcadas dentárias ou o palato. A deglutição ou a aspiração de pedaços da chupeta podem ser prevenidas evitando-se o uso de bicos longos, velhos e sem disco de proteção.

O uso da chupeta deve ser iniciado antes do terceiro mês, período em que o bebê chora muito, por cólicas, por estar inquieto ou aborrecido, quando parece ter fome, pouco tempo após as mamadas ou quando estiver com sono. Ela deve ser retirada assim que a criança estiver adormecida ou quase. Ou, todas as vezes em que cair, o bebê acordará e começará a chorar, até que alguém a recoloque. A repetição do ato, várias vezes por noite, inferniza a vida dos pais. Um truque, que às vezes funciona nesses casos, consiste em se colocar duas ou três chupetas na cama, para que o bebê aprenda a pegá-las.

Acostume a criança a sair de casa sem a chupeta e, principalmente, sem ela no pescoço. Com o tempo, irá sendo deixada de lado e só vai ser procurada na hora de dormir. A partir dos seis meses, as crianças vão largando as chupetas; algumas chegam mesmo a cuspi-las. Quando isso ocorrer, aproveite para retirá-la de forma gradativa.

Existem, é claro, as recalcitrantes que as usam por longos anos. Nesses casos, geralmente, elas estão servindo como uma válvula de escape para as tensões, angústias ou qualquer outro problema de ordem emocional, o que nos obriga a ter muito cuidado ao coibir o seu uso. Não devem ser retiradas na "raça", utilizando-se de castigos, punições, humilhações ou colocando-se substâncias amargas ou picantes (pimenta) na chupeta. Devemos ser pacientes, fazer com que as crianças abandonem este hábito sem traumas, reforçando sua auto-estima, dizendo, por exemplo: "você é um homenzinho, não deve mais usar chupeta", "você não é mais um bebezinho para usar chupeta". Valem as recompensas: "se você largar a chupeta, iremos ao parque no domingo" ou "vou lhe dar um carrinho, se você largar a chupeta".

Repetindo: o uso prolongado da chupeta pode ser um sinal de que a criança está enfrentando problemas emocionais, o que, eventualmente, exigirá cuidados especiais.

Algumas crianças, principalmente aquelas amamentadas ao seio, não gostam e até recusam a chupeta. Se isso ocorrer, não insista. Respeite a vontade delas. A chupeta não deverá ser usada nos primeiros dias de vida, pois poderá prejudicar a amamentação.

Se seu filho usa chupeta, tenha sempre alguma de reserva para não acontecer o que vou lhes contar. Marcinho tinha dois anos e meio e continuava amigo da chupeta, usando-a somente para dormir. Conversávamos freqüentemente sobre o fato, até que, um dia, ele se meteu em brios, marchamos juntos para a janela do apartamento e jogamos a chupeta para "o gato que estava andando na rua". Às onze horas da noite, Marcinho acordou e aprontou o maior berreiro. À meia-noite, estava eu atrás de alguma farmácia, ou mesmo "do gato", para conseguir outra. Em nova conversa, perguntei-lhe por que não largava a chupeta. Respondeu-me: "Não sei, papai, mas sempre que vai chegando de noite me dá uma vontade tão grande de chupar chupeta!"

Chupeta é aceitável, e até mesmo recomendável, durante a chamada fase oral (Freud), ou seja, até os dezoito meses. Durante esse período, a boca é a maior fonte de satisfação, razão pela qual o bebê tem uma necessidade imperiosa de sugar. Sua finalidade é tornar o bebê mais alegre e tranqüilo. Se é usada por razões diferentes, como fazer com que ele não chore ou resmungue para não incomodar os adultos ou, em bom português, para tapar sua boca, é melhor não recorrer a ela. Estaríamos contribuindo para ter mais uma criança com problemas emocionais relacionados à carência afetiva.

A chupeta deve ser usada quando for necessária, ou seja, quando a criança estiver inquieta, infeliz ou com sono. Não a todo momento, dia e noite, principalmente quando o bebê estiver dormindo. O melhor é retirá-la assim que se sentir que ela está sendo rejeitada ou, no máximo, quando a criança fizer três anos. Acima dessa idade, a chupeta poderá ser prejudicial, mas para fazer com que o filho a abandone, os pais devem tomar cuidado para evitar qualquer tipo de trauma.

Finalizando, o meu ponto de vista em questão tão simples e polêmica: não se preocupe se seu filho quer ou não a chupeta. Quase todos os problemas daí advindos serão contornáveis, desde que as orientações que demos sejam seguidas. O que prejudica mesmo as crianças é a falta de amor e carinho.

O roedor de unhas

O hábito de roer as unhas — a onicofagia — talvez seja o mais freqüente dos chamados "cacoetes". Embora, geralmente, apareça em torno dos cinco anos, pode durar por toda a vida. Está sempre ligado ao aumento de tensão emocional, cujas raízes encontram-se na infância, relacionadas à agressividade.

Na maioria das vezes, as crianças chupam os dedos por puro prazer ou por se sentirem solitárias. O ato de roer as unhas, porém, ocorre quando elas estão tensas, nervosas e preocupadas — época de provas, filmes de terror, situações que acreditam envolver risco, ambiente familiar conturbado. Com freqüência, o hábito reveste-se de caráter familiar.

Apesar de existirem crianças que, além de roerem as unhas de todos os dedos das mãos, roem até as dos pés, demonstrando dessa maneira o seu extremo grau de tensão, o problema não deve ser considerado sério. Tal como acontece em relação à retirada do dedo ou da chupeta, as repreensões, as punições, as humilhações nunca surtem efeito por mais de alguns minutos, porque raramente a criança está consciente do que está fazendo. Muito menos se deve colocar luvas, esparadrapos, ou pincelar as unhas com pimenta ou qualquer substância de gosto desagradável. Além de ineficazes, essas medidas poderão agravar a situação.

A melhor conduta, como quase tudo em medicina, será tentar descobrir as causas, evitar as situações que possam provocar tensão (filmes, televisão, teatro, opressões, repressões, correções, advertências usadas de forma imoderada, falta de atenção e carinho, abandono), não exigir demais em relação às atividades escolares, conscientizar a criança a respeito dos fatores que possam levá-la a roer as unhas e manter as unhas sempre bem aparadas.

De todas as medidas a serem tomadas, as mais importantes estão relacionadas à família e ao ambiente familiar. É fundamental para a criança que ela vença o cacoete, que encontre no lar afeto, compreensão e segurança. Cabe aos pais ajudar na identificação das causas que a motivaram a roer as unhas, minimizar as situações que possam acarretar tensões ou angústias, introduzir derivativos que substituam o cacoete, tais como leitura, esportes, brinquedos ou outras atividades lúdicas, encorajar e estimular por todos os meios a força de vontade, para que deixem o hábito.

O apelo à vaidade, na maioria das vezes, tem efeito paliativo, transitório ou frustrante, embora possa dar algum resultado em meninas com mais de três anos. Esse apelo pode ser concretizado presenteando-as com conjuntos de manicure e ensinando-as a utilizá-los.

O "cacoete" de roer as unhas deve ser resolvido na infância. Na idade adulta, a correção será muito mais difícil. Pela permanência, freqüência e gravidade, certos casos exigem a ajuda de especialistas para serem resolvidos.

Choro

O choro da criança pequena

"Doutor, meu filho chora muito. Não agüento mais! Já fiz de tudo, e ele continua chorando." Essa queixa constitui, muitas vezes, um desafio para pais e pediatras. Nada angustia mais e torna os pais inseguros do que um bebê chorando, sem que eles saibam o motivo, principalmente se se tratar do primeiro filho.

Os pais costumam reduzir a duas as causas do choro: fome ou cólicas. Chorou, a criança é colocada imediatamente no peito; se parar de chorar, era fome, caso contrário, ela deve estar com cólicas e necessitando de algum chazinho ou de um remédio. Entretanto, as coisas não são tão simples, pois existem várias outras causas que fazem com que um bebê chore.

Por meio do choro, a criança manifesta suas necessidades físicas e emocionais, suas queixas e mesmo sua necessidade de comunicação com o meio e com as pessoas. O choro, nessa fase, é o precursor da linguagem.

A freqüência, a intensidade e a duração variam em função dos estímulos e da maior ou menor sensibilidade do seu sistema nervoso, o que explica por que alguns bebês são mais chorões do que outros. Os filhos produtos de gestações tumultuadas, mães angustiadas, fumantes, alcoólatras ou usuárias de drogas são mais irritados e choram mais.

Estudos relacionados com o desenvolvimento fetal mostram que, desde a vida intra-uterina, essas crianças já apresentam um comportamento diferente. Hoje, grupos de psicólogos e pediatras se dedicam ao estudo da psicologia fetal para prevenir ou mesmo propor condutas que possam modificar essas situações.

O bebê normal chora porque tem fome; tem sede; está com sono; está com frio; está com calor; está molhado; está com roupas apertadas ou mal colocadas; está aborrecido; está sentindo-se sozinho; quer um carinho e uma palavra amiga, pois ele também não é de ferro.

O ambiente exerce grande influência sobre o choro. Pais angustiados, irritados, aborrecidos, impacientes, fumantes, ou ambientes tumultuados, barulhentos, poluídos pela fumaça dos cigarros, em que o bebê é um fumante solidário (aquele que fuma, mesmo que não queira), são fatores que os fazem chorar mais.

Podemos identificar a maioria das causas de choro por suas características e pela expressão facial e corporal do bebê. Entretanto, existem momentos em que não conseguimos identificar estas causas. Costumo dizer que o bebê chora porque chora, sem nenhuma razão.

Os choros de fome ou de "fome"

A causa mais comum do choro, em crianças com menos de dois meses, é a fome. Infelizmente, também é a "fome" uma das maiores causadoras do desmame precoce. Assim que mãe e filho têm alta da maternidade, ao chegarem em casa, são assediados pelas visitas. Quanto mais relacionados com a família, mais visitas. No mesmo dia, à noite, o neném bota a boca no mundo. A mãe, insegura, principalmente se se tratar do primeiro filho, torna-se presa fácil dos "entendidos e experientes", que logo dirão que o bebê está com fome e, gentilmente, irão a uma farmácia próxima comprar uma latinha do salvador "leite para bezerros modificado para uso humano".

Administrada a mamadeira, o bebê pára de chorar, confirmando o diagnóstico. A paz volta a reinar na família de mais um desmamado. Tudo bem? Não, tudo mal. Para uma criança de três dias, substituir o leite materno, com suas inúmeras vantagens, pelo leite de vaca, com todos os seus inconvenientes, é uma troca tão importante para a saúde, que somente o pediatra poderá decidir.

Nos primeiros dias após o parto e o nascimento, mãe e filho necessitam de descanso. Descanso, porque o bebê mama dia e noite. Não tem relógio, ou melhor, seu relógio é o estômago. Se tem fome, quer mamar e, mesmo sem fome, gosta de sugar o seio de sua mãe, o que lhe dá prazer e alegria. Por isso, a mamãe deve descansar durante o dia, para que possa, à noite, amamentar e cuidar de seu filho. Além disso, quando amamentar, deve fazê-lo num ambiente tranqüilo, sozinha ou com alguém que a ajude, nunca com pessoas que possam desviar sua atenção de seu filho. Caso contrário, quando chegar a noite, ela estará cansada, o leite não será produzido, o neném irá chorar, ela irá chorar junto, e o leitinho irá cada vez diminuindo mais. A solução para esse caso de "fome" é muito simples: deixar o bebê sugar (a sucção é que faz aumentar a produção de leite) e a mãe descansar.

Outro caso de "fome" mal resolvido ocorre quando a mãe, de um momento para o outro, fica sem uma gota de leite. Bem orientada, não liga para os palpites e sim para o pediatra: "Doutor, estou sem leite. O que devo fazer?" Quando isso acontece, a primeira pergunta é se a mãe teve algum aborrecimento ou preocupação sérios. Ambos diminuem a produção de leite; por sorte, temporariamente. Nesses casos, a resposta será: "Coloque o bebê no peito, deixe-o sugar quantas vezes ele queira, e logo a senhora estará de novo cheia de leite. Não lhe dê mamadeira!" No meu tempo de criança, havia um ditado que dizia: "O pai que briga com a esposa que está amamentando está roubando o leite do próprio filho."

Existem ainda outras situações de falsa fome, ou diagnosticadas como "fome", que fazem com que as mães dêem mamadeira sem necessidade. Davi, três meses, é levado ao consultório por chorar muito. A mãe diz que deve ser fome, pois ele só mama cinco a dez minutos e, depois desse período, empurra o seio e não quer mais mamar. Entretanto, alguns minutos depois, ele começa a chorar. Ela o coloca novamente no seio e Davi volta a sugar. Essa situação se repete várias vezes durante o dia, o que é cansativo. Há uma coisa boa: Davi dorme relativamente bem durante as noites. Pesamos a criança. Engordou quase o dobro. Então, não pode ser fome! Davi está com o que eu denomino "indigestão crônica". Está mamando demais.

Como a mãe tem muito leite, ele mama pouco tempo. A mãe, pensando que ele está com fome, dá-lhe mais peito. Aí, ele mama mais. Fica com o estômago cheio, distendido. Só não fica esfregando a barriguinha, por ser muito pequeno. Como mama poucos minutos, não consegue satisfazer sua vontade de sugar, embora o estômago esteja cheio. Colocado no peito, suga mais, come mais e fica com o estômago mais distendido. Engorda muito e chora muito. O que fazer? Nesses casos, uma chupeta, um pouco de água antes de mamar ou o aumento do intervalo entre as mamadas podem dar resultado. Nunca, jamais, dê mamadeira.

Algumas dicas em relação à "fome":

- o fato de a criança sugar o seio vigorosamente durante poucos minutos e ficar satisfeita é um indicativo de que a mãe tem muito leite;
- quando as mamadas duram muito tempo e a criança não aumenta de peso, a mãe pode ter pouco leite;
- não existe leite "fraco" e sim pouco ou muito leite;
- se o bebê está aumentando bem de peso, devemos procurar outra causa para o choro, que não seja a fome.

As cólicas dos três meses

Para pais, avós, parentes e babás, quando um bebê chora, ele está com fome ou com cólicas. Esse diagnóstico simplista e errôneo pode ser responsável pelo desmame e pela medicalização desnecessária de inúmeras crianças. Existem pediatras que negam a existência das cólicas, atribuindo o choro a uma série de outros problemas, onde avultam os emocionais. Somos do grupo que acredita que elas existam, que sejam comuns, mas não com a freqüência que lhes é atribuída.

As cólicas afligem os bebês a partir da segunda ou terceira semana e diminuem ou desaparecem a partir do terceiro mês, o que lhes vale a designação de "cólicas dos três meses". Geralmente, surgem no final da tarde, início da noite, ou durante a noite, depois de uma mamada, o que lhes vale uma segunda denominação: "cólicas noturnas". O bebê grita com violência, flexiona ritmicamente e com força os bracinhos e principalmente as perninhas, fica vermelho, vira a cabeça de um lado para o outro como se estivesse com fome, seu abdome fica distendido e, com freqüência, ocorre eliminação de gases. De repente, depois de algumas horas de sofrimento, tudo cessa, a criança dorme profundamente e, no outro dia, na mesma hora, a situação se repete. O tratamento não é fácil, pois não se sabe o que ocasiona as cólicas e nem seu mecanismo, ou seja, por que algumas crianças têm esse tipo de problema e outras não.

Aldrich, um estudioso do assunto, acha que elas estariam ligadas a uma imaturidade do sistema nervoso, o que explicaria o seu desaparecimento em torno do terceiro mês. Outros acreditam que a causa mais importante seria a instabilidade emocional do ambiente, por serem mais comuns no primeiro filho, em crianças mais agitadas, inquietas e hipertônicas, por melhorarem quando a criança passa a ser cuidada por pessoa experiente e tranqüila, e por não ocorrerem em bebês internados em creches ou enfermarias.

Durante as crises, podemos tentar várias medidas:

- colocar a criança no colo e niná-la;
- conversar com a criança em voz baixa ou colocar uma música suave, tentando transmitir-lhe tranqüilidade;
- usar cadeira de balanço ou rede;
- usar a chupeta;
- colocar a criança de barriga para baixo, sobre nossos joelhos;
- tentar fazer com que a criança arrote;
- massagear o abdome;
- colocar compressas aquecidas ou saco de água quente sobre o abdome.

Caso a mãe esteja amamentando, o leite de vaca deverá ser retirado de sua alimentação. Evitar superestimular a criança com chocalhos ou objetos muito ruidosos. Com freqüência, torna-se necessária a utilização de medicamentos, prescritos com orientação médica.

Quando a criança chorar por mais de quatro horas, estiver febril, resfriada, com vômitos ou qualquer outro sinal de doença, ou ainda se as cólicas durarem mais de quatro meses, deverá ser levada ao pediatra.

Com todo seu aspecto alarmante, as cólicas dos três meses são de ótimo prognóstico. Mesmo quando são intensas e prolongadas, não afetam o estado geral das crianças, nem seu crescimento e desenvolvimento.

Como reconhecer o tipo de choro

Nos primeiros meses de vida, o choro pode ter origem nas mais variadas causas. Se o bebê está chorando, arrota, melhora e dorme, é sinal de que, por ser guloso, está engolindo muito ar, por ser chorão ou por erros de administração da mamadeira. Sempre se deve colocar a criança para arrotar após a mamada, durante três a cinco minutos; algumas crianças levam mais tempo ou mesmo não arrotam.

O choro pode ser ocasionado ainda por erros na alimentação, sejam eles causados por técnicas impróprias — postura, posição, tipo do bico e tamanho do orifício da mamadeira (muito grande ou muito pequeno) — que aumentam a ingestão de ar; pela quantidade administrada — exagerada ou insuficiente, levando à indigestão ou à fome; pelo preparo errado das mamadeiras, com quantidades inadequadas de leite, farinha ou açúcar, que podem provocar cólicas; pelo uso de alimentos que possam causar sintomas alérgicos ou de intolerância, como o leite de vaca e os cítricos que também levam às cólicas.

A maioria dos bebês tem ainda uma grande necessidade de sugar — o seio, a mamadeira, o dedo ou a chupeta. Não atendida essa vontade, chora. A solução é colocar o bebê no seio, deixá-lo chupar os dedos ou dar-lhe a chupeta. Quando urina ou evacua nas fraldas, sente-se desconfortável e chora; trocada a fralda, aquieta-se. Se está sozinho, começa a chorar; tranqüiliza-se quando colocado no colo ou quando se fala com ele com voz doce e carinhosa. Provavelmente, sente-se sozinho ou aborrecido e quer companhia. Se fica calado e passa a rir quando se brinca ou se coloca uma música suave, talvez queira se divertir.

Crianças com constituição neuropática ou hipertônica choram mais, bem como as portadoras de determinados problemas neurológicos. E ainda outras choram sem que se possa determinar a causa. Nesses casos, um banho morno, demorado, constitui freqüentemente um santo remédio.

Como se pode ver, o bebê não chora somente por fome ou cólicas. Felizmente, o choro da criança, na imensa maioria das vezes, é causado por situações previsíveis e de baixa complexidade, diminuindo de intensidade e de freqüência com a idade.

Quando chora, o bebê reage como um todo. De um momento para outro, começa a chorar com energia, emite gritos, agita-se, contorce-se, expressa no rosto o sentimento de dor ou angústia que o aflige. Esse tipo de reação, universal, torna às vezes difícil identificar a causa do choro. Entretanto, as expressões faciais e corporais do bebê, associadas a certas características, podem orientar-nos quanto à conduta a ser tomada. As expressões de medo, de tristeza, de alegria, de aborrecimento, de dor e de raiva no bebê são muito semelhantes às das crianças maiores, ou mesmo às dos adultos.

Choro que se inicia com um resmungo e vai aumentando progressivamente de intensidade até se tornar bem alto, ritmado, com duração de um a dois segundos, intercalado por pausa, pode ser devido a fome, frio, calor, fraldas molhadas, vontade de arrotar, necessidade de atenção ou de carinho, ou mesmo cólicas.

Choro de raiva tem características parecidas com as de fome, com a mesma duração e maior intensidade. A expressão é de espanto: sobrancelhas cerradas e abaixadas, pálpebras tensas, olhos abertos e lábios cerrados. Ocorre quando o bebê é contrariado. Choro de manha, se é que se pode considerá-lo assim, é sem vontade, irritante, que cede logo que se atende às necessidades emocionais do bebê.

Choro de cólica é intermitente, o bebê grita com violência, flexiona fortemente pés e braços, treme, fica vermelho e, com freqüência, elimina gases. Se sentir dor de ouvido, ele costuma balançar a cabeça; se é maiorzinho, põe a mão na orelha e, quando levantado, o choro diminui ou cede, para recomeçar quando é recolocado no berço.

O choro que parece um lamento, quase um gemido, baixinho, repetitivo, pode indicar alguma infecção ainda em período de incubação, dor no corpo ou problemas respiratórios agudos. Choro de dor se inicia com um grito, dura em torno de sete segundos e depois pára; a criança expira, engole ar e recomeça a chorar. Sua expressão facial combina raiva e irritação: mandíbula caída, cantos da boca para baixo, olhos arregalados, pálpebras tensas. Sustos ou pesadelos podem provocar o mesmo tipo de choro, que cede quando se coloca a criança no colo.

Qualquer expressão facial de dor indica a necessidade de se tomar medidas para tranqüilizar o bebê: colocar no colo, falar baixinho, acariciá-lo. Se a dor não ceder, ou se a criança, de repente, começou a chorar agudamente, demonstrando que sente dor, e mais ainda se tiver febre, é necessário buscar orientação médica.

Os chorões e os birrentos

O mau humor também acontece entre crianças que, ao enfrentarem determinadas situações de frustração, exteriorizam seu descontentamento pelo choro ou pelas crises de birra, caracterizadas por um comportamento explosivo, tempestuoso, em que chora, grita, dá pulinhos no mesmo lugar, esperneia, joga-se e espoja-se no chão, dá socos, pontapés, joga objetos.

Os "chorões" e os "birrentos" surgem a partir de um ano de idade, porém, mais freqüentemente, a partir do segundo ano. Antes alegres, sorridentes, simpáticas, agradáveis, essas crianças, de um momento para outro, passam a ter essas reações frente a negativas ou exigências feitas pelos pais ou familiares, para intimidá-los e conseguir seus objetivos.

Minha vida foi marcada por duas birras tão memoráveis que delas não me esqueci. A primeira, no dia de meu quinto aniversário, quando recebi de uma das tias de quem eu mais gostava uma camisa, em vez do brinquedo que lhe havia sugerido. A casa estava cheia e eu disse poucas e boas, o que causou uma terrível situação de constrangimento, pois esse não era o meu feitio. A segunda vez foi pouco depois, na rua principal de Leopoldina, onde parei em frente ao colégio que eu desejava freqüentar, gritei, deitei e rolei no chão até que minha mãe atravessasse a rua e me matriculasse.

Infelizmente, para um bom número de pais, os episódios são bem mais constantes, às vezes, diários. E, sem dúvida, a freqüência das crises está relacionada com a atitude tomada pelos adultos. Se os pais se intimidam — já que a finalidade única é submetê-los aos desejos e às vontades dos filhos —, com receio de prejudicá-los ou aumentar seu sofrimento, provavelmente as crises se repetirão e serão mais intensas quanto maior for a preocupação dos pais. Alguns desses episódios são de tal intensidade que são denominados de "reações catastróficas", deixando os pais pasmos, perplexos, impotentes e apavorados.

Freqüentemente, os pais deixam de tomar uma atitude firme por vários motivos, que vão desde pensar que a criança possa sofrer algum dano físico ou emocional, por respeito aos vizinhos, para evitar que pensem que o filho esteja sendo espancado, ou até por comodismo. Às vezes, os pais enfrentam a batalha e tentam resolver "na raça", o que também não dá certo.

O que fazer? Em primeiro lugar, convencermo-nos de que a birra não acarreta nenhum dano físico, mental ou emocional à criança; que ceder a seus caprichos é tão nocivo quanto reprimir o episódio com violência; que será bom manter uma atitude de tranqüilidade, às vezes até de indiferença, que demonstre à criança que ela não irá conseguir o que deseja usando esse tipo de artifício; que deverá ficar com a criança durante a crise alguém capaz de não interferir no processo, mantendo uma atitude calma e tranqüila; que, em hipótese alguma, a criança poderá sofrer agressões físicas (tapas, palmadas, beliscões), receber jatos de água fria, ser colocada de castigo, ser repreendida com gritos e ameaças; que a contenção só deverá ser usada em casos de risco, que são muito raros, tomando-se o cuidado de explicar-lhe em tom manso e carinhoso, por que estão sendo restringidos seus movimentos.

Quando estamos bem equilibrados, seguros de que amamos nossos filhos e os tratamos bem, torna-se fácil controlá-los, usando como armas o afeto, o carinho e a firmeza. Quando começam a choramingar, devemos dizer "nada de choro!", em tom firme, porém sem raiva. Temos de ensinar-lhes que choro contumaz e birra não vão levar a nada e que seria melhor que eles poupassem o fôlego e a saliva. Embora o choro de malandragem, para conseguir as coisas, seja facilmente reconhecido, é preciso não esquecer que existem doenças que tornam as crianças mais choronas. Nos raros casos de dúvida, o pediatra deverá ser consultado.

Sono

O sono dos bebês

As perturbações do sono dos filhos estão entre as queixas e preocupações mais freqüentes dos pais. Embora comuns, algumas perguntas são de difícil resposta. "Quantas horas uma criança deve dormir por dia?" "Como é o sono normal das crianças?" "Quando devem ser colocadas para dormir?" "Quando não necessitam dormir à tarde?" "Está certo uma criança dormir no quarto ou na cama dos pais?"

Essas e outras indagações do mesmo tipo são feitas com freqüência aos pediatras, que, às vezes, têm dificuldade em respondê-las, pois os hábitos relacionados com o sono variam segundo os países, as regiões, as localidades e as famílias, incluindo-se entre os hábitos pessoais.

Talvez se possa respondê-las de forma pouco acadêmica, mas muito prática: se a família aceita o comportamento da criança em relação ao sono sem ficar aborrecida ou preocupada, tudo bem. Não deve haver motivos para maiores preocupações. Caso contrário, se a família ou a criança estiver infeliz com esse comportamento, ainda que ele possa ser considerado normal, estamos diante de um problema.

Os distúrbios relacionados ao sono são tão comuns que existem inúmeros Laboratórios do Sono, espalhados pelo mundo, inclusive no Brasil, dedicados a estudá-los. Pesquisas realizadas na Europa e nos Estados Unidos revelaram que 25% dos bebês entre seis meses e um ano acordam com freqüência durante a noite. Esse número sobe para 50% entre aqueles que mamam no peito. Entre um e dois anos, 20% das crianças ainda acordam bastante. Aos quatro anos, metade delas não dorme ou tem dificuldades para dormir durante o dia e ainda acorda ocasionalmente à noite. Entre sete e onze anos, cerca de 14% das crianças têm insônia regularmente e 4% estão habituadas a receber soníferos.

Em uma pesquisa coordenada pelo Prof. Andre Kahn, na França, foram avaliadas 14 mil consultas pediátricas e constatou-se que 4% das crianças tinham problemas sérios ligados ao sono, mas somente 1% dos pais procurou auxílio para resolvê-los, levando os filhos ao médico. E a maioria dos que assim agiram recebeu uma receita de sedativos, os quais geralmente têm efeitos paliativos, não resolutivos.

Além de sofrer com o desconforto noturno, as crianças com distúrbios graves do sono passam os dias cansadas, indispostas, dispersas, o que pode prejudicar seu rendimento escolar e sua vida social. Mas ao tentar resolver esses distúrbios, o maior obstáculo encontrado pelos pediatras é a mudança de comportamento da família, dos pais, particularmente das mães, em relação ao sono infantil.

Mas, afinal, quantas horas uma criança com menos de um ano deve dormir? A resposta parece fácil e pode ser encontrada em vários livros de pediatria ou de orientação aos pais. O bebê precisa dormir, e dorme, em torno de 16 a 20 horas diárias, nos primeiros meses. Por volta do primeiro ano, de 14 a 16 horas; do segundo, 14 horas; dos seis, 12 horas; dos nove, 11 horas; dos doze, 10 horas.

Entretanto, após alguns anos de prática, os pediatras têm cada vez menos segurança ao transmitir essa informação. Por quê? Porque o bebê parece ser o único capaz de responder à questão sobre quantas horas deve dormir. Os padrões do sono são biologicamente determinados. Cada bebê tem seu ritmo próprio, suas necessidades, sua individualidade. Uma boa resposta seria "o seu bebê dorme o tempo que ele acha que seja necessário".

Recém-nascidos dormem praticamente o dia todo, acordando quando estão com fome ou em situações de desconforto — fraldas molhadas ou sujas, frio, calor, sede, barulho. Nos primeiros meses, a maioria dorme de uma mamada a outra, se não mamar pouco ou demais. Entretanto, alguns deles têm menos sono. Nesse caso, pouco poderá ser feito. Serão adultos que se contentarão em dormir pouco. Existe um famoso professor de Pediatria, em Recife, que dorme de quatro a cinco horas por noite, tem mais de setenta anos e trabalha 14 horas por dia.

Os casos de insônia inatos são raros. Acredito que a maioria dos problemas relacionados ao sono dos bebês esteja na formação de hábitos, ou seja, possíveis de se prevenir com educação e disciplina. Certas situações costumam acontecer com freqüência. Como o bebê comilão noturno, que gosta de mamar várias vezes à noite. Em estudo realizado sobre o sono da criança pequena, chegou-se à conclusão de que, ao completar um mês e meio de vida, 50% delas conseguiam dormir oito horas sem se alimentar, e que 95% já poderiam dispensar a mamada noturna aos quatro meses.

Em outras palavras, com quatro meses, quase todas têm condições de dormir a noite toda, sem mamar nenhuma vez. Se continuam mamando após essa idade, houve algum condicionamento errado. Quando, por exemplo, foi permitido ao bebê mamar durante o dia em intervalos pequenos, inferiores a duas horas e meia, ou, às vezes, a cada hora — o que ocorre principalmente com os amamentados, pois sempre que choram são colocados ao seio. Em vez disso, devemos conversar baixinho com a criança, tranqüilizá-la, colocá-la no colo, dar-lhe a chupeta, fazer tudo para prolongar o intervalo das mamadas para, no mínimo, duas horas e meia. Caso contrário, ela vai querer alimentar-se da mesma maneira no período noturno.

A mãe que amamenta cansada ou preocupada produz menos leite. Isso é particularmente verdadeiro no período logo depois que o bebê chega em casa. Com a família toda reunida para vê-lo, pegá-lo, acariciá-lo, as visitas se sucedem e a mãe não tem um minuto para descansar. Ou precisa assumir deveres domésticos que a impedem de repousar, diminuindo-se assim a produção de leite, que nos primeiros dias ainda é escasso. À noite, o bebê, então, chora com fome e ela passa a dar o seio várias vezes, condicionando-o a mamar à noite. Uma pequena diminuição de sua atividade ou o repouso, se possíveis, reverterão a situação com facilidade.

O hábito de deixar a mamadeira na cama do bebê, para que ele durma com ela, é um outro fator que faz com que ele passe a mamar várias vezes à noite. Da mesma forma, crianças acima de um ano que vivem carregando a mamadeira por todo lado podem vir a ser comilões noturnos. Mas, no meu ponto de vista, o pior de todos é o que mama três a quatro vezes durante a noite, com o consentimento e aprovação da mãe.

Outro costume que pode levar a mamadas noturnas — e que pode e deve ser corrigido — é o de dar o seio ou a mamadeira para que a criança adormeça e logo depois colocá-lo no berço. Acordando durante a noite, vai exigir, para dormir, o mesmo objeto que lhe deu sono — o seio ou a mamadeira. A mesma recomendação é verdadeira no caso de vários outros recursos usados para fazer dormir o bebê que chora, como dar chupeta, embalá-lo, colocar músicas ou cantar canções próprias para crianças. Embora sejam válidos, eles não devem ser transformados em hábitos para não tornar o sono do bebê dependente deles: se dormiu mamando, vai querer mamar; se dormiu com a chupeta, vai exigi-la; se tiver sido embalado, alguém terá de fazê-lo, e assim por diante. Por isso, o bebê deve ser colocado no berço sonolento, porém desperto.

Ainda um motivo favorece os distúrbios do sono: cólicas. Durante três meses, o bebê teve cólicas. Colocado no colo, sentia-se confortável e dormia. Durante meses, chorou e recebeu o carinho de sua mãe. As cólicas desapareceram, porém o bebê, zangado e autoritário, quer continuar dormindo no colo. Quando colocado na cama, acorda e quer mais colo, quer ser ninado, que andem com ele e tudo mais que acredita ter direito. O que fazer? Muito fácil. Na hora de dormir, coloque-o no berço, afague-o, acenda uma luz com pouca luminosidade, deixe aberta a porta do quarto, dê-lhe boa-noite e prepare-se para agüentar uma meia hora de choro. Se não resistir, volte ao quarto, mas não o retire da cama. Em menos de uma semana, tudo estará resolvido.

Esse método só não é infalível porque a mãe ou o pai não querem que o bebê chore para não acordar as outras crianças, para não aborrecer os vizinhos, e, principalmente, porque a mãe não agüenta ver o filho chorando sem pegá-lo no colo. Quando isso ocorrer, só resta conformar-se com a situação e esperar que o bebê, ao desenvolver-se, deixe, por si só, de acordar à noite, chorando.

A mesma situação também pode acontecer quando o bebê tiver tido alguma doença — otite, febres, resfriados — que tenha levado os pais, preocupados, a colocá-lo com freqüência no colo. Acaba a doença, mas não o gosto pelo colinho. Ou então são os pais, que a qualquer choramingo, preocupados, vão vê-lo, retirando-o muitas vezes da cama para confortá-lo. E aí a cena pode passar a se repetir todas as noites.

Com o primeiro filho, qualquer chorinho leva os pais a querer saber o que se passa com o bebê. Será que está com fome? Com frio? Vamos trocar a fralda. Pegue-o um pouquinho. É quando o bebê acorda e dá um sorriso largo, irresistível. Os pais não agüentam: sorriem também, brincam, conversam, acham aquilo tudo o máximo. Na noite seguinte, tal qual um bichinho condicionado, o bebê acorda, de novo, no mesmo horário. Repetem-se os risos e brincadeiras.

Quinze a vinte dias mais tarde, o cansaço domina os pais. Não querem mais brincar, estão exaustos. O que fazer? Primeiro, nunca brinquem com as crianças à noite, pois elas são facilmente condicionadas. Se o processo já se instalou, tranqüilize-a, mas sem retirá-la do berço, mesmo que ela chore. Mantenha uma luz fraca acesa e, se possível, alguém no quarto que possa ser visto pela criança. E prepare os ouvidos para resistir ao choro. O método pode falhar pelos motivos já citados anteriormente. Mas se isso não for feito, o bebê pode passar a acordar várias vezes à noite, o que é absolutamente insustentável.

O desespero de um pai, que não conseguia dormir há um mês, foi tanto que, numa madrugada, queria bater na filha. Fui chamado e mandei a criança imediatamente para a casa da avó. Dias mais tarde, ela me perguntou o motivo da transferência. Fiquei então sabendo que a criança, com cinco meses, vinha dormindo tranqüilamente todas as noites. A mesma situação se passou com um colega médico, de Brasília. O desespero e o cansaço do casal era tanto, que resolvi levar a criança, também com meses, para a minha casa. Devolvi-a sem maiores problemas para dormir.

Pais cansados tornam-se impacientes e irritadiços, transmitindo essas sensações à criança, que se torna também cada vez mais irritada. O fato é que ela tem que aprender, e o faz em poucos dias, que não terá nada a ganhar com o choro. Quanto mais cedo for identificado o problema, mais fácil será a solução, que, infelizmente, requer força de vontade e coração duro. Para que isso funcione, o bebê não deverá estar no quarto dos pais, pelo menos até o desaparecimento do hábito.

Por último, bebês com mais de seis meses podem ter medo e acordar durante a noite, como se tivessem pesadelos. Esse medo parece estar ligado ao receio de separação da mãe, e essas crianças, mesmo durante o dia, costumam aceitar mal as babás.

Prevenir o aparecimento desses problemas, que acredito ser os que mais freqüentemente perturbem o sono do bebê, é tarefa que começa logo que o recém-nascido vai para casa, após o nascimento. Para isso, vamos recapitular e enfatizar as recomendações que devem ser seguidas:

- O peito ou a mamadeira devem ser dados em intervalos superiores a duas horas e meia.
- A mamada ou a mamadeira da madrugada, em bebês com menos de cinco meses, deve ser rápida, desacompanhada de qualquer sorriso, conversa ou gesto que estimule brincadeiras, sem colo (no caso de mamadeira) ou balanços, sem luzes acesas, apenas com lâmpadas de baixa luminosidade, pois a noite foi feita para que todos durmam.
- Coloquem o bebê no berço quando ele começar a dormir, porém ainda acordado, para que aprenda a dormir sozinho. Caso contrário, passará a noite choramingando, exigindo a presença da mãe ou de outra vítima.
- Não promovam nem estimulem a alimentação à noite; a partir do quarto mês, tentem retirar a mamada noturna.

- Não permitam que o bebê durma segurando a mamadeira.
- Não troquem fraldas durante a noite, a não ser que estejam incomodando o bebê ou em casos graves de assaduras.
- Não coloquem o bebê na cama do casal.
- Os contatos noturnos devem ser breves e secos, das 22h às 6h.
- Coloquem o bebê para dormir sempre no mesmo horário.

Para prevenir o choro noturno de bebês que têm medo, recomenda-se que:

- Dêem ao bebê um companheiro noturno, um ursinho, um travesseiro, uma fralda, um brinquedo de borracha, algum amiguinho.
- Deixem a porta do quarto aberta.
- Mantenham o quarto do bebê escuro ou com uma lâmpada de baixa intensidade acesa.
- Assim que chegarem em casa, as mães que trabalham ou estudam devem segurar, acariciar, conversar, brincar com seu filho. Assim, reduz-se o risco da ansiedade da separação.
- Quando chorarem à noite, devem ser imediatamente tranqüilizados, porém sem brincadeiras. Se entrarem em pânico, recomenda-se que a mãe durma a seu lado até que se acalmem ou adormeçam.
- Qualquer pessoa que vá dormir no quarto do bebê deve ser apresentada a ele quando ainda estiver acordado. Caso isso não seja feito, ao despertar à noite, ele ficará assustado por ver uma pessoa desconhecida a seu lado.
- Evitem, dentro do possível, retirar o bebê do berço.
- Se o bebê com um ou dois meses dorme a noite toda, não fiquem tristes nem preocupados, pois vocês foram premiados.

O visitante noturno

Com muita freqüência, as crianças por volta dos dois anos passam para a cama dos pais. Conheci um pediatra que se casou duas vezes. Teve quatro filhos do primeiro casamento, que nasceram com diferença de um ano. Todos tinham o hábito de passar para a cama dos pais. Como a diferença de idade entre eles era pequena, algumas vezes os quatro reuniam-se, à noite, na cama do casal.

Como pediatra, ele sabia o que deveria ser feito para prevenir ou acabar com a situação:

- colocar as crianças, se possível antes do quarto mês, no quarto delas. Somente retirar as grades do berço, ou da cama, após completarem dois anos;
- fazer a tentativa de levá-las, com carinho e firmeza, de volta ao seu quarto, na primeira vez que em que passarem para o quarto do casal;
- não permitir a repetição do episódio, pois certamente ele se tornará uma rotina;
- convencer as crianças de que cada um na sua cama é um direito de todos;
- deixar uma luz de baixa intensidade acesa, em seus quartos;
- caso as crianças chorem, ir até o quarto e acalmá-las, nunca as transferir para a cama do casal. Se necessário, colocar uma pessoa, se possível que não seja a mãe, dormindo durante algum tempo com elas.

Certamente, a utilização de uma ou mais dessas medidas conseguirá fazer com que a maioria das crianças deixe de deslizar suave e silenciosamente de sua cama para a dos pais.

No caso do pediatra acima citado, as medidas falharam por alguns motivos. O pai trabalhava muito, dormia cansado, e a mãe tinha sono profundo. Quando acordavam pela manhã, a turminha estava presente na cama. Nada mais havia a fazer. Quando algum "fantasminha" era pego em flagrante, era devolvido ao seu quarto. Algumas raras noites, os pais acordavam com mais de um na cama e, às vezes, com os quatro, o que tornava o transporte de volta cansativo. Quando isso ocorria, o pai optava por mudar de quarto. Um dia, as visitas foram rareando e, finalmente, acabaram-se. O pai ficou viúvo e casou-se de novo. E o que aconteceu? Pasmem, a mesma coisa. O filho do segundo casamento, em torno dos dois anos, fez uso de todo seu encanto — sorria, conversava, fazia perguntas carinhosas e se aninhava nos braços da mãe, que não conseguia resistir e o deixava dormir junto dela.

Certamente, um psicólogo não aceitaria a situação e apelaria para leis enérgicas, que evitariam o desconforto dos adultos espremidos na cama e, eventualmente, a transformação do quarto do casal em um acampamento. Como diria uma grande psicóloga, minha amiga, "temos que agir com firmeza e doçura" para formar bons hábitos de dormir. Caso o leitor tenha mais sucesso do que eu, poderá utilizar esse conselho com bons resultados. O que nunca poderá ser feito: fechar a porta do quarto e deixar a criança chorando a noite toda.

E o fim da história? Hoje, todos os cinco filhos são pessoas excelentes, que há muitos anos dormem em seus próprios quartos, alguns sozinhos, outros muito bem acompanhados e já enfrentando a visita noturna da meninada de dois anos.

Aleitamento

A importância da amamentação

Há muitos anos, todas as mães amamentavam seus filhos. O leite materno era sinônimo de vida. Sem ele, as crianças não sobreviviam. As folhas da árvore da vida dos maias eram representadas por mamas e tetas, o que dá a dimensão da importância do aleitamento materno para eles. As leis de Esparta obrigavam todas as mulheres a amamentarem seus filhos, inclusive a rainha. Plutarco relata que o segundo filho do rei Themistes herdou o reino de Esparta somente por haver sido amamentado por sua mãe. Hipócrates, o patrono dos médicos, disse há mais de 2.000 anos: "Só o próprio leite é benéfico, todos os outros são nocivos."

O desmame em massa parece ter começado no século XIX, na França, pela utilização do leite de amas e de animais (vaca, cabra, égua) ou papinhas. A razão invocada foi a de que "não era costume" as mulheres ricas amamentarem, para "conservar sua beleza e frescor". Em 1718, o hábito de não amamentar já tinha se estendido às classes mais pobres. Daí para a frente, disseminou-se para outros países, chegando mais rapidamente às mulheres dos centros urbanos, mas poupando as das áreas rurais.

Vários motivos explicam o fato, entre outros, a urbanização e os avanços tecnológicos, que repercutiram sobre o comportamento médico, social e nutricional das populações. A medicina passou a valorizar mais o diagnóstico e o tratamento, relegando a um segundo plano a promoção da saúde e a prevenção das doenças.

Na área da nutrição, o desenvolvimento da indústria alimentícia e da publicidade passou a dar a impressão de que os alimentos industrializados eram tão perfeitos que se igualavam ou superavam o leite materno, no que se referia à satisfação das necessidades biológicas infantis. Na área social, as alterações nos modelos das famílias fizeram com que fossem esquecidos antigos valores culturais.

Infelizmente, a diminuição drástica da amamentação tem sido responsável pelo aumento da desnutrição e pelas infecções diarréicas e respiratórias, sem falar no aumento dos casos de alergia e intolerância alimentar. Crianças amamentadas ao seio, ao contrário, ficam menos doentes e, portanto, morrem menos, o que é particularmente verdadeiro no caso de pertencerem a famílias de baixa renda. Desmamar crianças pobres nos primeiros meses de vida, portanto, é contribuir decisivamente para aumentar as cifras da mortalidade infantil em nosso país.

O Brasil reagiu contra esse tipo de situação. O Ministério da Saúde, a Sociedade Brasileira de Pediatria, as universidades e os serviços de saúde, com o auxílio de organizações internacionais, como o Unicef, e não-governamentais, como a Pastoral da Criança, têm conjugado esforços para promover a amamentação. Publicações, congressos, reuniões, seminários, conferências têm sido feitos nesse sentido. O Ministério da Saúde, há vários anos, criou um grupo de trabalho que se encarrega exclusivamente do aleitamento materno e dos bancos de leite. Essas medidas fizeram até com que nosso país fosse considerado o campeão na promoção do aleitamento materno.

Amamentação

Passei boa parte de minha vida estudando, participando de reuniões científicas, escrevendo e, principalmente, ensinando as vantagens da amamentação. Em outras palavras, passei um bom tempo tentando provar o óbvio: o leite humano é melhor para o ser humano do que o leite de outros animais e, em particular, o da vaca. Tenho certeza de que nenhum veterinário jamais precisou gastar qualquer fração de seu tempo tentando provar a seus pares que o leite da vaca é melhor para o bezerro do que o de cabra. Mas essa obviedade não tem sido suficiente para motivar as mães a amamentarem seus filhos, embora, confesso, já passamos por tempos piores.

Por que a amamentação é tão importante? Resumidamente, enumero algumas vantagens:

- Para a mulher, previne o câncer de mama e promove um melhor atendimento das necessidades afetivas de mãe e filho.
- Para a criança, proporciona um melhor atendimento de suas necessidades nutricionais, inclusive em relação ao desenvolvimento cerebral; aumenta a resistência às infecções em geral, principalmente as respiratórias e as intestinais; diminui a possibilidade de alergias respiratórias (asma, rinites), digestivas (diarréias pelo leite de vaca) e cutâneas (eczemas); reduz o risco de doenças diarréicas, pois o leite materno é estéril e não

necessita ser manipulado como o de vaca; proporciona melhor relacionamento mãe e filho; e, por último, o leite materno é mais gostoso, tem a temperatura ideal, não necessitando ser aquecido, além de estar disponível a qualquer momento.

- Para os pais é mais econômico, pois é de graça. E ainda diminui os gastos com médicos, farmácias e supermercados. A maioria das doenças das nutrizes e dos medicamentos ingeridos por elas não contra-indica a amamentação. Na dúvida, no entanto, o médico deverá ser consultado.

O que alegam as mães para o desmame? A falta de leite e o leite fraco são os motivos mais invocados. Mas quando a vontade de amamentar é grande, até mães adotivas podem fazê-lo. Não existe leite materno fraco; ele é sempre bom. O que existe é muito ou pouco leite. Sabemos que mesmo mães que desmamaram seus bebês há muito tempo podem voltar a amamentar, desde que exista uma motivação forte. Por exemplo, a sobrevivência do filho. Chama-se a isso relactação, e existem no país alguns centros que se dedicam a esse trabalho.

Por incrível que pareça, o trabalho e o estudo maternos são responsáveis por menos de 10% dos desmames, segundo vários pesquisadores, o que está de acordo com a nossa experiência. Já as rachaduras nos seios às vezes levam ao desmame. Devem ser prevenidas, evitando-se que a criança sugue durante muito tempo, dando os seios de forma alternada, usando-se sutiã de algodão e conservando-se o peito arejado. Também se deve lavar os mamilos somente durante o banho, fazendo com que a criança abarque o máximo possível da aréola, expondo os seios ao sol da manhã por cinco minutos, e ordenhando-os com as mãos, caso a produção de leite seja excessiva. Mas, principalmente, não parando de amamentar.

Os recém-nascidos não sabem as horas. Mamam quando têm fome. Por isso, as mães que amamentam devem descansar durante o dia. Quando a mãe está cansada ou preocupada (excesso de visitas, brigas domésticas, perda de familiares), a produção diminui e a saída do leite fica dificultada, fazendo com que a criança fique cada vez mais irritada ao cair da noite. Mas tudo volta rapidamente ao normal, se a mãe tirar um cochilo durante o dia, sem atender visitas nem telefonemas.

Nunca nos esqueçamos de que a produção de leite aumenta bastante a partir do quinto dia após o parto. A natureza é sábia. O recém-nascido tem que aprender a comer e seu aparelho digestivo a trabalhar. Assim, à medida que ele passa a sugar, promove um aumento gradativo da produção do leite materno. Afinal, o maior estímulo à produção de leite é a sucção da criança. Introduzir a mamadeira por "falta de leite" nos primeiros dias, sem consultar o médico, apenas por orientação ou pressão de familiares, leva inevitavelmente ao desmame. Não é por outro motivo que, em alguns países africanos, a mamadeira é chamada de *baby killer*, a principal inimiga da amamentação.

O que fazer então? Nesse primeiro dia, a mãe deve amamentar em local tranqüilo, evitando conversar e concentrando seu olhar e seu carinho no filho. Com isso, resolveremos a situação. Entretanto, existem mães que realmente não conseguirão amamentar por serem portadoras de condições que contra-indicam ou impedem a amamentação, que fiquem tranqüilas. É possível ser uma boa mãe tanto dando o seio quanto a mamadeira. O importante é que isso seja feito com amor e carinho.

Para nós, pediatras, o que importa é que todas as mulheres que desejarem amamentar disponham das informações e do apoio necessários para que consigam realizar seu intento. E que todas elas saibam que, como se não bastassem todas as vantagens citadas, a amamentação é, antes de tudo, um ato de amor.

Dieta para a mãe que amamenta

A amamentação exige alguns cuidados simples, fáceis, mas importantes, principalmente em relação à nutrição materna. A nutriz deve seguir uma dieta que supra suas necessidades e as de seu — ou seus, no caso de gêmeos — bebê(s).

Não é sem razão que um grande número delas diz sentir muita fome, come exageradamente e engorda demais. A explicação é óbvia. Imagine que você necessite ingerir em torno de 2.500 calorias por dia para se manter em forma e desenvolver suas atividades habituais. Com o bebê, você necessitará um pouco mais, pois deve estar dormindo menos e utilizando mais energia, ou calorias, durante o período em que se mantém acordada. Além disso, suponhamos que o bebê esteja mamando cerca de um litro de leite por dia. Isso vai exigir que sua dieta forneça, mais ou menos, 3.500 calorias por dia, o necessário para manter seu equilíbrio nutricional. Preocupante seria não ter fome ou resolver restringir a dieta por outros motivos; estéticos, por exemplo.

O desjejum deve ser reforçado: um copo de leite, pão, manteiga, queijos, geléias, ovos, presunto, cereais, frutas ou suco de frutas. O leite é um alimento extremamente importante e a nutriz deve tomar de um litro a um litro e meio por dia. Em algumas situações, raras, quando o bebê tem muita cólica, o leite de vaca pode ser reduzido ou mesmo suspenso. No momento, existe certa confusão entre o choro do bebê alimentado no seio e a ingestão de leite de vaca pela mãe. Muitos acreditam que a causa principal deste choro é a ingestão do leite de vaca pela nutriz e aconselham que ele seja suprimido da dieta.

Não estou de acordo. Existem casos em que, certamente, a retirada se impõe. Mas não são tão freqüentes. O leite é um alimento rico em proteínas, cálcio e minerais e deve fazer parte da alimentação da mãe que amamenta. Se achar difícil tomá-lo na quantidade sugerida, ela deve lembrar-se de que ele poderá ser utilizado em mingaus, pudins, sopas, sucos e gemadas.

Dê preferência às carnes magras, de 100 a 150 gramas por dia. O fígado, excelente fonte de vitamina A, ferro e riboflavina, poderá ser consumido de vez em quando. Um a dois ovos por dia fornecem proteína e ferro. Varie entre os fritos, cozidos ou utilizados em gemadas, pudins e farofas. Já a manteiga e o açúcar devem ser usados com parcimônia.

Duas ou três frutas diárias, entre as quais pelo menos uma cítrica — laranja, tangerina, lima, limão (1/2) —, cruas ou sob a forma de sucos são grande fonte de vitamina C. A farinha de trigo, o pão integral e os cereais enriquecidos que existem no mercado podem ser utilizados.

Muitos médicos recomendam preparados de vitaminas, como suplementação à alimentação. O horário e o cardápio das refeições serão organizados de acordo com os hábitos e desejos de cada nutriz.

Amamentação paterna

Na minha opinião, existem dois tipos de amamentação: a materna, que todos conhecem, e a paterna, que começa no nascimento e não tem prazo para terminar. Embora o papel do pai seja importante desde antes do nascimento, principalmente quanto ao apoio que deve dar à esposa, o da mãe é fundamental para o filho. A partir dos dois anos, porém, aumenta a participação do pai nas atividades rotineiras da criança, contribuindo, portanto, para a formação da personalidade infantil. Da mãe, o filho espera, acima de tudo, atenção, amor e carinho; do pai, atenção, amor, carinho, autoridade e segurança.

Em tom de brincadeira, denominamos "amamentação paterna" a necessidade que o filho tem do apoio do pai. O que começa no nascimento e só termina com o desaparecimento de um dos dois. Que fique claro: tal como o papel da mãe, o do pai é muito importante para ficar restrito à amamentação propriamente dita.

Para que vocês entendam este papel e o quanto ele é importante para os filhos, vejamos alguns exemplos concretos de como ele se processa. Coloque "papai", "pai" ou "velho", antes das seguintes frases: "No meu aniversário, quero ganhar uma bicicleta"; "Papai Noel vai me trazer patins"; "Quero uma boneca que faz xixi"; "Queria ir com uns amigos à Disney"; "Tenho que comprar uns livros que estão caríssimos"; "Preciso de fiador para alugar um apartamento"; "Sem computador, não sou ninguém"; "Estou precisando demais de um celular"; "Seu netinho vai nascer e a grana está curta, daí..."; "Meu carro está tão velho..." "Minha geladeira pifou"; "Estou necessitando de um pequeno empréstimo". Como vocês puderam constatar, a amamentação paterna, tal como a materna, também deve ser um ato de amor.

Os pais amamentam durante toda a vida e posso assegurar-lhes que estão contentes e realizados por poderem contribuir de alguma maneira para a felicidade dos filhos. Portanto, acho que também deveriam existir cursos, seminários e congressos para promover a amamentação paterna. O que, sem dúvida, iria contribuir bastante para melhorar o relacionamento entre pais e filhos.

Alimentação

Mamadeira

Não é nada recomendável para uma criança com quatro anos tomar mamadeira. Ao contrário, pode ser e é freqüentemente nociva. Nos países anglo-saxônicos, ela geralmente é suspensa no final do primeiro ano. O ideal seria que a criança mamasse no peito e, após seis meses, passasse a ingerir alimentos semi-sólidos ou sólidos, usando uma colher, e aprendesse a tomar líquidos no copo, evitando-se a mamadeira.

Entretanto, esse ideal está longe do que se faz na prática. A maioria das crianças passa a usar a mamadeira em tenra idade e, infelizmente, algumas nem conhecem o seio materno, fonte de vida e de amor. Por que isso acontece? Principalmente pelo despreparo dos pais, dos familiares e de alguns profissionais de saúde. Do ponto de vista estritamente pessoal, penso que mamadeiras, quando adotadas, nunca deveriam ultrapassar os dois anos e meio, o que não quer dizer que devam ser dadas, necessariamente, até essa idade.

Por que as mães estendem seu uso por tanto tempo? Bem, existem mães que se comprazem em mamar a sobra das mamadeiras que deram aos filhos. E há várias justificativas para seu uso prolongado. Identificamos algumas que acreditamos ser as mais comuns:

- As mães acham que a mamadeira se presta a administrar verdadeiros coquetéis em que misturam leite, chocolate, farinhas, frutas, ovos, verduras, óleo de fígado de bacalhau e tudo o mais que a mente materna achar que poderá tornar seu filhinho mais forte.
- Como a criança de um a cinco anos tem necessidades calóricas menores, come menos e tem apetite caprichoso, a mamadeira é a tábua de salvação. Algumas crianças só se alimentam assim e chegam a receber até cinco delas por noite. E, pasmem, as mães chegam no consultório queixando-se da falta de apetite dos filhos, que nada comem durante o dia (também, pudera!).
- Por último e talvez mais importante, as mães de crianças que tomam mamadeiras durante anos, conscientemente ou não, sentem prazer em administrá-las, como se a sobrevivência dos filhos dependesse disso e, conseqüentemente, delas, mães. Quando propomos a suspensão das mamadeiras para essas crianças, recebemos como resposta: "E como é que ela vai viver, doutor?"

Por que a mamadeira é nociva depois de certa idade? Por vários motivos. Seu efeito mais visível é sobre os dentes. Pelo estrago produzido, podemos identificar a maioria das crianças de mais de três anos que toma mamadeira ao deitar, principalmente quando ela contém açúcar. Após certa idade, geralmente após trinta meses, ela é uma das causas mais freqüentes de tosse noturna crônica. A partir dessa idade, a criança começa a apresentar dificuldades em deglutir deitada e passa a aspirar gotas de leite, responsáveis pela tosse que costuma começar logo após a mamada.

O leite ingerido com a criança deitada fica estagnado no cavo e atua como substância irritante, causando aumento das adenóides e das amígdalas, podendo ser uma das causas de amigdalites e adenoidites de repetição. O aumento das adenóides pode levar à obstrução das trompas e, conseqüentemente, às otites recorrentes. As crianças mais velhinhas que tomam mamadeira têm muito mais sinusites. A superproteção e seu cortejo de efeitos nocivos são as maiores responsáveis pelo uso prolongado das mamadeiras.

Meu filho não come verduras

A queixa é feita com freqüência pelas mães. Quase todas as crianças gostam de doces e chocolates. Quase nenhuma trocaria um prato de chocolates por um de couve, alface e taioba. Pensando bem, todos nós, adultos, também temos nossas preferências. Eu não trocaria camarões por verduras. Assim, existe uma certa lógica quando uma criança recusa as verduras e legumes e prefere comer outros alimentos.

Entretanto, as verduras e os legumes, por seu valor nutritivo, devem ser incluídas no cardápio das crianças. São ricas em vitaminas e em fibras, essenciais para o crescimento e para um bom funcionamento intestinal. Por que algumas crianças não gostam de verduras? Porque não adquiriram o saudável hábito de comê-las.

A partir dos quatro meses, na turma da mamadeira, ou dos seis meses, na do seio, inicia-se a sopinha, utilizando-se as hortaliças. Uma regra prática, que as mães não esquecem, é a de se usar no mínimo um vegetal folhoso (couve, espinafre, bertalha), uma raiz (batata-doce, inglesa ou baroa, inhame, nabo), um legume (cenoura, chuchu, abóbora) e carne. Algumas mães enfiam na sopinha quase um caminhão de hortaliças, embora três ou quatro sejam suficientes.

Para se evitar a monotonia alimentar, os vegetais devem ser variados. No início, o bebê estranha a sopa — às vezes até sopra, cuspindo-a longe, e não aceita mais do que algumas colheradas. Não force, pois com um pouco de paciência ele a aceitará. Se a recusa durar muito tempo, tente algumas das seguintes medidas na seqüência indicada: retire o sal, coloque açúcar ou adicione um pouco de leite. Modificando o sabor, o bebê passará a aceitá-la. A sopinha deve ser passada na peneira, evitando-se o liquidificador.

No sexto mês, introduzimos o caldo de feijão, e a partir do sétimo, introduzimos as hortaliças, sob a forma de purês de batata, espinafre ou chuchu, bem temperados e gostosos. A partir do oitavo mês, as hortaliças podem ser dadas cruas ou cozidas, raladas ou picadas em pedaços bem pequenos para que a criança não engasgue. Agindo dessa maneira, conseguiremos incorporar os vegetais aos hábitos alimentares, sem traumas. Entre o primeiro e o segundo ano, podem surgir algumas dificuldades, originadas pela própria criança, pelo ambiente familiar ou pelo contexto social.

A partir de um ano, as exigências calóricas são menores, o que leva a criança a comer menos. Ela vive um período em que o apetite é seletivo, o que a leva a preferir certos alimentos e a recusar outros, e está na fase que denominamos "negativismo", quando diz "não" a quase tudo. Ignorando esses fatos, os pais costumam apelar para prêmios, chantagens, gritos, ameaças e castigos. E a criança mantém-se cada vez mais determinada a não comer aquilo que os pais tanto pedem. Todas essas medidas são extremamente eficientes para criar uma intensa rejeição por certos alimentos.

E a família? O pai, gaúcho, só gosta de carne. A mãe detesta tudo o que é verde na mesa e diz isso para que todos ouçam, inclusive o filho pequeno. "Se meus pais não gostam, eu também não", diria a criança. Mas se, ao contrário, as verduras são indispensáveis no cardápio da família, e vendo os pais comendo-as prazerosamente, a criança procura imitá-los. Assim, as verduras serão definitivamente incorporadas a seus hábitos. Os pais são os grandes formadores de bons ou maus costumes à mesa. Muitas crianças aprendem com eles a gostar ou a rejeitar determinados alimentos. Porém, ao saírem de férias, convivendo com outros amigos, elas incorporam os hábitos do grupo e passam a aceitar, ou mesmo a gostar, de alimentos que antes recusavam.

Assim, o contexto social das refeições também desempenha um papel importante. Logo, o momento das refeições deverá ser agradável; a criança deve comer junto com a família, o mais precocemente possível, para que se promova a imitação; o cardápio deve sempre incluir um alimento rejeitado, para que a criança se familiarize com ele e, vendo os outros comendo, passe também a fazê-lo. Os pais nunca devem forçá-la a ingerir o que ela não quer e, sim, confiar na imitação e no elogio como as melhores formas de induzir o filho a comer de tudo.

As hortaliças podem ser cruas, refogadas, cozidas, gratinadas, puras ou misturadas a outros alimentos, como carnes, sob a forma de recheio de tortas, bolinhos ou pastéis. Nunca encha o prato da criança com verduras, pois só de olhá-lo ela ficará desanimada. O fato de não comê-las todos os dias não implicará nenhum problema de ordem nutricional.

Educação alimentar

Alimentar crianças só se torna uma tarefa problemática por três razões: despreparo dos pais, falta de recursos ou doença. Embora varie em função da idade da criança, existem algumas regras a serem seguidas.

Até os seis meses, o leite materno é o alimento ideal. A partir daí, e sem pressa, as frutas, as carnes, os cereais, as verduras e legumes, os lácteos e a gema de ovo são progressivamente introduzidos na dieta, sob a forma de sopas e depois de papas.

Abaixo de um ano, a criança em geral é esfomeada e come tudo o que se lhe ofereça. A partir de um ano, o apetite obedece a uma curva sinusóide, e passa a variar de dia para dia, ou de semana para semana, ora aumentando, ora diminuindo e tornando-se seletivo, mais exigente. Aliás, fica parecido com o nosso, pois existem dias em que estamos com mais ou menos apetite e temos preferências por determinados alimentos.

A partir dos dez meses, uma criança já é capaz de demonstrar suas preferências e — está cientificamente comprovado — é capaz de escolher uma dieta saudável, caso lhe seja servida uma quantidade razoável e equilibrada de alimentos. Isso é importante, pois os pais não confiam no apetite dos filhos, achando que eles comem menos do que o necessário.

Há milhões de anos, todos os animais — aí incluído o homem — sabem por instinto o que e o quanto necessitam comer, sem que ninguém lhes ensine. Por vários motivos, entre eles a falta de conhecimento sobre o valor dos diferentes alimentos, os pais oferecem aos filhos dietas inadequadas, com efeitos desastrosos sobre o crescimento, principalmente se a base da alimentação for constituída por doces, sorvetes, bolinhos, refrigerantes, balas, chicletes. Algumas regras poderão ser úteis:

- Respeite o apetite de seu filho, não o forçando a comer.
- Ofereça os alimentos que ele mais aprecia; se gosta de carne, de farofa, de frango, de ovo, de batata, de feijão, por que não utilizá-los todos os dias?
- Não aceite chantagens de última hora, tais como "se não tiver lingüiça, não vou comer nada". A resposta só poderá ser uma: "Então, você não vai comer nada."
- Ensine-o a respeitar o horário das refeições; haverá um momento inicial e um final, depois do qual o prato será retirado sem comentários favoráveis ou desfavoráveis.
- A alimentação é um ato fisiológico, que se repete várias vezes por dia, e a criança deve aprender a realizá-lo sem ser elogiada, ameaçada, punida ou recompensada.
- Durante a refeição, devem ser evitadas situações que distraiam a criança, tal como brincadeiras, caretas, historinhas e, principalmente, não se deve admitir o ridículo espetáculo de adultos correndo atrás de crianças com colher em riste, tentando fazer com que elas comam.
- Caso a criança rejeite seguidamente um alimento, retire-o do cardápio durante algum tempo; não tente acostumá-la a comer de tudo, pois poderemos criar aversões alimentares; se não gosta de legumes, as frutas podem substituí-los; o ovo ou a carne podem substituir temporariamente o leite, e assim por diante.
- A partir de um ano, tente deixar seu filho alimentar-se sozinho com uma colher, em local onde a sujeira possa ser facilmente limpa, pois, nos primeiros dias, metade da comida irá para o chão. Mas valerá a pena ver a alegria dele. Ao tentar comer sozinha, a criança cumpre mais ou menos

os mesmos passos de um cachorrinho, que de início entra na vasilha e mergulha o focinho no leite; depois, mantém os pés fora da vasilha; em seguida, deixa de mergulhar; e, por último, lambe os beiços quando acaba.

A criança segura a colher, come com as mãos, vira o prato no chão ou na cabeça, derrama boa parte da comida no chão. Depois, aprende a usar a colher, mas continua jogando um bocado de comida fora do prato; até passar a usar bem a colher e, em seguida, o garfo, a se deliciar com isso e a comer de forma cada vez mais hábil e asseada. O treinamento será mais rápido se os pais a encorajarem a usar a colher, em vez de insistirem em dar a comida na boca, para poupar tempo ou diminuir a sujeira.

A grande maioria dos problemas começa entre o primeiro e o segundo ano de vida, por desconhecimento dessas regrinhas pelos pais. A fórmula mágica para fazer seu filho comer bem é deixá-lo acreditar que a comida é a melhor coisa do mundo.

Para uma dieta equilibrada, deve-se usar:

- leite de vaca, cabra ou soja: de meio a um litro por dia;
- carnes, aves, peixes;
- ovos (podem substituir a carne);
- verduras ou legumes: uma ou duas vezes por dia;
- frutas: duas vezes por dia, se possível cruas ou sob a forma de sucos;
- raízes: uma vez por dia;
- pão ou cereais: uma a duas vezes por dia.

Os bolos, tortas, bolachas, pastéis, balas, refrigerantes, sorvetes, doces, café, chá não são recomendáveis, podendo ser permitidos em ocasiões especiais.

Comportamento nas refeições

Os pais costumam ficar aborrecidos com determinado comportamento dos filhos que consideram desagradável na hora das refeições. Esse comportamento depende do grau de desenvolvimento das crianças, o que não significa que estas sejam grosseiras, e sim imaturas. Assim, as medidas a serem tomadas deverão ser de ordem corretiva e, raramente, punitivas. A correção deverá ser aplicada com firmeza e carinho. Compete aos pais discernirem ou diferenciarem no comportamento dos filhos à mesa o que é inerente às diferentes fases do desenvolvimento e, portanto, normal, do que é errado e, logo, deve ser corrigido. Vejamos alguns exemplos de comportamento que não merecem punição, por estarem relacionados com o desenvolvimento normal do ser humano.

As crianças com cinco anos que pertençam a famílias com bom nível educacional já conseguem comportar-se bem à mesa; entre as famílias em que não existe tal preocupação, um pouco mais tarde. Os pais dessas famílias podem vir a reclamar que elas comem lentamente, às vezes tão devagar que se vêem obrigados a lhes dar comida na boca (o que não é correto), que se mexem nas cadeiras, falam demais e são as últimas a terminar as refeições.

Aos seis anos, as crianças falam com a boca cheia, deixam cair os talheres com facilidade, inclinam as cadeiras para trás, chutam as pernas das mesas de forma irritante, enchem tanto a boca que a comida sobra e cai, o que, às vezes, as obriga a devolver um pouco para o prato ou a fazer um esforço excessivo para mastigar, tamanha a quantidade a engolir.

Aos sete anos, ainda falam com a boca cheia, comem ora lentamente ora sofregamente para acabar antes dos outros, mexem-se um pouco, ainda não sabem usar o guardanapo de forma correta, jogando-o em qualquer lugar, inclusive embaixo da mesa.

Com oito a nove anos, já usam melhor o guardanapo, podem servir-se demasiadamente, não conseguindo comer o que colocaram no prato ("Meu filho, você tem o olho maior do que o estômago!").

A cada comportamento errado, os pais manifestam sua desaprovação por meios que vão desde um franzir de sobrancelhas à ordem para a criança se retirar da mesa e ir para o quarto, o que pode tornar a hora das refeições extremamente desagradável para todos, principalmente para a criança.

Os pais não devem ser muito exigentes com a maneira de as crianças se comportarem à mesa. Devem lembrar-se de que o grau de maturidade de cada criança determina a adoção de boas maneiras, tais como manter a postura correta, manejar corretamente os talheres e o guardanapo, levar a comida à boca e não a boca à comida, saber a quantidade adequada de cada garfada, manter a boca fechada ao mastigar, não falar ao mastigar, equilibrar a conversa com a mastigação, não chutar as pernas da mesa nem as dos vizinhos, não brincar com pratos, copos e talheres, não derramar água ou alimentos na mesa ou no chão, não engolir ruidosamente, não soprar os canudos colocados nos copos, servir-se de acordo com seu apetite para não deixar comida no prato, não lamber o prato, não soprar nos copos, pedir licença para sair da mesa etc.

Essa lista de exigências poderia ser aumentada ou diminuída, dependendo das convenções sociais vigentes em cada sociedade. Não é fácil para a criança aprender e praticar tudo isso. Quanto maior o formalismo, maiores as dificuldades de aprendizado, pois as boas maneiras dependem das aptidões motoras e do controle de tensão de cada criança. Isso significa que as aptidões vão sendo adquiridas com a idade, que exigências sistemáticas poderão prejudicar o processo e que por isso nunca devem ser excessivas. As atitudes educativas dos pais sempre devem ser compreensivas e carinhosas. A vontade de ter um filho bem-educado à mesa nunca deve sobrepor-se à alegria que deve reinar no momento das refeições.

O menino que só comia marmelada

Em 1952, recém-formado, trabalhava no Hospital da Aeronáutica dos Afonsos, no Rio de Janeiro, quando fui apresentado a um dos problemas mais comuns da prática pediátrica e talvez aquele que mais aflija as mães: a falta de apetite. Roberto, um garotinho de três anos, foi levado à consulta por não comer. Enquanto conversava com a mãe, observava a criança, que me parecia forte e saudável. Roberto disse que estava com fome. A mãe retirou da sacola um pão francês, modelo 1952, seguramente o dobro do tamanho atual, recheado com um pedaço de marmelada de três centímetros de altura.

A conversa seguia e Roberto comia. Até hoje, ao lembrar-me do fato, fico meio nauseado com a visão do menino comendo aquele absurdo de marmelada. A mãe, percebendo o meu espanto em ver o menino comendo o equivalente a duas refeições, apressou-se a explicar: "Doutor, marmelada ele come, ele só não come comida de sal."

Vinte por cento das consultas realizadas na clínica particular com crianças de um a cinco anos são motivadas pela falta de apetite ou anorexia. Nessa idade, identificamos, para fins práticos, dois tipos de anorexia: a falsa e a verdadeira. A distinção é muito fácil: na falsa, a criança tem assegurado seu bom crescimento e desenvolvimento; na verdadeira, isso não ocorre. Pesando e medindo a criança, é possível reconhecer qual delas está presente.

Sem dúvida, a falsa é muito mais comum nesse período. A criança deve consumir a quantidade de alimentos que sacie seu apetite (necessidade psíquica) e que lhe assegure bom crescimento e desenvolvimento (necessidade do organismo).

A falta de apetite é a queixa materna mais freqüente nos consultórios pediátricos. É também a que menos corresponde à realidade. Por isso mesmo, devido a noções e convicções erradas dos pais, a maioria das condutas corretivas a que eles recorrem está em desacordo com as necessidades das crianças. Os principais erros de conduta de quem alimenta a criança são:

- Arbitrar a quantidade que acredita que a criança deva ingerir, não respeitando sua individualidade. Cada criança deve comer o que lhe satisfaça a vontade de se alimentar e que lhe permita manter um crescimento e desenvolvimento dentro dos padrões da normalidade. Se a criança está crescendo bem, devemos respeitar sua individualidade quanto ao apetite. Lembremos que, se o esforço desenvolvido pelos pais for recompensado, poderemos estar criando mais obesos, o que não seria nada recomendável.
- Concluir que a criança come bem ou mal por deixar ou não restos no prato. A criança que deixa alguma coisa nos assegura que satisfez plenamente sua vontade de comer.
- Acreditar que, caso a criança não coma o que foi arbitrado, certas condutas devam ser seguidas. Primeiro, a insistência, ficando-se minutos ou horas com a colher em riste, andando pela casa atrás da criança, que cospe, bufa, corre e tenta fugir do objeto agressor. Não funcionando a técnica, passa-se a tentar distraí-la, levando-a para a frente da televisão, mostrando-lhe um batalhão de brinquedos, usando-se todo o tipo de careta e micagens, cantando, dançando, desenhando.

Tudo isso dá algum resultado a curto prazo; depois disso, volta-se à estaca zero. Passa-se a tentar o agrado e rapidamente as chantagens. "Se você comer, vai ganhar uma boneca, um carrinho, uma bicicleta, um avião", promessas muitas vezes impossíveis de ser cumpridas, o que torna o adulto um mentiroso. E a uma criança nunca se deve mentir.

As chantagens emocionais são um prato cheio. "Caso você não coma, a mamãe vai ficar triste, você vai ficar fraquinho e terá que ir para o hospital..." Toda tentativa tem algum resultado temporário e vida efêmera. Torna-se necessária a busca de outras formas de convencimento "para que a criança não morra de inanição", embora ela continue crescendo normalmente.

- O próximo passo são as ameaças: "Se você não comer, não irá ao parquinho, irá ficar de castigo no quarto, não vai comer sobremesa, vou pedir ao tio Lisbôa para lhe dar uma injeção bem grande" e assim por diante. Por incrível que pareça, caso nada disso funcione, o passo seguinte é a persuasão, utilizando-se força física ou punições corporais. Até a colher "goela abaixo" já foi bastante usada. Palmadas e chineladas ainda são usadas contra seres humanos com menos de um metro de altura e peso inferior a quinze quilos, por adultos maduros, alguns até com curso superior e invejável prestígio social e, pior, com peso acima de sessenta quilos e maiores de um metro e cinqüenta. Eles se justificam, dizendo que não agüentam ver os filhos não comerem o estipulado por eles. Todas essas e outras condutas errôneas podem levar à obesidade, a distúrbios nutricionais agudos ou reativos à alimentação.

Algumas dicas:

- Adotar cardápios desequilibrados ou carenciais quando a criança come bem determinado alimento e mal outro. O mais usado nessa compensação é o leite. "Meu filho não come nada, só toma leite." Às vezes, seis a sete mamadeiras por dia, o que não deixa espaço gástrico para outros alimentos. Pior ainda os que só comem ingerindo quantidades astronômicas de refrigerante. Muitas vezes, essas crianças são obesas pelo consumo exagerado de leite, farinha e açúcar. E ainda são levadas ao consultório por falta de apetite...

- Dar biscoitos, balas, sorvetes, refrigerantes, sucos, chocolate, no intervalo das refeições. A justificativa é a de sempre: como a criança não come nada, temos que lhe dar alguma coisa para que não morram de fome. Só que esses alimentos, ricos em amido e açúcar, acabam com o resto de apetite e, dessa maneira, diminuem a ingestão de proteínas, além de estragarem os dentes.

Dentro desse item, escolhemos duas histórias. A primeira: Ricardo, três anos, não comia nada. Todo mês, lá estava a mãe, Nadir, levando-o à consulta, aflita. A queixa era sempre a mesma — não comia nada vezes nada, principalmente no almoço. Ela já havia tentado de tudo: modificara o cardápio, contara histórias, pedia, suplicava, zangava, ameaçava e nada. Engraçado, Ricardo aumentava de peso cada vez mais. Era um gigante.

Algum tempo mais tarde, o mistério foi desfeito. D. Nicota, sogra de Nadir, vendo o desespero da nora, procurou-me e contou: "Doutor, minha nora não sabe cuidar de criança. Só o senhor vendo como são as refeições de Ricardo. Dava-me uma pena tão grande ver o Ricardinho sem comer nada. Como eu fico com ele todas as tardes, sempre o levo para comer alguma coisa. Come enormes sanduíches, batata frita, sorvetes, refrigerantes, sempre pedindo mais. Mas vou lhe pedir um favor. Não conte nada a Nadir."

A segunda: "Doutor, meu filho Zezinho não come nada, só toma Coca-Cola. Estou preocupada com seu peso. Tem mais de dois anos e só pesa onze quilos." "Realmente, D. Josefa, seu filho está crescendo pouco por estar se alimentando mal. Refrigerantes não devem ser consumidos todos os dias, pois tiram o apetite." "Mas não sei o que fazer para ele parar de tomar Coca-Cola." "Pois é muito fácil, D. Josefa. É preciso evitar comprar refrigerantes e principalmente não manter estoques na geladeira. Sem o refrigerante, ele passará a comer melhor, seu peso irá aumentar e estará resolvido o problema."

Infelizmente, se for duradoura, a falsa anorexia poderá tornar-se verdadeira, prejudicando o crescimento da criança.

Meu filho não come nada

Denomina-se anorexia a recusa parcial ou total de alimentos. A maioria dos casos em crianças ocorre entre um e cinco anos de idade e se deve geralmente a um mau condicionamento do apetite. E este está relacionado à qualidade e apresentação dos alimentos, ou seja, com o que a criança gosta ou não de comer. Por exemplo, o frango nos apetece e o jiló, não, o que seria o mesmo que dizer: gosto de frango e não de jiló.

O apetite é influenciado por fatores psicológicos e culturais. Certas pessoas, ao serem submetidas a situações estressantes, comem desbragadamente, e há outras que, ao contrário, deixam de comer. A fome, causada principalmente por contrações do estômago, leva à vontade de comer. A freqüência e a intensidade dessas contrações variam de pessoa para pessoa, o que explica por que umas têm mais fome do que outras. A saciedade, relacionada com o mecanismo fome-apetite, determina a quantidade a ser ingerida. "Estou cheia, mamãe", "Não diga assim, minha filha, diga que está satisfeita".

Tanto as doenças mais simples — como resfriados, amigdalites, otites, anemias, verminoses, infecções urinárias — quanto as mais sérias — como os tumores —, e até situações do dia-a-dia — como a mudança da babá, a mãe que viaja, o bico da mamadeira novo, a troca da chupeta toda arrebentada por uma anatômica, a retirada do ursinho sujo, velho confidente da criança — podem diminuir a fome e o apetite, levando à perda de peso.

Na anorexia verdadeira, o médico será o detetive que aplicará toda a sua argúcia e o conhecimento, auxiliado, se necessário, por exames complementares, para decifrar o mistério da forma mais rápida e precisa. Os pais têm papel fundamental na elucidação do problema e mais ainda na aplicação das medidas necessárias para lidar bem com ele. Vale lembrar que boa parte das anorexias verdadeiras começa quando o adulto força a criança a comer, temeroso de que ela fique fraca, principalmente nos episódios de infecções respiratórias agudas.

O ato de alimentar-se recebe forte influência do psiquismo e, por sua vez, influi sobre ele. O comportamento da família, especialmente de quem oferece a comida — na maioria das vezes, a mãe —, determina o comportamento alimentar da criança. A quantidade e a qualidade dos alimentos que ela precisa ingerir correspondem às necessidades exigidas por seu crescimento e desenvolvimento, o que, por sua vez, corresponde ao desejo e ao prazer de comer. "Quando o psiquismo fecha a boca para o alimento, fecha a boca de que se serve o organismo, que fica sem alimento", diz o Professor Pedro de Alcântara, luminar da pediatria brasileira.

O desconhecimento do fato de que todo mundo, inclusive as crianças, consome alimentos na quantidade e qualidade que deseja, e não para satisfazer as angústias e anseios de terceiros, torna a refeição um inferno para todos. A insistência, a chantagem, as ameaças e o castigo físico são usados para convencer a figurinha a comer. O pai responsabiliza a mãe; a mãe, a sogra; a sogra, a nora; e assim por diante. O adulto tenta fazer a criança comer "na marra" e ao fim de algum tempo está emocionalmente em frangalhos, enquanto a criança segue firme, vitoriosa, comendo o que ela quer e o quanto quer.

Para melhor compreensão do problema, exemplifico com o caso de Rafinha, um garoto de um ano e quatro meses que me é levado ao consultório. Rafinha entra bamboleando em cima de suas pernas trôpegas e alegre por já poder se deslocar sem precisar dos grandes. Parece-me bem nutrido, talvez um pouco mais pesado do que o esperado para a idade. Antes que me esqueça: como nos filmes, todos os nomes e personagens são fictícios. As histórias, porém, são verdadeiras.

D. Amapoula, mãe do Rafinha, conta-nos seu caso: "Doutor, esse menino comia tudo até um ano. A partir daí, parou de comer. Não sei como ele vive. Tenho tentado de tudo. O senhor não vai acreditar, mas ele continua sem comer nada, nada." A frase é comum, pronunciada por mães que já passaram por vários pediatras. Quanto mais a mãe diz "nada", maior sua angústia. "Com um ano, ele tinha papada e dobrinhas no pulso. Estão sumindo. Uma vez, dei-lhe vitaminas e o apetite melhorou por uns dias e depois piorou novamente, pois a vitamina deixou de fazer efeito. Tem dias que ele só come o tomate, noutro a carne, noutro só o ovo e larga o resto. Não agüento mais ver o prato voltar cheio. Meu marido diz que ele não come por minha causa, porque, no vizinho e na creche, ele come tudo." Examinei o Rafinha. Perfeito, um garotão. "Bom, D. Amapoula, seu filho está ótimo. Vou explicar à senhora o que está acontecendo. As crianças nascem pesando mais ou menos três quilos. Com um ano, têm em torno de dez quilos, ou seja, aumentam sete quilos. Do segundo ao quinto ano de vida, esse ganho é de mais ou menos dois quilos e meio por ano. Para aumentar sete quilos em um ano, uma criança tem que comer bem mais — o dobro ou o triplo — do que para aumentar dois e meio. Assim, para crescer normalmente, o Rafinha precisa, hoje, de muito menos comida do que quando tinha menos de um ano.

"O Rafinha já está andando, o que leva a um maior consumo de energia e ao desaparecimento da papada e das dobrinhas. Vai perdendo o aspecto de bebê e vai ficando com jeito de homenzinho. O apetite das crianças nessa idade é seletivo, ou seja, quase todas escolhem no prato o que preferem. Nessa idade, forçar o Rafinha a comer de tudo será a melhor forma de fazê-lo mais tarde recusar uma série de alimentos.

"Costumo dizer que se deve oferecer aquilo de que as crianças gostem, mas nunca o que elas exigem. Quando uma delas chantageia, dizendo que só comerá se lhe for servido isso ou aquilo, será um desastre atender sua exigência. O apetite, nessa idade, além de ser seletivo, obedece a uma curva de altos e baixos que chamamos de sinusóide. Quase todas as crianças de um a cinco anos passam por períodos em que comem muito ou pouco. Quando se dá uma vitamina no momento em que o apetite aumenta, a mãe acredita que ela tenha funcionado; se for em época de baixa, acha que piorou. O que fazer? Em primeiro lugar, comemos porque precisamos. Não podemos transformar um ato fisiológico, normal, em momento de desprazer, de sofrimento, de chantagem, muito menos quando se trata de crianças. Tal como o adulto, ela come e tem prazer em se alimentar. Não conseguiremos nunca convencê-la a comer o que inferimos que seria o ideal. Além disso, o adulto cansado, tenso, aborrecido e angustiado não é uma boa pessoa para alimentar a criança. Por isso, ela come melhor no vizinho ou na creche, onde ninguém se preocupa em forçá-la.

"Quando o Rafinha parar de comer, suspenda a refeição. Não insista, desista. Acima de tudo, a criança exige e tem o direito de, como todos nós, ter sua individualidade respeitada. Evite brincar, chantagear, ameaçar ou bater porque além de ele não comer, tudo isso só irá contribuir para transformar um ato de prazer e alegria numa situação de sofrimento. Certas crianças se tornaram tão traumatizadas que choram só em ver o prato. Perderam a alegria de comer. Seu filho é lindo e forte, D. Amapoula. Não lhe dê remédios para abrir o apetite, pois ele não precisa e não é justo que fique gordo só para que os familiares diminuam suas angústias."

As variações do caso relatado são infinitas. Cada uma delas tem suas particularidades. Seria possível escrever um livro somente sobre elas. A anorexia é um problema complexo, pela multiplicidade de causas, algumas das quais já relacionadas anteriormente. Se compromete o crescimento, existe uma necessidade urgente de se fazer o diagnóstico. Aqui, mais do que em qualquer outra situação, o médico deverá conseguir o máximo de dados sobre a saúde e a alimentação da criança que lhe permita chegar a uma hipótese diagnóstica. E poderá ou não exigir exames complementares — sangue, urina, fezes, radiografias, ecografias, tomografias e outros mais.

Rememorando, diversos fatos do dia-a-dia — viagem da mãe, perda da babá, mudança do bico da mamadeira, problemas emocionais ligados ao ato de comer, falta de alimento, doenças que vão de resfriados de repetição até situações de extrema gravidade — podem ser responsabilizados por esta situação. Cabe ao pediatra diagnosticar e propor o tratamento adequado a cada caso. Felizmente, a grande maioria das faltas de apetite que afligem as crianças, especialmente aquelas entre um e cinco anos, não afeta o crescimento. Nesse caso, nada se conseguirá sem uma boa orientação dos pais e, eu diria mesmo, do ambiente familiar.

A prevenção das anorexias consiste em se evitar suas causas, o que, pela multiplicidade, é praticamente impossível. Entretanto, quando nos referimos às falsas, a prevenção pode e deve ser realizada. O que se resume a uma só frase: não fazer nada para obrigar a criança a comer aquilo que ela recusa. Chamo a isso respeitar os direitos da criança que, nesse caso e em muitos outros, são iguais aos nossos. Já explicamos os motivos que levam as crianças a ter fases em que comem mais ou menos; o fato de comerem menos quando estão doentes, como uma reação da natureza; o caráter seletivo do apetite; e a diminuição das necessidades calóricas das crianças maiores de um ano em relação às dos lactentes. Portanto, insistimos: ofereça o alimento, nunca force. É sempre oportuno lembrar que as falsas faltas de apetite, com insistências e ameaças, podem transformar-se em anorexias verdadeiras, colocando em risco a saúde da criança. Em algumas situações, costumo dizer aos pais angustiados que o problema tem, quase sempre, um final feliz, pois as crianças crescem, saem de casa para estudar, trabalhar, ficando, desse modo, livres do assédio familiar. O lado ruim da história é que muitas dessas crianças terão, em relação a seus filhos, o mesmo comportamento errado ensinado pelos pais.

Os doces

Quase todas as crianças adoram sorvetes, balas, tortas, geléias, doces, bolachas recheadas, pastéis, refrigerantes, café, biscoitos, iogurtes, chocolate, batata frita, sucrilhos, cachorro-quente, hambúrgueres e muitos outros. A maioria não faz parte de uma dieta saudável e deverá ser oferecida somente em ocasiões especiais, embora alguns, como o iogurte, a batata, o hambúrguer e mesmo o cachorro-quente, sejam aceitáveis do ponto de vista nutricional. Os outros, por serem ricos em gorduras, açúcar e féculas refinadas, são de alto valor calórico e satisfazem o apetite sem fornecer as proteínas, vitaminas, sais minerais e fibras, necessários ao crescimento e desenvolvimento normal da criança. Os ricos em açúcar favorecem a formação de cáries dentárias, particularmente se forem consumidos entre as refeições ou se não forem tomados os cuidados higiênicos indispensáveis após sua ingestão.

A avidez pelos doces, comum na infância, é com freqüência provocada ou estimulada pelos próprios pais quando eles mesmos, por adorarem os alimentos adocicados, carregam no açúcar da mamadeira e dos sucos, compartilham e saboreiam com os filhos refrigerantes, sorvetes, chocolates, balas, doces e outras iguarias.

A promoção do açúcar é feita a toda hora, inclusive quando se pretende recompensar as crianças por algum ato meritório com frases como "se você comer tudo, vai ganhar um picolé", "você vai ganhar uma balinha se deixar o doutor examiná-lo sem chorar", "se comer tudo, ganha sobremesa", "se você se comportar bem na escola, vamos até a sorveteria", "mamãe fez uma torta para você porque suas notas foram ótimas". E, quando as crianças não querem comida de sal, carregam na sobremesa ou na mamadeira açucarada, com ou sem chocolate. Aliás, a mamadeira açucarada na hora de dormir é a inimiga número um dos dentes de leite. As bolachas, biscoitos, pastéis e pão branco também atacam os dentes, por ficarem neles aderidos durante muito tempo. Entre as refeições, os sucos de frutas puros ou diluídos, com pouco ou nenhum açúcar, constituem o alimento ideal.

Alguns dos alimentos acima citados são ricos em gorduras, o que faz com que tirem o apetite e possam aumentar o nível de colesterol. Hoje, sabemos que a prevenção das doenças cardiovasculares, em particular da arteriosclerose e da hipertensão, começa na infância. Diria mesmo que desde o nascimento, pois quando insistimos para que as crianças sejam amamentadas ao seio em vez de com leite de vaca, em pó ou natural, muito mais rico em gorduras, estamos, entre outras coisas, prevenindo precocemente as doenças que levam ao infarto.

Balas, sorvetes e refrigerantes não serão consumidos pelas crianças desde que não existam estocados em casa. Mas se a família é maníaca por refrigerantes, não há como impedir que as crianças os tomem. Os *chips* estão incluídos entre os não recomendáveis, pelos motivos citados. Não acredito que tenham propriedades cancerígenas, pois existe um controle de alimentos, e, antes de vendidos, eles são previamente examinados e só quando aprovados são colocados no mercado.

Quando digo que esses alimentos não são recomendáveis, não quero que entendam que estejam proibidos. Nenhum pai quer que seu filho seja uma exceção. Levá-lo a uma festinha, a um aniversário, a uma comemoração e privá-lo dos brigadeiros, dos sorvetes, das tortas, dos refrigerantes, que são os prazeres da garotada, não será, no mínimo, justo. Nessas ocasiões, deverão ter toda liberdade de comer o que quiserem e quanto quiserem.

O chocolate

Na Páscoa, única época do ano em que os coelhos põem ovos, as crianças geralmente comem muito chocolate. Quando eu era criança, os ovos de Páscoa eram de galinha, cozidos e multicoloridos. No domingo, bem cedo, corríamos ao jardim para encontrá-los escondidos no meio das plantas. Era uma espécie de jogo. O que achasse mais ovos era o ganhador. Naquela época, na minha pequena Leopoldina, o chocolate era raro e caro, e as crianças o toleravam mais.

Os coelhos, com o correr dos anos, ficaram mais sofisticados e passaram a pôr ovos de chocolate, em grande quantidade, de todos os tamanhos e cores.

Embora o chocolate seja considerado mais vilão do que é na realidade e boa parte das intolerâncias esteja mais relacionada com a quantidade ingerida, existem casos de alergias. Daí, a procedência da pergunta: "Meu filho é alérgico a chocolate e, como não pode comê-lo, tenho medo de que venha a ter problemas psicológicos ou de rejeição, caso veja os outros comendo. O que fazer?"

Vamos a uma outra colocação: "Meu filho é diabético. Tem doze anos e, por duas vezes, ao sair de uma festa, tive que interná-lo porque passou muito mal. Eu lhe disse várias vezes que não podia comer doces. Mas não pude fazer nada. O senhor sabe como são essas coisas. Mãe não manda nada. Quando eles cismam com uma coisa, ninguém consegue segurar. Também, coitadinho, com essa doença, acho que não devia contrariá-lo para não causar mais problemas psicológicos..."

Talvez alguns de vocês achem que se trata de situações diferentes, mas não são. Em todas elas, existe uma incapacidade de dizer não. O que fazer? O mais importante é a prevenção. Até seis anos de idade, a criança deverá saber o que é certo ou errado, os limites que nos são impostos pela sociedade e, infelizmente, até por nossa saúde. Nós, pais, temos que saber que amor, carinho, segurança e disciplina são essenciais para a formação da personalidade de nossos filhos. Ceder sempre aos desejos das crianças, pensando que seremos mais amados por isso, é um engano. Se não resistimos às pressões de uma criança de quatro anos, como é que iremos resistir às de um adolescente?

Todas essas digressões foram feitas para responder às perguntas formuladas. A maioria das crianças passa mal com chocolate porque come demais. Atendi uma, com vômitos e diarréia, que havia comido quinze brigadeiros. Há crianças que comem chocolate e têm manifestações alérgicas leves. Talvez pudéssemos permitir que comessem, mas não de forma abusiva. Outras têm manifestações alérgicas graves, às vezes de tal intensidade que podem correr risco de morte. Nesses casos, não poderão comer chocolate e os pais são as pessoas que devem explicar o porquê dessa restrição. Sem dúvida, seria muito mais fácil dizer-lhe "se você quer comer, coma, mas depois não venha me dizer que está passando mal" do que agüentar o assédio da criança. Ou se fazer de bonzinho, ou boazinha, permitindo que o filho consuma um alimento nocivo para não lhe causar hipotéticos traumas psicológicos.

Praticamente toda criança aceita e colabora com os regimes — com algumas exceções na adolescência —, desde que se lhes explique, tantas vezes quantas forem necessárias, com amor e carinho, o motivo da restrição. "Você não pode comer chocolate porque lhe faz mal, mas você pode comer torta, quibe, pudim de leite condensado, misto quente, refrigerante e uma porção de outras coisas de que gosta." Nunca, nunca mesmo, coloque a culpa nos outros e, principalmente, no médico. Mesmo porque nenhum médico é responsável pela existência de pessoas com alergia ou intolerância alimentar.

Primeiros passos

Andar sem engatinhar

A conquista da mobilidade ocupa a maior parte do primeiro ano de vida do bebê. Primeiro, os movimentos são descontrolados e, posteriormente, passam a ser intencionais. Os bebês chupam os dedos, mudam de posição no berço, descobrem as mãozinhas, viram de bruços, controlam a cabeça, firmam o pescoço, mantêm as costas em posição ereta, sentam com apoio, sem apoio, auxiliados, sozinhos, deslocam-se pelo chão engatinhando, levantam-se com apoio e, finalmente, andam.

É dura a luta para passar da posição deitada à de quadrúpede e, por último, à de bípede. Exige esforço físico, energia, coragem, muitos escorregões, tombos, quedas. Engatinhar e, mais tarde, andar, proporciona alegria e prazer indescritíveis ao bebê, dando-lhe uma agradável sensação de domínio e poder, que não havia sentido antes. Consegue, sem ajuda, deslocar-se para os diversos lugares da casa, apanhar seus brinquedos, cair nos braços dos pais, brincar com eles e com as outras crianças. Em nenhum outro momento, a criança expressa tanta satisfação e alegria quanto naquele em que começa a se locomover. Costumo dizer que o homem tem de conquistar sua independência física, mental, emocional e social. A primeira, conquista no dia em que começa a andar.

Pode-se dizer que, em média, as crianças se sentam sozinhas, com firmeza e desembaraço, em torno dos oito meses. Começam a tentar engatinhar em torno do sétimo mês, paralelamente aos esforços para se sentarem sozinhas, e conseguem fazê-lo em torno do nono mês. Muitos pais ficam frustrados porque, ao invés de se deslocarem para a frente, andam como caranguejos, para trás. Não devem ficar preocupados, pois os bebês utilizam vários estilos para engatinhar: rastejam para trás ou de lado; utilizam-se das mãos e dos dedos dos pés, com as pernas estiradas; usam um joelho e um pé; locomovem-se com o auxílio das mãos e dos joelhos ou das mãos e dos pés, como os ursos.

Os pais se preocupam muito em saber com que idade os filhos deverão sentar, engatinhar, andar, falar e assim por diante. Como o desenvolvimento se processa em fases de duração muito elástica, não se pode responder com precisão quando uma criança executará cada uma das etapas. Entretanto, pode-se dizer em que determinados limites de tempo a criança deverá cumprir cada uma delas. Assim sendo, não se poderá afirmar, por exemplo, que uma criança que não engatinha até nove meses apresenta um problema. Cada criança tem o seu próprio ritmo de crescimento e desenvolvimento.

Também não é saudável dar grande importância ao cumprimento precoce das etapas, pois existe sempre o risco de querermos que nossos filhos sejam melhores do que os outros e passarmos a exigir deles mais do que possam dar.

Outra preocupação é com a sujeira. Ao se arrastar pelo chão, a criança suja as mãos e, como chupa os dedos com freqüência, existe um receio de que fique doente ou “pegue vermes, pois vive comendo sujeira”. Não devemos nos preocupar com isso e, principalmente, não devemos utilizar esse receio para interferir na etapa de engatinhar. Obviamente, a partir dessa fase, já não são necessárias as medidas estritas de esterilização de copos, chupetas, talheres, mamadeiras (exceto as que contenham leite) e outros utensílios.

A criança que aprende a engatinhar mais cedo pode levar mais tempo para andar. Existem crianças que saltam essa etapa, passando a ficar em pé e a andar, sem haver engatinhado. Geralmente, são aquelas que aprenderam a sentar, com segurança, precocemente. Aprendem a se pôr de pé, agarrando-se nas pessoas ou em objetos, e, daí, passam a circular em torno de móveis, o que satisfaz sua necessidade de locomoção e diminui sua motivação para engatinhar. Esses bebês, na verdade, sabem engatinhar, mas preferem andar. Muitas mães temem que isso possa ser prejudicial à criança, o que, na verdade, não ocorre.

Preguiça de andar

Primeiro, com auxílio, o bebê consegue ficar de pé. Depois, ele já se levanta sozinho, segurando-se em móveis ou objetos. Mais tarde, ele não só levantará como conseguirá também andar, apoiando-se na grade do berço ou em outros móveis. Mais ou menos um mês mais tarde, ele começa a caminhar sozinho.

Crianças absolutamente normais podem vir a andar entre os oito e os dezessete meses. A maioria delas anda entre os doze e os quinze meses. Quando demoram mais do que isso, salvo a existência de retardos psicomotores facilmente detectáveis pelos pediatras, quedas fortes, doenças ocorridas no momento em que começaram a andar e principalmente falta de estimulação podem ser as causas responsáveis pelo atraso.

Quanto às quedas, uma criança leva centenas delas até aprender a ficar em pé e, outro tanto, para andar. Quando muito fortes, a criança fica com medo de voltar a tentar andar. Nessa fase, é recomendável que ela fique descalça e não use meias, que podem ocasionar quedas. A estimulação é essencial e sua falta pode ser considerada a causa mais comum de atraso da marcha, principalmente em populações de baixa renda, ou mesmo em famílias onde os adultos trabalham e não têm tempo para se dedicar aos filhos. Crianças carentes, deixadas no berço, levam, às vezes, anos para andar.

No começo, a sensação de insegurança é inevitável, associada a um misto de medo e alegria. Cabe à família encorajar a criança a dar os primeiros passos, transmitindo-lhe confiança e segurança, amparando-a pelas mãozinhas e ajudando-a, estimulando-a a largar um móvel, ou uma pessoa, e a tentar caminhar, apoiando-a, se sentir que ela irá cair. Caso caia e não chore, leve o caso na brincadeira e encoraje-a a tentar novamente. Se chorar, aninhe-a no colo e lhe dê um pouco de carinho. Tente várias vezes ao dia. Estimule-a a andar, sem obrigá-la. A criança leva, em média, nove meses para aprender a andar, contando-se desde o momento em que tenta levantar-se pela primeira vez até quando já pode andar livremente.

Lembre-se de que cada criança tem seu ritmo próprio de desenvolvimento e o início da marcha pode variar consideravelmente de uma para outra, sem que isso represente qualquer anormalidade.

Linguagem

Linguagem

Dois momentos são particularmente emocionantes na vida de um bebê: quando começa a falar e quando começa a andar. São momentos de plena liberdade. Permitirão no futuro que a criança seja livre para se comunicar e se deslocar. Não é sem razão que esses estágios de desenvolvimento sejam acompanhados de intensa alegria.

Embora cada criança tenha seu tempo certo para andar e falar, a velocidade do desenvolvimento motor e da linguagem é influenciada pelo maior ou menor vínculo afetivo que tiver com as pessoas que a cercam. Quanto mais a capacidade motora e lingüística for estimulada por meio de exercícios e da comunicação, com os chamados jogos vocálicos, mais rapidamente a criança andará ou falará. Embora a idade média para soltar a língua se situe entre dezoito e vinte e quatro meses, elas começam a treinar desde o nascimento.

O choro precede as palavras e é a forma de comunicação dos bebês para expressar suas necessidades desde o nascimento. De início, o choro é indiferenciado. A partir de um mês de idade, já é possível que os pais reconheçam os choros relacionados com a fome, as cólicas, a raiva, a dor ou aqueles que simplesmente reclamam atenção e carinho. Quem nunca presenciou um bebê chorar, ser colocado no colo, ouvir umas palavrinhas carinhosas de sua mãe e logo dar um sorriso matreiro? Existe, nesse momento, uma troca de emoções e informações entre eles, uma comunicação ou, por que não dizer, um diálogo.

Aos três meses, os bebês dão gritos e gargarejam, movimentam-se e sorriem quando alguém lhes fala. Aos quatro, balbuciam, repetindo uma variedade de sons, como "má-má-má-má", "bi-bi-bi-bi", "dá-dá-dá-dá", principalmente quando alegres; dizem "angu-angu-angu", o que costuma levar os pais ao delírio: "Meu filho está falando!"

A partir dos seis meses, ao falarmos com eles, escutam com atenção e, quando paramos, balbuciam, tentando repetir o que ouviram, o que acidentalmente até acontece. É o que se chama (lalação ou imitação imperfeita). Esses balbucios costumam sinalizar ênfases ou emoções.

Em torno dos dez meses, brincam, gargarejando, soprando e formando bolhas. Apesar de não entenderem o que lhes é dito, tentam imitar os sons que ouvem. A esta imitação se dá o nome de ecolalia.

Em torno de um ano, dizem as primeiras palavras — "mamá", "papá", "dá", "au, au" — para alegria dos pais, ou tristeza, quando estes perdem para o cachorro. Nesse estágio, já entendem o significado de algumas palavras e obedecem aos comandos mais simples.

Com um ano e meio, já falam diversas palavras — mais de três e menos de cinqüenta. Ainda têm dificuldades em formular frases. As crianças superprotegidas, muito mimadas, costumam usar a mímica para serem entendidas, apontando o que desejam e dizendo "hum". Outras inventam palavras para designar as coisas, como "gagau" ou "dedeira" para mamadeira, "cumcumba lalada" para água gelada, "papato" para sapato, "ane" para carne, "dadá" para babá, "papô" para comeu, linguagem que muitas vezes é compreendida somente pela família.

Aos dois anos, a maioria das crianças já entende e fala um grande número de palavras e consegue formular pequenas frases. Algumas falam quase tudo, usando o vocabulário, entremeado de palavras criadas por elas. Outras falam o tempo todo, misturando as palavras de tal maneira que formam frases ininteligíveis. E ainda existem as que falam muito pouco, o que não deve ser motivo de preocupação, pois, em algum momento, entre dois e três anos, elas "soltarão a língua".

Com três anos, a grande maioria das crianças fala corretamente quase tudo. Entre quatro e cinco anos, elas costumam falar sem omitir ou trocar letras, e já dominam a gramática, o que permitirá que sejam alfabetizadas.

Os pais, principalmente as mães, desempenham um papel fundamental no desenvolvimento da linguagem, o que depende da interação verbal entre eles e o bebê. Quanto mais eles se comunicarem, mais rapidamente a linguagem se desenvolverá. Algumas medidas poderão ajudar esse desenvolvimento:

- A partir dos sete ou oito meses, as frutas devem ser amassadas. O uso do liqüidificador no preparo das papas ou das sopas deve ser evitado, para estimular a mastigação e ajudar o desenvolvimento dos músculos da face envolvidos na fala.
- Converse bastante com as crianças, de forma correta, clara e simples, pronunciando bem as palavras, para que elas consigam observar todos os sons e movimentos emitidos por você.
- Leia historinhas e faça com que a criança participe delas, pedindo-lhe opiniões e respondendo suas perguntas, o que estimulará sua curiosidade.
- Deve-se desestimular o filho a chupar os dedos ou a chupeta a partir de um ano, com carinho e sem medidas punitivas.
- A partir de dois anos e meio, mamadeiras, chupetas e dedos poderão provocar alterações na arcada dentária, responsáveis pela dificuldade de articulação de determinados sons, como o "s" e o "z".
- Nunca humilhe uma criança por falar tarde ou de forma errada, comparando-a com os irmãos, e, muito menos, com outras crianças.
- Se não quiser transformar seu filho de dois anos com gagueira transitória — que é comum nesta idade e desaparece sozinha — em um gago que necessitará de tratamento fonoaudiológico, jamais o corrija a todo instante, humilhando-o, rindo e imitando-o na frente de outras pessoas.

- Se seu filho demorar a falar, controle sua ansiedade, pois cada criança é diferente da outra e tem sua própria velocidade de desenvolvimento, inclusive da linguagem.
- Evite imitar a criança que fala errado, mesmo que ache engraçadinho; a melhor forma de corrigi-la é falar corretamente, sem chamar atenção.

Todas as crianças começam pronunciando as palavras de forma errada e, com o tempo, passam a fazê-lo corretamente. Algumas, entretanto, continuam tendo dificuldades com determinados sons, como o do "r": falam "ato", e não "rato"; "pato", e não "prato"; "peneia", e não "peneira". Omitem letras: "macaco" vira "maao"; as trocam: "casa" vira "fasa"; ou as invertem: "título" vira "tutilo". Isso parece ocorrer em virtude de alguma incapacidade do aparelho fonador, geralmente transitória. Se a criança tiver um desenvolvimento normal, for ativa, alegre, comunicativa, essas dificuldades não devem ser motivo de preocupação.

Os leigos atribuem erroneamente ao freio da língua a responsabilidade por certos distúrbios de linguagem. Na realidade, isso ocorre com uma freqüência desprezível. Toda criança que não balbucie, que pareça estar alheia ao ambiente, que fuja aos padrões normais de desenvolvimento da linguagem acima descritos, ou que tenha mais de quatro anos e fale de forma errada, a ponto de não ser entendida, deverá ser enviada a um especialista para que ele teste sua audição, e a um fonoaudiólogo. Infelizmente, já tive oportunidade de atender várias crianças consideradas surdas e retardadas, que foram curadas com a simples extração das adenóides.

Se seu filho estiver com a fala atrasada, converse carinhosa e freqüentemente com ele, transmita-lhe segurança e dê-lhe oportunidades para conviver com outras crianças. Se ele costuma abusar da mímica, estimule-o a pedir as coisas pelo nome.

Quando eu tinha quatro anos, não conseguia pronunciar o "r" entre vogais — falava "cao" em vez de "caro". Passei a ser motivo das brincadeiras da família e dos amigos, todas feitas com muita ternura, felizmente. Uma das frases que pediam que eu repetisse era "a arara furou um buraco na parede", cheia de "erres". Essa frase foi a minha salvação: em pouco tempo, praticando-a, passei a falar corretamente.

A maioria dos problemas da fala e da linguagem desaparece espontaneamente com o tempo ou até os cinco anos de idade, e pode ser corrigida com o auxílio da família ou de especialistas como fonoaudiólogos, otorrinolaringologistas e neurologistas.

Desobediência

A desobediência é normal?

"Paulinho, não mexa na tomada! Paulinho, não suba na cadeira! Quantas vezes já lhe disse para não beber água da torneira? Meu filho, você não pode continuar comendo a pasta de dente! Não toque na minha jarra! Não brinque com o relógio de seu pai! Não suba mais na cadeira, que você vai acabar se machucando. Não agarre o rabo do cachorro! Sabe que você já matou quatro peixes do aquário?"

Paulinho tem dois anos e a mãe já não sabe o que fazer com ele. É teimoso e desobediente. E eu diria: como quase todos os da sua idade. Sem dúvida, é difícil e cansativo controlar uma criança para que não mexa onde não deve e principalmente não cause danos ou se exponha a riscos de acidentes. Muitos desses comportamentos, por serem perigosos, devem ser controlados pelos pais.

As restrições surgem geralmente quando a criança começa a andar. Ela se sente independente e passa a explorar o ambiente. A partir dos dezoito meses até os três anos, esse sentido de independência aumenta. Ela quer ser totalmente livre. Nas suas andanças, observa e investiga. Caminha para todo lado, mexe em tudo, sua mãozinha quer pegar o que estiver ao seu alcance. Cria situações de risco para si própria e para os objetos e animais que estão dentro de seu raio de ação. Pega baratas, formigas, sapos, panelas quentes, copos de fino cristal, relógios do século passado. Ao pegar o copo de cristal, ouve um sonoro "não!". O que teria acontecido?, pensa ela. Mamãe pega e ninguém se importa. Papai também. Por que eu não posso pegar? Como não sabe a diferença entre o copo de cristal e os outros objetos, vai pegá-lo novamente. E ouve outro "não" acompanhado, agora, de um tapinha na mão.

Estará desobedecendo? Não, está se exercitando, buscando seu caminho para crescer. Ela só descobre que algo não vai bem quando seus pais se zangam ou se aborrecem com algo que fez. Entre um e três anos, as crianças estão numa fase de desenvolvimento em que não são nada razoáveis. São geralmente negativistas, querem ter seus desejos atendidos rapidamente e, quando não são, têm um temperamento explosivo, características que não são bem aceitas ou compreendidas pelos adultos. Não estão em idade de entender o que é bom ou mau, o que agrada ou desagrada. Por isso, são muitas vezes rotuladas de boas ou más, o que não é bom, pois, como já dissemos, quase todas são desobedientes. E, quando não são, provavelmente é porque foram submetidas a disciplinas rigorosas, em que o castigo foi usado abusivamente — o que poderá ter alterado irremediavelmente sua personalidade.

A desobediência, tida pelos pais como algo indesejável, irritante e desagradável, por colocar em xeque sua autoridade, não é um elemento prejudicial ao desenvolvimento do caráter e da personalidade infantil. A criança pequena, boazinha, obediente geralmente já desistiu de lutar. Foi vencida pelos adultos e freqüentemente executa suas tarefas somente quando elas são claramente definidas e esboçadas. É subserviente; aceita, sem discutir, qualquer sugestão ou comando. São adoradas pelos professores e pelos adultos que as utilizam como modelo de crianças bem-comportadas, bem-educadas, polidas, exemplo a ser seguido pelas outras. Essas crianças nem sempre são felizes. Muitas vezes, não são aceitas por seus colegas, o que faz com que procurem agradar e viver mais entre os adultos. Infelizmente, essa passividade pode se estender por toda a vida.

Assim, se nossos filhos forem travessos, não fiquemos tristes. Compreendamos que eles estão numa idade em que a desobediência deve ser aceita por fazer parte de seu desenvolvimento normal. Seu filho não está querendo transformar sua vida num inferno. Está testando seus limites para saber o que pode ou não fazer. Cumpre aos pais estabelecer esses limites, mostrando-lhe os inconvenientes ou os riscos de determinadas atitudes, para que elas não sejam repetidas. Não se esqueçam de que Sócrates, Gandhi, Galileu, Freud e o próprio Jesus Cristo foram grandes desobedientes aos valores de sua época.

Por que as crianças desobedecem?

A criança, quando começa a andar, delimita um espaço físico para atender suas necessidades, o que nem sempre é aceito pelos pais, que, muitas vezes, vêem-se obrigados a interferir no seu mundo para evitar que causem danos físicos ou materiais ou tenham atitudes socialmente inoportunas.

Nesse momento, a criança começa a perceber que, quando faz determinadas coisas, cria nos pais reações de aborrecimento, zanga ou raiva e que eles também controlam suas ações. Uma vez percebido esse tipo de comportamento, ela conclui que dele resultam determinadas interdições, ordens e mesmo sanções. Daí ao primeiro desafio é um passo. E muitos outros vão se seguir.

Não fiquem tristes por serem desafiados porque será por meio desse jogo que a criança irá aprender as regras e regulamentos que irão ajudá-la a estabelecer seus limites. E à medida que ela for crescendo, cada vez mais complexo se tornará seu comportamento e ela testará, cada vez mais, novas atitudes, para aprender o tipo de reação que cada uma delas irá provocar. Essas atitudes, muitas vezes consideradas como desobediência, além de normais, são necessárias para a formação da personalidade infantil.

Assim, o que muitas vezes os pais consideram um inferno nada mais é do que a criança se preparando para o futuro. Não deve preocupar. A não ser que a criança seja muito desobediente ou pareça ficar feliz em ver a reação dos pais quando reincide em atitudes ou gestos já recriminados por várias vezes. Essas crianças, em geral, têm dificuldades em estabelecer mecanismos internos de controle de seu próprio comportamento, ou seja, não estabeleceram em sua consciência padrões do que é considerado aceitável.

Essa situação pode ter várias causas. Uma delas, talvez das mais comuns, é que a criança não aprendeu a adiar a satisfação imediata de seus desejos, ou seja, quando quer ou exige alguma coisa, quer ser atendida logo, embora, às vezes, o pedido não seja nada razoável. É uma situação observável até no momento das consultas, quando a mãe, desligada ou impassível, não desejando ser incomodada, permite que a criança tente depredar o consultório ou, atendendo seus desejos, dá-lhe objetos frágeis para que ela se divirta. As vítimas mais comuns dessa situação são os relógios, os aparelhos médicos e os óculos, inclusive os do doutor. O prazer não pode ser adiado para um outro momento, quando seria obtido de uma maneira socialmente aceitável. É importante que a criança aprenda que somos, freqüentemente, obrigados a adiar os nossos desejos e que uma frustração imediata poderá ser seguida de uma gratificação bem maior.

Outra causa da desobediência habitual pode ser o resultado de uma série de vivências que estimularam esse tipo de comportamento. São principalmente aquelas crianças rotuladas de malcomportadas pelos pais ou professores desde a mais tenra idade, e punidas até por pensarem em desobedecer. Não se dá à criança a oportunidade de mostrar o que realmente é. São, muitas vezes, punidas pela falta dos outros, o que as torna cada vez mais revoltadas. "Isto deve ser coisa do Zezinho!" E o pobre nem estava lá. Quantos colegas de ginásio foram injustamente expulsos da sala de aula porque os professores presumiram que eles deviam ser os culpados. Muitas vezes, a criança é tachada de "levada" porque a professora tem dificuldade em manejá-la. Como é considerada desobediente por todos, fica mais fácil se comportar como tal.

Se você acha mesmo que seu filho é mau ou está sempre errado, acabará tendo dificuldade em aceitá-lo. Com o tempo, ele poderá achar que você tinha razão e assumir esse julgamento, em relação a si próprio, o que tornará complicado seu futuro como pessoa. Nunca rotule seu filho, fazendo-o crer que será um rejeitado pela sociedade. A criança é um ser em desenvolvimento, imaturo, e necessita tanto mais de apoio, carinho, compreensão, amor quanto mais seu comportamento é considerado inaceitável. Mas dificilmente agimos assim.

Uma terceira causa de desobediência habitual decorre da atribuição de tarefas impossíveis de serem cumpridas pelas crianças, que são punidas por não as terem cumprido de maneira satisfatória.

Também são desobedientes habituais as crianças excessivamente punidas, que passam a ter raiva dos pais e descobrem que a desobediência os enlouquece. As que não são tratadas com carinho. As que não são aceitas pelos pais, quer de forma declarada ou disfarçada. As que nunca são recompensadas quando agem corretamente. As que só são percebidas pelos pais quando fazem travessuras. Aquelas cujos pais se preocupam tanto com seus próprios problemas que as esquecem. Aquelas que recebem dos pais, como única forma de atenção, a palavra "não".

Meu filho é um desobediente habitual

Para que seja definida uma linha de conduta em relação à desobediência, torna-se necessário saber o que levou a criança a esse comportamento. Não podemos ignorar que, em determinadas faixas etárias, a desobediência ocasional é considerada parte do desenvolvimento normal. Nenhuma criança é desobediente contumaz sem um bom motivo para isso.

O boicote sistemático das ações das crianças por parte dos pais é o melhor caminho para que se tornem adultos sem capacidade de liderança e sem autoconfiança. A disciplina deve ser ensinada sem autoritarismo. O poder dos pais é praticamente absoluto e, se exercido sem amor, vira tirania.

A obediência não é um valor moral nem um fim educativo. As crianças não nascem obedientes. A obediência é ensinada. E quando o é por pais afetuosos e não-permissivos, os teimosos, desobedientes e rebeldes constituem exceções, pois estes são, na maioria das vezes, produtos de lares ou escolas carentes de amor e compreensão.

Nossa responsabilidade é grande, pois temos que usar critérios não muito rígidos e também não muito frouxos, o que muitas vezes torna difícil a tomada de decisões. A liberdade é fator indispensável para que sejamos felizes e ela não pode nem deve ser conseguida satisfazendo-se os impulsos egoístas e vorazes das crianças. Tanto as crianças a quem tudo se nega quanto aquelas a quem tudo se dá são infelizes.

A criança obedece para satisfazer um desejo do adulto. Cabe a ele proibir tudo aquilo que signifique risco ou atitude anti-social, pensando no desenvolvimento correto da personalidade da criança e não simplesmente em exercer seu domínio. O "você não faça mais isso porque eu não quero" ou "se você repetir o que acabou de fazer, vou-lhe ensinar quem manda nesta casa" são frases que deveriam ser abolidas.

As primeiras reações das crianças às ordens ou interdições são de acatamento. Os comandos verbais devem ser acompanhados de determinadas inflexões na voz, de expressões fisionômicas e de gestos. Elas têm uma excepcional capacidade de entendê-los. Às vezes, basta um "Oh!" e ela compreende que está fazendo algo perigoso ou errado. Por outro lado, chamar a atenção achando graça, como muitos fazem, leva a criança a acreditar que tenha feito algo louvável.

Para que seu filho não seja desobediente ou teimoso, a melhor forma de agir, como em tudo na vida, é prevenir. O que significa conhecer as situações que podem induzir a desobediência ou a teimosia e evitá-las ou corrigi-las. Selecionamos as que consideramos mais importantes:

- será que a criança está recebendo a atenção e o carinho que lhe são devidos pelos pais e pessoas com as quais convive? A atenção positiva e a compreensão de seus atos pelas pessoas que ela julga importantes são imprescindíveis para a formação de sua personalidade. Os filhos de pais extremamente ocupados, que não dispõem de tempo para atender um mínimo das necessidades exigidas pelo seu crescimento e desenvolvimento, são, freqüentemente, desafiadores e revoltados, pois só assim conseguem um pouco de atenção. A desobediência é um bom caminho para conseguirem ser notados pelos pais;
- quando seu filho tem um procedimento socialmente aceitável, você o recompensa com palavras ou gestos ou, pelo menos, com um sorriso ou um "Muito bem, meu filho!"? Existem crianças que, por mais que se comportem bem, por mais que andem direito e por melhor que façam as coisas, nunca são premiadas ou recompensadas. Acham os pais que elas não

estão cumprindo mais do que a obrigação. Até que, com razão, se tornam revoltadas, por uma absoluta falta de resposta dos adultos aos seus sentimentos;

- você é muito exigente e restritivo? Existem pais que almejam a perfeição dos filhos, querendo que eles, embora crianças, comportem-se como adultos. Acham que eles estão sempre errados e os criticam continuamente. Lembrem-se de que não podemos exigir um bom comportamento que implique passividade e autocontrole incompatíveis com a idade da criança. Não se pode exigir que uma criança de dois anos se comporte como uma de oito, de doze, ou mesmo como um adulto.

Cada criança, cada idade e cada circunstância requerem concessões e restrições diferentes. A restrição será sempre considerada mais excessiva quando o motivo for o comodismo e a "falta de tempo" dos pais do que por razões de segurança ou bem-estar da criança. É errado submeter a criança a uma série de restrições desnecessárias. Um dos quadros que mais me impressionaram foi atender em meu consultório um menino de três anos, impecavelmente limpo e perfumado, vestindo terninho e gravata, que, durante vinte minutos, manteve-se imóvel na cadeira, só se locomovendo em obediência às ordens da mãe;

- pais incoerentes ou ambivalentes produzem filhos desobedientes. Chega o pai em casa, cansado, e chama a atenção do filho por estar fazendo muito barulho, deslocando cadeiras; no dia seguinte, de bom humor, ajuda a empurrá-las. A mãe ralha com a filha de quatro anos que usou seu perfume e batom; uma semana mais tarde, passa-lhe o batom e a enche de perfumes. Em outras palavras, um dia, considera um determinado comportamento da criança certo e, em outro, errado. A mãe chega e diz para o filho não ligar a televisão, pois irá acordar o irmão menor; o pai, ao entrar em casa, manda o filho ligar a televisão. Se ele retruca que a mãe não quer, o pai ordena dizendo que quem manda na casa é ele.

Esse comportamento dos pais, repetindo-se dia-a-dia, cria na criança um modelo confuso de identidade comportamental. Isso é agravado quando um dos pais é "bonzinho" e o outro é "mau". Com freqüência, nesses casos, a criança manipula o casal, jogando um deles contra o outro, criando um clima de desarmonia e caos no ambiente familiar. A autoridade não pode ser dividida;

- pais autoritários ou permissivos. Os primeiros, se bem-sucedidos, podem tornar seus filhos obedientes, incapazes de reagir às provocações, sem garra, sem espírito de luta ou, se malsucedidos, transformá-los em pessoas revoltadas contra tudo e contra todos, futuros disseminadores da violência, principalmente doméstica. Os segundos, frouxos, não conseguirão que seus filhos se conscientizem das limitações que a vida em coletividade lhes impõe, tornando-os pessoas egoístas, insatisfeitas, intolerantes, desagradáveis e infelizes. A autoridade é essencial. O autoritarismo e o permissivismo são nocivos;
- você vive castigando seu filho ou utilizando abusivamente o "não"? As palmadas, as surras e o uso exagerado de castigos ou de restrições geralmente são contraproducentes. Dizer "não" com freqüência leva a um desgaste da palavra, que perde o sentido de proibição e, tal como as punições excessivas, torna-se responsável por um bom número de desobedientes. Deve, portanto, ser usado com parcimônia. Certas pessoas usam o "não" com um sorriso nos lábios, o que, praticamente, quer dizer sim. Como resultado de tudo isso, as crianças poderão aprender a devolver o "não" ou, temerosas, deixarão de aproveitar as oportunidades para explorar, descobrir e aprender, tão importantes para elas.

Como a criança pequena mexe em tudo, seria conveniente colocar os objetos que possam ser danificados ou representar riscos fora do seu alcance, o que economizaria o uso do "não". Poderemos substituí-lo por ordens mais diretas como "tire a mão", "cuidado", ou usar estratégias que a impeçam de realizar atos perigosos ou desaconselháveis, retirando, por exemplo, as cadeiras próximas das janelas, escondendo objetos cortantes ou que possam produzir fogo. O "não" ficará reservado principalmente para situações que envolvam risco.

As medidas acima são preventivas. Com carinho, paciência, aceitação e amor, explicando-se a razão das restrições e repetindo as lições inúmeras vezes, as crianças as irão absorvendo.

Mas... e se seu filho já é um desobediente habitual? Como todo processo curativo, os resultados são demorados e exigem muito dos pais. O que fazer? Em primeiro lugar, decidir se estão mesmo dispostos a enfrentar o problema, que irá lhes exigir muita paciência, carinho e compreensão. Caso contrário, o melhor é continuar convivendo com ele, que tem solução.

O que devemos fazer para que nosso filho deixe de ser um desobediente contumaz? Em primeiro lugar, aceitá-lo e amá-lo. Nunca chamá-lo de irresponsável, mau-caráter, mentiroso, vagabundo e outros adjetivos que irão magoá-lo cada vez mais. Sempre que ele tomar uma atitude positiva, estimulá-lo e recompensá-lo. Muito bem, é assim que o papai (ou a mamãe) gosta, você é um menino lindo, você se comportou tão bem que vou levá-lo para tomar sorvete (ou ir ao parque, ou nadar, ou andar a cavalo), gostei de ver como você guardou os brinquedos. Todo mundo, até as crianças, gosta de ser elogiado. Ele ficará satisfeito e tentará repetir o comportamento elogiado por vocês.

Se se comportou mal ou fez algo que representou algum risco, chame sua atenção, explicando-lhe sempre o porquê do castigo, da reprimenda. Valerá a pena usar um pouco de seu tempo para explicar-lhe o erro cometido. Dê atenção às crianças, converse com elas, brinque, leia histórias. A desobediência habitual é, na maioria das vezes, uma forma de desforrar-se de você e de conseguir sua atenção. A expressão de seu ressentimento e hostilidade é a desforra por não receber aquilo a que acha que tem direito.

Educação

A palmada

"A palmada faz mal?" A pergunta, freqüente nos consultórios, infelizmente, procura justificar uma agressão praticada contra a criança. A palmada é usada com finalidades educativas. Apoiando-se nessa suposta finalidade, pais ou responsáveis justificam-se com algumas explicações do tipo: "Meu pai sempre me bateu e eu agradeço a ele, pois sou trabalhador e macho"; "Uma palmadinha nunca faz mal"; "Quero que meu filho seja um homem inteiro, um bom cidadão"; "Comigo é assim: escreveu não leu, o pau comeu"; "A palmada na minha família é uma tradição: meu pai apanhou, eu apanhei e meu filho também apanha"; "Mentiu para mim, eu bato"; "Não admito que meu filho diga palavrão"; "Não me venham com esta psicologia moderna de que não se pode bater em criança"; "Este médico não tem nada a ver com a educação de meu filho, eu é que sei o que é bom para ele"; "Eu sou o responsável por meu filho e não admito que ninguém opine sobre o que faço"; "Uma surra bem aplicada, no momento adequado, vale mais que mil compêndios de psicologia e pedagogia". E a criança segue apanhando até que atinja a adolescência, quando enfrenta o agressor ou foge dele.

Os pais que batem e os que condenam qualquer tipo de violência, em geral, tentam, por caminhos opostos, fazer do filho um bom cidadão. Os primeiros utilizam métodos de uma época em que os castigos e o medo eram considerados ferramentas educacionais, mais eficazes do que o amor. Hoje, sabemos que palmadas, brigas e ameaças não são justificáveis. Entretanto, um número considerável de pais ainda as consideram válidas.

Muitos acham que não se consegue disciplina sem apelar para as palmadas, como outros acreditam que disciplina e carinho sejam antagônicos. Não é verdade. A criança deve ser educada, com energia e carinho, a ter disciplina, o que é perfeitamente possível desde que se substituam as palmadas pela compreensão e pelo diálogo e, eventualmente, pela punição, quando, então, a palmada, na melhor das hipóteses, terá um lugar bastante restrito.

A boa disciplina é adquirida com facilidade quando a criança cresce numa família em que aprende a amar e ser amada. Não podemos nos esquecer de que as crianças têm um grande espírito de imitação, o que as faz desejar parecer-se, tanto quanto possível, com os pais. Pais agressores ou compreensivos, com freqüência, têm filhos com o mesmo tipo de comportamento.

As crianças, desde o nascimento até os seis anos, estão sendo submetidas a uma espécie de modelagem de sua personalidade: tudo o que fizermos de bom ou de ruim será registrado por elas, de forma mais ou menos marcante, dependendo da intensidade do estímulo. Punir para educar não significa bater.

O que desejam as pessoas, em especial os pais, quando batem nas crianças? Sem dúvida, na maioria das vezes, desejam ensinar-lhes alguma coisa que contribua para que tenham uma melhor formação como cidadãos, restringindo ou proibindo, com freqüência, comportamentos que violam o que consideram ideal, por meio de surras ou palmadas. Não digo sempre porque, infelizmente, ainda se castiga por pura maldade, sem nenhum objetivo a não ser o de vê-las sofrer.

Os impulsos agressivos das crianças ocorrem praticamente desde o nascimento quando, pelo choro, pode-se reconhecer seus momentos de raiva e frustração. Aumentam lenta e progressivamente e, aos dois ou três anos, atingem um nível que provoca a reação dos pais, que, para restringi-los ou controlá-los, lançam mão de uma das seguintes técnicas disciplinares: afirmação do poder, técnicas indutivas ou retirada do amor.

As palmadas e outras punições físicas ou morais, a privação de privilégios e os gritos estão incluídos no primeiro grupo. São respaldados pela força e tamanho dos pais e pelo controle das coisas que a criança quer. Os que utilizam as técnicas indutivas buscam fazer as crianças compreenderem as conseqüências de suas ações, usam o diálogo para corrigir os presumíveis desvios de comportamento, valem-se dos reforços positivos, elogios e recompensas. Essas técnicas estão baseadas no bom relacionamento dos pais com os filhos e na capacidade de a criança compreender o que os pais explicam.

A retirada do amor inclui o que o nome indica, além de envergonhar, decepcionar, desprezar ou isolar a criança. Uma das piores formas de punição, que nunca deveria ser usada, é aquela em que a mãe ameaça o filho dizendo que vai embora, que vai deixar de amá-lo, que nunca mais irá querer vê-lo. Como vocês podem ver, as técnicas são usadas isoladamente ou de forma combinada.

A palmada é, pois, utilizada quando existe um conflito de autoridade em que o mais forte, o mais velho, o mais maduro a usa para demonstrar quem manda. Ou seja, olha para a criança e diz: "Faça o que eu acho certo ou vai apanhar." E se existissem gigantes que fizessem isso conosco? Será que acharíamos correto?

Nem todos são contra a palmada. Existem defensores que dizem que ela deve ser aplicada quando existe um bom motivo, na hora indicada, no lugar apropriado, com parcimônia e efeito mais moral do que doloroso. E a palmadinha, largamente utilizada, enquadra-se nessas especificações? Claro que não. Que respondam as crianças. O motivo principal é o cansaço ou irritação dos pais, que, não agüentando mais, batem nos filhos.

A criança diz um palavrão e todos riem e até mandam repeti-lo. No outro dia, repete, esperando a recompensa, e lá vem a palmada no traseiro, acompanhada de gritos moralistas das mesmas pessoas. Na hora indicada? Muitas vezes, não. Quem já não ouviu a frase "se você continuar fazendo isto vou contar ao seu pai e, quando ele chegar, vai lhe bater". Horas depois, a criança está brincando com um carrinho e leva a maior palmada. Não conseguirá associar nunca a palmada com o malfeito e, sim, com o que estava fazendo com o carrinho.

Se não tiver outro jeito, palmada é do tipo fez, ganhou. Na hora, com parcimônia, ou seja, pouco utilizada. As palmadas dadas uma ou mais vezes todos os dias, além de perderem o caráter educativo, são ineficazes, pois deixam de ter qualquer efeito físico ou moral. Certas crianças riem das palmadas ou as ridicularizam.

A intensidade da palmada não corresponde à gravidade da falta. Muitas vezes é dada com raiva e para valer. Depende do estado de espírito dos pais. Nela, o adulto descarrega sua agressividade, sua raiva da família, do trabalho, do mundo, de tudo. A criança sofre; em compensação, o agressor, na maioria das vezes, sente-se melhor. Nem todos, porém. Existem os que batem e depois se roem de remorsos e até se desculpam dizendo que erraram, que não vão fazer mais aquilo etc.

Embora o traseiro seja o lugar de preferência, a palmada é dada também em outros locais, inclusive no rosto, o que é o cúmulo da degradação. Palmadas, surras, ameaças não justificam o propósito primeiro e nobre de educar. A obediência é um meio e não um fim. Tais procedimentos revelam, na maioria das vezes, uma visão muito restrita dos pais em relação ao mundo dos filhos e um desejo, consciente ou não, de afirmarem sua autoridade em detrimento das necessidades emocionais dos filhos.

Temos que disciplinar nossos filhos. O permissivismo é ruim como técnica educacional. Todos temos limites e nossos filhos têm que aprender isso, o que lhes irá poupar muitas angústias e sofrimentos. Os pais afetuosos e receptivos conseguem transmitir seus valores com mais facilidade aos filhos, sem perda da autoridade, conservando uma das coisas mais importantes: a amizade, que deve reger o relacionamento entre eles.

A palmada ensina alguma coisa?

As palmadas, as surras, as ameaças ensinam? Como não? Mas não o que os adultos esperam. Segundo a psicóloga Lidia Aratangy, ao apanhar dos pais uma criança aprende: a ser agressiva — pode achar que bater nos outros é uma forma válida de resolver seus problemas; a ser cínica — com o repetir das surras, desenvolve a capacidade de apanhar sem reagir ou de se sentir humilhada; a ser mentirosa — mente para fugir do confronto e evitar a dor; a ser covarde — pois fugir da dor pode se tornar um dos mais importantes objetivos da sua vida.

O castigo físico provoca na criança reações as mais diversas. A mais comum, semelhante à dos adultos, é um sentimento de ódio contra o agressor. As surras repetidas e o sentimento de impotência marcam profundamente as crianças, que esperarão a época oportuna para se vingar, utilizando, para isso, o aprendizado recebido.

Sabemos que 48% das violências praticadas contra as crianças são de origem doméstica, ou seja, ocorrem dentro de casa, lugar onde esperariam receber carinho e proteção. Convivendo com a brutalidade, elas aprendem a agredir qualquer tipo de autoridade. Como já lhes disse, a criança com menos de seis anos não esquece e poderá reproduzir futuramente o aprendido, tornando-se mais uma a engrossar a onda de violência e criminalidade. Pais agressores criam filhos agressores, perpetuando o ciclo da violência.

Ao invés de tornar a criança agressiva, os castigos físicos também podem torná-la o oposto — submissa, tímida, amedrontada, sem iniciativa —, vendo nos outros os pais que poderão castigá-la a qualquer momento e aceitando sem discussão as imposições de outras pessoas. Infelizmente, essas características, tal como as do temperamento violento, podem-se perpetuar na vida adulta.

A agressividade tem seu aspecto positivo. É uma forma de energia que permite ao indivíduo lutar por seus ideais, combater as injustiças, progredir na vida. Enfim, crescer como cidadão. Não podemos permitir que essa energia seja destruída ou canalizada para a violência.

Quando as punições são excessivas, as conseqüências dependerão da carga genética da criança, sendo impossível a previsão de seu comportamento na idade adulta. Cada criança tem sua própria individualidade. Quando nasce, já traz consigo a capacidade de amar, odiar, agredir, respeitar. A disposição para o amor ou para o ódio é extremamente influenciada pelo meio em que vive, principalmente o familiar.

Um outro ponto importante que poderá parecer divergente do que apresentamos, mas não o é, está relacionado com as ameaças de castigo. Se um pai diz ao filho para não fazer algo senão levará uma palmada ou outro tipo de punição, deverá sempre cumprir o prometido. Caso contrário, haverá um grande desgaste de sua autoridade. Repetidas as ameaças e não cumpridas, a criança passará a não acreditar que possa ser punida por qualquer tipo de comportamento errado. Essa situação é extremamente comum e prejudicial para o aprendizado pela criança das normas e regras que irão regular sua conduta, ou seja, a disciplina. Por esse e outros motivos é que devemos retirar dos castigos as palmadas, tapas ou surras, pois seria penoso cumprirmos o prometido.

A disciplina precisa e deve ser ensinada por meio do diálogo, do bom-senso, da justiça, da sabedoria e do equilíbrio, sem necessidade de se apelar para os castigos físicos. Pais amigos são os melhores disciplinadores.

Como lidar com os filhos

Na minha opinião, aqueles que quisessem ser pais deveriam informar-se previamente sobre o que significa ter um filho: as preocupações, o trabalho, as noites insones, a disponibilidade de tempo, a necessidade de muita paciência e, principalmente, de amor, carinho e compreensão.

O futuro das crianças depende de um sem-número de variáveis, entre as quais estão, sem nenhuma dúvida, as relações familiares, principalmente com os pais. A família é uma instituição notável, qualquer que seja o seu tipo sociológico. Um casal não forma uma família. A chegada do filho é que cria a família e é ao seu redor que se ordenam as relações familiares, normais ou não. Assim, o filho pode ser uma fonte inesgotável de alegrias, e geralmente o é, ou motivo de tristezas. Tudo depende de como ele é cuidado e recebido no seio familiar.

Na maioria das vezes, os filhos não são problemáticos, e sim têm problemas que não são devidamente valorizados pelas famílias. Geralmente, esses problemas têm sua origem no desconhecimento por parte dos pais ou familiares de peculiaridades relacionadas ao desenvolvimento infantil. Com freqüência, a criança é considerada um adulto pequeno e tratada como tal, o que induz a erros que podem comprometer definitivamente seu desenvolvimento físico, psíquico e emocional. O recém-nascido, o lactente, o pré-escolar, o escolar e o adolescente apresentam peculiaridades próprias a cada uma dessas fases, que necessitam ser conhecidas e respeitadas, para que possamos lidar corretamente com elas.

Como essas peculiaridades podem ser conhecidas? Freqüentando-se cursos e palestras, informando-se pela mídia falada, escrita e televisiva e, principalmente, pela leitura de livros sobre o assunto. numerosos e fáceis de adquirir

Educar é preciso

Muitos pais sentem-se perdidos e buscam a orientação de pediatras, psicólogos e professores sobre como educar seus filhos. A grande educadora Maria Junqueira Schmidt estava cheia de razão quando escreveu: "Nada mais fácil do que ter um filho/Nada mais imperativo do que fazer dele um homem/Nada mais difícil do que fazer dele um homem realizado em todos os planos."

A realização plena do ser humano depende da educação. Embora seja difícil fornecer aos pais receitas prontas, precisas, claras e eficientes, as medidas essenciais para que uma criança se transforme em um adulto feliz e útil para a sociedade são bem conhecidas.

Então, por que tanta dificuldade? Por dois motivos principais, um perdoável e o outro não. O primeiro deles é a ignorância. Sem saber como e quando agir diante de determinadas atitudes e comportamentos das crianças, pais, responsáveis e professores acabam por errar. O segundo motivo é a omissão. Mesmo sabendo o que deve ser feito, preferem não agir ou seguir caminhos que acreditam mais cômodos e fáceis.

Educação é uma palavra genérica, que abrange instrução e orientação, o que implica disciplina. Sem disciplina é praticamente impossível educar. Discípulo significa "aquele que aprende". Os filhos são discípulos dos pais, os grandes responsáveis por seu aprendizado de vida. Daí surgiu a frase: "Tal pai, tal filho".

Embora uma série de fatores possa influir sobre o processo educacional, o mais importante de todos eles, que pode mesmo ser considerado o responsável pelo futuro das crianças, é o comportamento dos pais.

No dia-a-dia, as crianças observam, sem pressa, minuciosa e cuidadosamente, tudo o que os pais dizem e fazem de bom e de ruim e tentam repetir o que vêem, na tentativa de identificar-se com eles. Mais vale o exemplo dos pais do que o mais eloqüente dos sermões.

Para educarmos bem nossos filhos, temos que lhes transmitir os valores necessários a uma boa convivência social; prepará-los para enfrentar as dificuldades do cotidiano, o que só se conseguirá deixando-os vivenciar e resolver situações difíceis. Precisamos estar prontos a ajudá-los se houver necessidade; estimulá-los, sem interferir, nos diferentes passos de seu desenvolvimento — sentar, andar, falar. Devemos ensinar-lhes o que é certo e errado, recompensando-os ou punindo-os com autoridade e muito carinho. Devemos escutar o relato de suas vitórias e, principalmente, de suas derrotas, assegurando-lhes que estaremos junto deles em qualquer circunstância.

Uma das minhas maiores alegrias, que entrou para o meu currículo de pai, foi ouvir de meu filho, de apenas cinco anos: "Papai, eu tenho orgulho de você!" Se uma criança não tem admiração pelos pais, irá, fatalmente, procurar outros modelos que possa admirar e seguir; muitos, infelizmente, prejudiciais. Um dos pontos comuns entre os membros das gangues de delinqüentes é a falta de um modelo de identificação. Ter um lar onde imperem o amor, a compreensão, a atenção, o carinho é fundamental no processo educacional, pois possibilitará que a criança cresça emocionalmente sadia e disciplinada.

A disciplina não deve ser imposta pelo terror, pelos castigos físicos, pelas palmadas. Pais educadores respeitam a criança, são coerentes, não falam uma coisa e fazem outra, não enganam ou mentem, prometendo algo que sabem que não irão concretizar. Estabelecem limites, utilizando o diálogo, sem exagerar nas punições ou fazer uso de castigos físicos. Sabem que frustrar é muitas vezes um ato amoroso que impedirá a ocorrência de situações desagradáveis ou de risco. Pais educadores não são permissivos por medo de criar traumas ou deixarem de ser considerados "bonzinhos", o que, na verdade, é um sinal de fraqueza. Por isso tudo, é muito comum que haja "tantos pais que têm filhos, mas poucos filhos que têm pais", como definiu François Groisset.

Os pais que seguirem as orientações acima servirão de modelo para os filhos e dificilmente precisarão exigir ser respeitados. Infelizmente, a maioria acha que educar resume-se a dizer "não" por palavras, gestos ou atitudes. A educação dos filhos, embora seja uma das tarefas mais difíceis, trabalhosas e estressantes, é também das mais gratificantes, quando levada a bom termo.

Disciplina

De repente um barulho ensurdecedor no banheiro. Therezinha corre aflita e encontra Cláudia, de quatro anos, rodeada de cacos de vidro. Ela havia subido no vaso sanitário e se dependurado no armário de remédios, que, não agüentando o peso, veio ao chão. Pacientemente, a mãe começou a recolher os destroços, feliz por só terem ocorrido danos materiais. Acabada a limpeza, procurou pela menina e achou-a passando cera preta para sapatos numa mesa de pau-marfim, branca como a neve. Brigou com ela e iniciou a ingrata e difícil tarefa de limpar o móvel. Estranhando o silêncio, procurou-a novamente. Cláudia, tranqüilamente, recortava figurinhas com uma gilete sobre um sofá de couro recentemente reformado, que, evidentemente, estava todo cortado. Telefona para o marido e exige que ele desmarque seus compromissos e volte para casa, "senão não sei o que sou capaz de fazer com a Cláudia".

Fim de tarde, Margarida, três filhos, repreende Roberta, três anos, que mordeu o colega na escola, ralha com Sofia, que jogou pedaços de batata frita em toda a sala, manda Gabriel desligar a televisão e imediatamente fazer seu dever de casa.

Josefina está aborrecida porque seus filhos menores, Paulo e Julia, transformaram a hora de tomar banho numa guerra. Para Maria, a guerra com Sílvia é na hora das refeições. Já os pais de Renato, doze anos, estão desesperados com as saídas noturnas do filho, sem aviso prévio e sem horário de volta.

Quando e como disciplinar as crianças não é um assunto fácil. Antigamente, os pais, em especial o pai, estabeleciam as regras do certo e do errado, do bom e do mau comportamento, e, de acordo com elas, as crianças eram punidas ou recompensadas. A partir da década de 20 ou 30 muitas escolas passaram a permitir que as crianças participassem da escolha do que deveriam aprender. Os pais passaram a ser instruídos no sentido de deixar os filhos mais soltos, mais livres, a fim de que liberassem a energia que tinham em seu interior e expressassem seus sentimentos, sem se preocupar com as inconveniências e os aborrecimentos que isso poderia causar aos familiares.

Havia uma preocupação excessiva sobre a repercussão futura de medidas disciplinares muito rígidas durante a infância. E enfatizou-se a necessidade de dar amor e segurança, o que muitas vezes era entendido como "deixe ele fazer o que quiser", negligenciando-se o treinamento da disciplina. Infelizmente, os resultados dessa conduta não foram dos melhores. Hoje, aceita-se que as crianças tenham completa liberdade para se expressar, mas não que tenham todos os seus desejos atendidos.

Por que a disciplina é necessária e indispensável? Regras, leis e princípios governam quase todas as atividades físicas, mentais, emocionais e sociais. É essencial ensiná-los aos filhos, para ajudá-los a adaptar-se ao mundo. A disciplina irá fazê-los desenvolver controles internos que lhes permitirão ter uma noção clara de seus direitos e deveres, de modo que possam viver bem em sociedade, respeitando os direitos e a dignidade dos outros. E, em suma, manter um comportamento socialmente aceitável.

A disciplina é uma questão de aprendizado de limites, que dura anos e cuja responsabilidade recai, principalmente, sobre os próprios pais. São eles que ensinam pelo próprio exemplo, por sua aceitação dos filhos, pela valorização de suas vitórias, pelo apoio nos momentos difíceis, pela orientação segura em novas experiências, pelo amor à família e pelos limites que eles mesmos, pais, se impõem na contenção de seus próprios impulsos.

Disciplina é um processo gradual, em que os pais dão a conhecer aos filhos seus valores e o significado de sua proposta de vida. Transcende assim a utilização de normas de comportamento, a contenção de impulsos, a explicação dos direitos dos outros, a aplicação de castigos e recompensas.

O segredo da disciplina está em viver aquilo que se quer ensinar. As crianças aceitam os valores que elas sabem ser aceitos por seus pais, os quais podem ser socialmente aceitáveis ou não. Ensinar o que não se pratica é extremamente difícil ou mesmo impossível. Se você agride as pessoas, se dirige em velocidade excessiva, se avança os sinais, se falseia a idade de seu filho para levar vantagens, se faz o dever de casa dele, se fica calado quando recebe um troco errado com dinheiro a mais, se pede atestados médicos falsos para justificar faltas, se mente ou engana, se fura filas, se pede para ocupar um espaço que não é o seu de direito, e comete atos do mesmo teor, certamente você não estará contribuindo para que seu filho se torne um cidadão digno e respeitado pela comunidade.

Se você pensa que palmadas, surras, castigos, chantagens e outras medidas coercitivas poderão salvá-lo, está enganado. Castigo não é sinônimo de disciplina, embora seja inerente a ela, pois é um preço pago pela criança quando ela se desvia das regras ou regulamentos estabelecidos.

O adulto, com raras exceções, é o resultado do que vivenciou quando criança, principalmente em casa. Desculpem-me insistir no tema, mas tenho certeza absoluta de que só conseguiremos acabar com a violência, a corrupção, a prostituição e muitas outras mazelas se conseguirmos modificar profundamente a educação de nossas crianças.

Como disciplinar meu filho?

Boa pergunta. Como premissa, disciplinar não é castigar. A disciplina é indispensável, pois permitirá que a criança tenha um comportamento socialmente aceitável, aprendendo seus direitos e os dos outros e os limites entre eles. As punições constituem um dos meios utilizados para se conseguir disciplinar. Poderíamos dizer que, infelizmente, são um mal necessário. Se as admoestações, os avisos e as ordens são desobedecidas, muitas vezes impõe-se a punição, preço a ser pago pela criança. Muita gente confunde punição com castigo corporal, o que deve ser evitado, já que pode interferir no desenvolvimento físico, social e principalmente emocional da criança.

Em 1973, Baumrind avaliou o comportamento dos pais em relação aos filhos em quatro aspectos: controle, exigências de maturidade, clareza de comunicação e dedicação. Os pais de filhos maduros e competentes marcaram pontos altos nas quatro dimensões. À combinação de controle, disciplina indutiva e encorajamento positivo dos esforços autônomos e independentes das crianças, correspondia pais com autoridade. Baumrind chamou de autoritários os pais que confiavam mais na imposição do poder, usavam uma disciplina coercitiva, eram menos amorosos, delicados e afetuosos, altamente controladores e usavam livremente o poder, não encorajando os filhos a discordar de suas proposições. As crianças menos maduras tinham pais permissivos, não-controladores, não-exigentes, afetuosos e despreocupados com a disciplina de seus filhos.

As crianças que tinham pais com autoridade desenvolviam um tipo de disciplina indutiva, que levava em conta seus pontos de vista e em que elas participavam das decisões e discutiam as regras, influenciando as interações do grupo familiar. Essas crianças são mais obedientes e socialmente abertas.

Os pais autoritários muitas vezes enfrentam problemas difíceis no relacionamento com os filhos, pois se negam a dialogar e impõem sua palavra como lei, exigindo obediência inquestionável no cumprimento de suas ordens. Vocês já viram um pai exigir que uma criança de um ano e meio cale a boca ou pare de chorar? Se leva um tabefe de um filho de dois anos, revida para "que ele aprenda a não bater em seu pai".

Por sua vez, os pais permissivos cedem sempre, pagando um ônus elevado pela imaturidade e indisciplina de seus filhos. Muitas vezes, tentam justificar dizendo: "Não quero que meu filho tenha raiva de mim quando crescer" ou então "meu pai zangava muito comigo e eu quero educar meu filho de forma diferente". Estes são os que emprestam carros aos filhos adolescentes sem habilitação e preferem que eles matem ou morram, por serem incapazes de explicar-lhes por que não podem dirigir. E ainda se justificam colocando a culpa nos filhos. Há mães que se queixam: "Meu marido deixa toda a parte da disciplina para mim, mesmo quando está em casa." Por outro lado, a mãe "boazinha" espera o marido chegar para que ele assuma o papel disciplinador, que, na verdade, é de ambos. Estão errados os pais permissivos, pois os psiquiatras e psicólogos estão cansados de saber: crianças não amam os pais que se mantêm à distância e não as disciplinam.

Em resumo, os pais autoritários e os permissivos têm dificuldade de lidar com seus filhos. Os primeiros poderão tornar seus filhos violentos ou, ao contrário, passivos, ao repetir seguidamente ameaças, punições e castigos físicos. Os segundos, por perderem, parcial ou totalmente, o controle dos filhos, os deixam confusos e inseguros, e os culpam por seu mau desempenho social. O correto seria educar com autoridade, não com autoritarismo.

Então, não podemos punir nossos filhos? Claro que sim. Se toda explicação, persuasão, diálogo e outras medidas falharem, a criança deve ser punida. A punição obedece a alguns princípios: deve dar-se imediatamente antes ou após o ato que se queira proibir; deve ser branda (as severas podem inibir temperamentos desejáveis, pois podem gerar insegurança ou medo); deve ser coerente e explicada à criança com calma, firmeza e principalmente com clareza, para que ela compreenda porque está sendo punida; os castigos físicos devem ser abolidos.

As proibições e punições são mais eficientes quando o adulto usa a disciplina indutiva, ou seja, explica à criança a lógica e a razão do castigo, o que torna mais provável a mudança do comportamento que se deseja modificar.

O grande problema potencial das punições é que as crianças aprendem a imitar o comportamento dos pais, usando os mesmos procedimentos punitivos para corrigir seus filhos, perpetuando atitudes condenáveis, como as surras e espancamentos. Por esse meio transferem-se os maus-tratos de uma geração a outra. Os papéis que a criança irá desempenhar na sociedade precisam ser-lhe ensinados por quem a trate com amor, amizade, lealdade e autoridade.

Falta de autoridade

Ana Beatriz só dorme na rede. Marianinha só come se o pai tocar violão. Josefina só dorme embalada. Paulinho não toma suco, só refrigerante. Zezinho está com cinco anos e só quer tomar mamadeira. Chiquinho tem quatro anos e não larga o bico. Renata tem três anos e só dorme à meia-noite. Essas queixas são freqüentes e têm um denominador comum: a falta de autoridade.

Como é que uma criança de tão pouca idade pode fazer valer sua vontade sobre a de um adulto? Isso só acontece se ele afrouxar quando a criança chorar ou se recusar a dizer "não".

Uma senhora chegou ao consultório queixando-se de que sua filha de dois anos de idade não comia nada, nada, nada! Consegui apurar que a criança tomava quase um litro de refrigerante por dia. Com essa idade, as necessidades calóricas são menores e, por isso, a criança come pouco. Tomando esse absurdo de refrigerante, come menos ainda. Ao dizer-lhe que teria de suprimi-lo, ela, temerosa, perguntou-me como fazer. Minha resposta foi objetiva: Muito simples. "Sua filha não trabalha, o que quer dizer que não tem dinheiro para comprar refrigerante; não consegue chegar ao bar, pois não pode caminhar até lá, e, além disso, não sabe onde fica o bar. Então, se ninguém comprar refrigerante, ela não poderá tomá-lo."

A criança tem que aprender a obedecer desde o primeiro dia de vida. Se começamos a ensiná-la a ter disciplina no segundo dia, perdemos um dia. Mais uma vez, não devemos achar que quem ama seus filhos não pode ter autoridade. Ao contrário, os filhos gostam mais de seus pais quando se sentem seguros. Os pais frouxos não são os mais amados. Não se deve confundir autoridade, que é boa, com autoritarismo, que é mau. A criança aprenderá sempre o que quisermos e, para isso, devemos agir com amor e firmeza.

No caso específico da rede, esta pode, por exemplo, desaparecer. Ana Beatriz vai chorar um pouco. Redobra-se então o carinho e ela irá dormir na cama. A rede não deverá reaparecer nunca, senão a desmoralização será total. Quando for colocada na cama, pelo menos nos primeiros dias, um dos pais deverá ficar com ela, sem brincar nem conversar, aceitando, inicialmente, uma luz acesa, bem fraquinha. Nunca se deverá deixá-la sozinha, chorando. Em poucos dias, a rede será esquecida e a paz voltará ao lar.

A creche

Os adultos ainda não se conscientizaram de que a formação do bom ou mau cidadão depende, em grande parte, de situações vivenciadas nos primeiros seis anos de vida. Costuma-se dizer que somos o que já éramos aos seis anos.

Para que se tenha uma idéia do descaso com que são tratadas nossas crianças, nunca estive presente a uma reunião em que não se defendesse o atendimento prioritário das necessidades infantis (alimentação, lazer, carinho, vestuário, educação, assistência médica) ou mesmo em que alguém opinasse em sentido contrário. Entretanto, na hora de se concretizar as iniciativas, as mesmas pessoas uniam-se no sentido de priorizar ações que iriam beneficiar exclusivamente os adultos, em detrimento das crianças. Conclusão: a criança é sempre priorizada no discurso e raramente na prática.

Sendo os seis primeiros anos de vida tão importantes para o futuro da criança, por que não se estabelecem políticas que visem promover o crescimento e o desenvolvimento infantis, considerando-os da mais alta prioridade? Nesses seis anos, a criança estrutura sua personalidade, seu caráter e seus princípios éticos e morais. São os fatores ambientais, constituídos pelos pais, a família, o lar, a creche e a escola que, atuando sobre uma base genotípica, ou seja, a herança genética, irão definir o perfil da personalidade ou fenótipo.

A socialização inicial da criança deve ser feita com a mãe biológica ou com a substituta. O papel materno é importantíssimo nesses primeiros seis anos e essencial nos dois primeiros. O pai também desempenha um papel de importância nesse período, porém de forma indireta, pois sua atuação se restringe mais a dar segurança à mãe e à família. A relação mãe-filho, até o terceiro ano de vida, é simbiótica; mas após essa idade a criança já pode suportar melhor a ausência da mãe.

Tudo isso é relevante porque freqüentemente as crianças com menos de três anos são colocadas em creches ou escolinhas por acharem as mães que elas precisam da companhia de outras da mesma idade. Minha opinião, e não só minha, é de que as crianças até os três anos necessitam da mãe ou de alguém que a substitua, que lhes dê afeto, carinho, disciplina, proteção, segurança, alimentação e estimulação, necessários ao seu bom desenvolvimento físico, mental e social. Após essa fase, já poderão ser colocadas, por meio período, em um local onde terão possibilidade de contato com outras crianças da sua idade.

Mas existem situações, como o trabalho e o estudo maternos, que tornam impossível a presença constante da mãe em casa. Nesse caso, as alternativas seriam deixar o filho com um familiar, com uma babá ou na creche. A primeira é a minha opção, infelizmente, a cada dia menos viável. Uma avó ou uma tia, que tivessem disponibilidade de tempo, seria uma excelente solução. Uma empregada antiga, que gostasse de cadeira de balanço e de contar histórias, também seria ótimo, porém difícil de se conseguir. Como terceira opção, temos a creche.

Para escolher uma creche, é preciso estar atento a uma questão essencial: saber se ela dispõe de pessoal suficiente em quantidade e, principalmente, em qualidade. As pessoas que cuidam de crianças pequenas, nessa fase crítica do desenvolvimento, têm que receber um treinamento especial. A diretora da creche deve conhecer profundamente as peculiaridades e necessidades do desenvolvimento infantil. É sua responsabilidade fazer com que a instituição que dirige deixe de ser somente de proteção e guarda, para se transformar em um lugar onde a maior preocupação seja o atendimento às necessidades básicas do crescimento e desenvolvimento infantil.

Existem ótimas creches, mas infelizmente algumas se preocupam apenas em alimentar e proteger as crianças. E há ainda um problema que considero de extrema importância e gravidade: algumas creches são dedicadas somente a crianças carentes, ou seja, pobres. Assim, também as creches estão divididas em "para pobres" e "para ricos", o que acho discriminatório e inaceitável. Todas as crianças até seis anos, ricas ou pobres, deveriam conviver, brincar, conversar e estudar juntas, pois só assim conseguiremos ter uma nação realmente democrática, onde a mentalidade das pessoas seja estruturada dentro de princípios de liberdade, fraternidade e igualdade. Independentemente de etnia ou condições socioeconômicas, nesses locais as crianças seriam incentivadas a ser livres e criativas para fazer o que quisessem, e a disciplina seria baseada no amor, no carinho e na compreensão.

Para finalizar, quero deixar claro que a criança necessita fundamentalmente ser amada, em especial por seus pais, que, salvo algumas exceções, sabem fazê-lo melhor do que qualquer outra pessoa. Assim, aqueles que não tenham grande disponibilidade de tempo para ficar com os filhos deveriam dedicar suas horas livres para dar a eles o amor e o carinho de que tanto necessitam.

A inteligência pode ser ensinada

Existem inúmeras definições de inteligência. "Competência muito geral, a capacidade de aprender uma ampla variedade de habilidades intelectuais" ou "tudo aquilo que seja medido pelos testes de inteligência". Tais definições abrangem quase tudo, quer dizer, quanto mais uma pessoa for inteligente tanto melhor será sua capacidade para resolver problemas.

Em 1941, Thurstone e Thurstone identificaram sete fatores que se combinam para formar a inteligência — memória, raciocínio, rapidez perceptual, percepção de números e de espaço, compreensão e fluência verbais — e criaram testes para medir cada fator.

Segundo Guilford (1959), a inteligência é formada por 120 capacidades intelectuais diferentes, resultantes da interação de três dimensões principais: operações (como pensamos), conteúdo (o que pensamos) e produtos (nossa maneira de pensar a respeito de determinada questão). A inteligência dependeria de uma dotação genética, inata, mas suscetível de sofrer influências ambientais. Um melhor desempenho intelectual ocorreria entre famílias bem estruturadas, em que existe amor, carinho e segurança.

"O Raul é um menino extremamente inteligente. Herdou do pai"; "tal pai, tal filho"; "Como o Dr. Roberto, uma pessoa tão inteligente, pôde ter um filho que é uma toupeira?" Se assim fosse, pouco poderia ser feito em relação aos alunos com baixo desempenho escolar, rotulados de "pouco dotados", "burros", "casos perdidos".

Discute-se agora a possibilidade de a inteligência ser aprendida. "Toda criança na escola é, sem dúvida, uma meta importantíssima, que vem sendo considerada prioritária para os governos federal e de Brasília. Entretanto, continua sendo intolerável que cerca de 50% dos alunos tenham insucesso nas classes de alfabetização e que somente 43 alunos entre 1.000 não repitam nenhum ano letivo", pondera a educadora brasileira Esther Grossi.

Há mais de vinte anos, o Prof. John McVicker Hunt, da Universidade de Illinois, nos Estados Unidos, escreveu: "Há fundadas esperanças de que venhamos encontrar meios para aumentar a capacidade intelectual da maioria da população." Considerada então visionária ou utópica, hoje, essa afirmação é uma realidade que depende do interesse e da vontade dos pais e dos professores. Assim, não passam de considerações desastrosas aquelas que apontam alguns alunos como irremediáveis fracassos escolares. Dentro dessa nova visão pedagógica, até crianças com lesões cerebrais graves, portadoras de autismo, de síndrome de Down e de outras doenças que afetam o funcionamento cerebral têm sido beneficiadas, apresentando um desenvolvimento que surpreende até a nós, pediatras: andam, falam, escrevem, praticam esportes, freqüentam os cursos regulares e até trabalham. Se esses progressos são conseguidos entre crianças portadoras de deficiência, por que não utilizar as mesmas técnicas para o aprimoramento das funções essenciais do cérebro entre crianças normais com dificuldades do aprendizado?

Utilizando os conceitos do mestre Piaget, professoras, inclusive em Brasília, estão trabalhando para integrar o deficiente mental à rede de ensino formal. "Aprender é um fenômeno de cultura, de intervenção do meio, de influência social e, sobretudo, da qualidade da proposta didática que a escola oferece", escreve Esther Grossi. Estou de acordo e espero que os nossos professores, principalmente aqueles que cuidam de crianças até 12 anos de idade, passem a refletir bastante antes de rotular alguma delas de "preguiçosa", "burra", "difícil", "rebelde".

Ao longo de minha já longa existência, presenciei muitos casos de "inteligentes falidos" e de "burros realizados". Talvez um dos casos mais conhecidos seja o do grande estadista inglês Winston Churchill, que aos treze anos de idade foi impedido de entrar em uma prestigiosa escola inglesa devido a um parecer contrário e unânime de uma comissão composta por doze membros, que levou em consideração seu currículo escolar fraco, cheio de más notas e reprovações, e à opinião de seus mestres, que o julgavam "mau aluno", "preguiçoso" e "rebelde". Sem contar Einstein, que foi considerado um péssimo aluno.

Aproveito a oportunidade para prestar minha homenagem à Dra. Judith Lintz, minha primeira professora, e a todas as professoras, verdadeiras heroínas, que, apesar de enfrentar grandes dificuldades, cumprem o sagrado dever de formar os futuros cidadãos do Brasil.

Quando somos realmente livres?

A institucionalização da criança — em escolas, creches, orfanatos, centros de triagem — sempre envolve riscos, maiores quanto menor for a idade. As crianças de até seis anos vivem uma fase crítica de seu desenvolvimento físico, mental, emocional e social. São extremamente sensíveis. Nesse período, todo contato social é educativo, no bom ou no mau sentido. Se essa afirmativa vale para todas as crianças, vale ainda mais para as menores de seis anos, cuja estrutura psíquica está em formação, tornando-as mais receptivas às influências ambientais. Adler já dizia que as impressões dos indivíduos nos primeiros tempos de infância influenciam suas atitudes pela vida inteira. Acredito que sejamos verdadeiramente livres durante muito pouco tempo do dia em que conseguimos caminhar ao dia em que nos colocam em uma escola. Daí para a frente, passamos a ser submetidos às regras que regem essa instituição.

Durante dez anos, fui médico de uma das melhores escolas do Rio de Janeiro, que recebia alunos para o maternal, o pré-primário e o primário, como se denominava à época o primeiro grau. Também já visitei inúmeras outras escolas, e, em todas, a liberdade da criança é cerceada, exceto as que utilizam o método Montessori. Vamos recapitular o dia de um aluno de maternal, com dois anos, colocado no colégio porque a mãe achou importante sua socialização. Levanta cedo, pois existe a obrigação de chegar na hora, pega sua mochilinha com esforço, mas não reclama, segue para o trabalho.

Na escolinha, começa a ser disciplinado. Não tem sono, quer continuar brincando, mas uma voz forte ordena: "Deitem, está na hora de dormir." Todos aprendem a obedecer passivamente à voz de comando. Se algum deles reage e não deita, chamam-lhe a atenção, na maioria das vezes, de forma delicada, porém firme: "Seja bonzinho, deite como os outros." Passado algum tempo, está quase terminando de resolver um problema sério — colocar pauzinhos em uma caixa —, que está lhe dando muito trabalho, e lá vem a voz de novo: "Hora do lanche." Tem que parar o que está fazendo e ir comer, embora não tenha fome. Terminado o lanche, retorna aos pauzinhos e lá vem a voz de novo: "Hora do recreio, todos para o pátio." Frustrado, não consegue terminar seu trabalho, pois está no horário de voltar para casa.

No dia seguinte, está cansado, mas tem que se levantar. Afinal, ele é um homem de quase três anos e tem que defender o nome da família. Segue para um novo dia de trabalho, onde já sabe que irá fazer o que os "grandes" querem e não o que ele quer. Chega ao colégio e — surpresa! — pedem-lhe que faça um navio. É a coisa que ele mais gosta: desenhar. Faz um navio lindo, redondo como a lua, cheio de árvores no interior e com dois bichos nadando. "Elefantes", diz ele. A professora olha a obra de arte, pergunta o que é e recebe a resposta: "Um navio!"

Carinhosamente, a professora vai até o quadro e desenha um navio clássico, com velas, proa e popa, um digno navio de adulto, e diz: "João Paulo, isto é um navio e elefante não nada!" João Paulo havia feito um navio original, diferente dos outros, lindo, nunca feito por alguém. Havia criado o primeiro navio redondo, e a professora, que seguramente não havia lido *O Pequeno Príncipe*, deu-lhe uma boa lição de como as pessoas devem ser bitoladas desde criancinhas.

A escola dos pequeninos tem de ser um ambiente livre, em que o princípio pedagógico deve ser o respeito à liberdade e à criatividade. Nela, as crianças devem poder se locomover, ter atividades criativas que permitam sua auto-suficiência; a desobediência e a agressividade não devem ser coibidas e, sim, orientadas, por ser condições necessárias ao sucesso das pessoas.

Frobel, o grande pedagogo da Turíngia, criador dos jardins de infância, dizia que "todo progresso escolar deve surgir de uma atividade voluntária da criança". Em outras palavras, não se deve intervir nas atividades desenvolvidas pela criança. O que ela faz quando não vai para o maternal ou para o pré-escolar? Exatamente isto: passa o dia criando e resolvendo problemas, na maioria das vezes, por meio de brinquedos, que é o que ela deveria fazer nessa faixa etária, sob a supervisão dos pais ou dos familiares. Entretanto, as dificuldades da vida moderna fazem com que as mães tenham de se ausentar de casa, para trabalhar e realizar-se profissionalmente. Nessas situações, sem dúvida, é melhor que as crianças estejam nas creches ou nas escolas maternais. Por essa razão, acho que elas deveriam ir para a escola após completarem o terceiro aniversário, caso as mães não trabalhem fora.

As idéias aqui expostas são de um pediatra que brincou até os seis anos, que nunca se arrependeu disso e que recorda, com saudade, toda sua infância cheia de liberdade e felicidade. Assim, elas poderão estar sujeitas às críticas e trovoadas dos pedagogos.

A idade ideal para entrar na escola

Existem vários tipos de escola: a maternal, a classe de alfabetização, a de ensino fundamental e médio, a superior, as de especialização e as de pós-graduação. Em termos gerais, cada uma delas corresponde a uma determinada idade evolutiva. Uma pessoa pode passar praticamente toda sua vida dentro de escolas ou fazendo cursos.

Nenhuma delas é mais importante do que a de ensino fundamental, razão pela qual é a única mundialmente considerada obrigatória. Ela é dedicada às crianças de seis ou sete anos, que integram a chamada terceira infância, a fase mais propícia à aquisição de conhecimentos e à socialização. Quando digo mais propícia, não nego a possibilidade de se educar e socializar em épocas mais precoces, como na escola maternal. Há muitos anos, na Inglaterra, já havia uma lei que tornava obrigatório matricular as crianças na escola "no máximo até o período escolar consecutivo ao quinto aniversário".

Por que estabelecemos como época ideal para entrar no ensino fundamental a idade dos seis aos sete anos? Porque o processo de amadurecimento das crianças não é igual. Algumas são mais lentas, e outras, mais rápidas. De uma maneira geral, as meninas são mais maduras e têm maior capacidade de concentração e coordenação do que os meninos. Como o início do ano letivo se dá em janeiro, algumas crianças entram para a escola com um pouco menos de seis anos, e outras, com quase sete e, portanto, com diferentes graus de maturidade. Algumas crianças apresentam tal nível de desenvolvimento que poderiam ingressar no ensino fundamental aos cinco anos, ou até antes, como os superdotados.

Essas considerações são importantes no sentido de mostrar que o ensino nos primeiros anos deverá ser praticamente individualizado. Todos gostam de fazer as coisas corretamente e serem elogiados por isso, ainda mais quando crianças. Se uma delas vai mal em determinada atividade, pode sentir-se incapaz e perder o interesse em praticá-la. Deixa de esforçar-se e seu rendimento cai. A situação se agrava se ela for muito criticada, em casa ou na escola. Pode chegar a um ponto em que ela própria passa a se achar ignorante, burra, incompetente, sem recuperação. Perde sua autoconfiança, o auto-respeito e se considera fracassada. Isso ocorre com mais freqüência entre as crianças que são colocadas muito cedo na escola, ou quando as professoras não têm sensibilidade suficiente para reconhecer as características individuais de seus alunos.

Já se foi o tempo em que o pai solicitava o professor para "apertar" o filho para que estudasse. Perdendo a vontade de aprender, de vencer, as crianças são reprovadas, somatizam seus sentimentos, passam a detestar a escola, e, por último, criam situações para abandoná-la. Aí, mais uma vez, aumenta a responsabilidade da professora de ensino fundamental. Caberá a ela evitar que isso aconteça e, se acontecer, caberá às crianças a maior parcela no trabalho de recuperação.

Segundo a educadora brasileira Esther Grossi, "cada pai e cada mãe, quando presenciam dificuldades de aprender de seu filho, têm o direito de saber que elas podem ser vencidas, que seu filho não é pouco inteligente, que não é menos dotado, e que a gente fica inteligente aprendendo". A inteligência pode ser ensinada e essa é uma das atribuições mais importantes dos professores, principalmente os do ensino fundamental. Algumas crianças com problemas de aprendizado chegam a ser enviadas aos pediatras, que, na maioria das vezes, não encontram nada de anormal.

Ainda criança, comecei a reconhecer a importância dos professores e a admirá-los. A responsável por isso foi D. Judith, minha primeira professora do primário, de quem me lembro com carinho e gratidão. Firme, disciplinadora, amorosa, era para mim como uma segunda mãe. Ela e suas irmãs lecionavam no Colégio São José. Quantas vezes me deixou "preso", após o horário das aulas, diante de um flanelógrafo, descrevendo o que via. Ensinou-me que se pode conseguir quase tudo desde que nos esforcemos, até aprender a fazer composição, que era o meu fraco. Mostrou-me na prática que disciplina e carinho não são antagônicos. Aprendi que ficava "preso" porque ela me amava e o fazia para que eu me tornasse um bom aluno. Queria que eu vencesse na vida. Por isso, compartilhava com ela e com meus pais todos os meus sucessos. Até perdê-la, nunca deixei de visitá-la em minhas idas a Leopoldina, minha terra natal. Um dos meus desejos seria que as crianças de meu país tivessem os pais e as professoras primárias que eu tive.

Adaptação à escola

Lembro-me de uma frase que aprendi, quando criança, no interior de Minas: "Cada um é cada um." O que significa que somos diferentes uns dos outros, ou seja, temos nossa própria individualidade.

Assim também são as crianças. Paulinho, dois anos, é um menino alegre e comunicativo. Foi matriculado no maternal e logo se adaptou. Vai para a escola como um patinho que se dirige à lagoa — feliz, saltitante. Logo se entrosou com os outros e, nos fins de semana, chega a sentir falta dos amiguinhos. Luís Felipe, dois anos, tímido, adorava seu mundo — sua casa, seus brinquedos e, mais que tudo, sua mãe. A melhor coisa do mundo era ficar com ela, ouvir suas histórias, sua voz, sentir seu contato e até seu cheiro. A mãe representava tudo de bom na sua vida. Até que um dia, Beth foi convencida pelas amigas de que seria ótimo matricular o Luís Felipe numa escola para que brincasse com outras crianças. Enfim, para que se socializasse.

Assim foi feito, para desespero do menino que, todos os dias, ao entrar na escola, chorava e urrava desesperadamente. As professoras diziam que era assim mesmo, que ele ia se adaptar. Primeiro, acharam que a mãe deveria ficar com o filho; depois, que essa conduta estaria dificultando a adaptação, e pediram que ela o deixasse. O pavor de Luís Felipe aumentava a cada dia. No início, chorava ao ser deixado na escola; depois, já começavam os gritos quando ele reconhecia o caminho; por último, entrava em pânico quando chegava a hora de ir para a escola.

Aí estão descritos os dois extremos. A maioria das crianças aceita ficar na escola, sozinha ou, a princípio, com a mãe, que deve diminuir gradativamente sua permanência, até que seu filho se apegue às professoras e às outras crianças. Algumas visitas prévias à escola, deixando a criança sentar nas cadeiras e brincar com as outras, sem responsabilidade para com horário e acompanhada pela sua mãe, podem ajudar na adaptação. As mães que sofrem ao se despedir dos filhos dificultam a adaptação: ficam dando beijos seguidos, despedem-se várias vezes, complicam a separação e passam sua angústia para a criança, dando-lhe mesmo a impressão de que a despedida será definitiva. Mais uma vez, as professoras — as "tias" e até a própria diretora — desempenham um papel fundamental nesse processo.

No colégio Chapeuzinho Vermelho, no Rio, onde fui pediatra durante dez anos, as crianças relutantes passavam por um período de adaptação na sala das diretoras — as tias Madalena e Amelinha — antes de ir para as salas de aula, com grande sucesso.

E como solucionar casos iguais ao de Luís Felipe? Essas crianças, muitas vezes, não estão prontas para ingressar na escola ou, em outras palavras, têm idade, mas não têm a maturidade necessária. Lembrem-se de que a idade para admissão nas escolas foi definida pelos educadores como sendo a partir dos cinco anos e, na maioria dos países, a partir dos seis. Acredito que, quando a adaptação é difícil, o melhor seria retirá-las da escola e permitir que cresçam e amadureçam mais um pouco para, então, a partir dos três anos, repetir a tentativa, evitando-se criar nas crianças uma aversão definitiva pela escola. Já dei essa recomendação algumas centenas de vezes e, tal como aconteceu com Luís Felipe, os resultados foram os melhores possíveis.

Estamos lidando com crianças muito pequenas e, como dizia um importante educador, pode ser preferível que elas cresçam um pouco mais, brincando, fazendo bolinhos de terra, desenvolvendo habilidades e criatividade, aproveitando sua liberdade, indo aos parquinhos, enfim, gozando merecidamente a vida de criança, do que serem colocadas em locais onde há profissionais empenhados em ensinar-lhes atividades "aceleradoras" de seu desenvolvimento. Ainda mais contra a vontade.

Medo

O medo

"O medo é um sentimento de grande inquietação ante a noção de um perigo real ou imaginário", define o dicionário *Aurélio*. É uma reação normal do ser humano, independentemente de idade, e que só deve ser considerada anormal quando não tem relação com uma realidade perigosa ou é muito intensa e permanente. É um sentimento indispensável à sobrevivência. Corajoso é o indivíduo que consegue superar o medo.

Os adultos têm mais medos do que as crianças: medo de avião, de elevador, de alturas, de gato preto, de passar debaixo de escada, do dia 13, de comer manga com leite, de tomar banho após as refeições, de escuro, de lugares fechados, de animais e, principalmente, em nossos dias, da violência. Nas crianças, os medos podem surgir naturalmente nos primeiros anos de vida, mas, na maioria das vezes, são provocados, o que nos permite dividi-los em biológicos e psicológicos. O medo de viver situações novas irá variar de acordo com o temperamento da criança e o meio familiar, que poderão atuar no sentido de reforçá-lo ou atenuá-lo. Familiares medrosos, preocupados, angustiados poderão obviamente tornar as crianças mais medrosas.

O medo biológico existe desde o primeiro ano de vida. É ele que protege as pessoas dos perigos reais. A criança pequena reage com choro a movimentos bruscos, a barulhos intensos ou a pessoas que falam alto. É comum o bebê estranhar as pessoas a partir do sétimo ou oitavo mês. Quando vai ao consultório, chora, agarra-se à mãe, passa para o colo do pai ou da babá e não quer ser examinado.

"Carlos tem dois anos. De vez em quando, começa a gritar de noite. Corremos para o quarto e o encontramos sentado, suando muito, olhar esgazeado, parecendo estar acordado. Tentamos acordá-lo e consolá-lo, sem sucesso. Após alguns minutos, ele volta a dormir. Interessante que, pela manhã, não se lembra do ocorrido." Essa situação é denominada "pavor noturno", sendo normal em crianças pequenas. A única coisa a ser feita é transmitir-lhe segurança durante os episódios. Quando muito freqüente, por exemplo, todos os dias, ou quando persiste por mais tempo do que o esperado, pode indicar a necessidade de uma investigação para determinação da causa.

"Roberto acorda à noite, gritando que está com medo, que sonhou que tinha um bicho no quarto; noutro dia, é a bruxa, noutro, o barbudo que queria pegá-lo. De manhã, lembra-se de tudo." Roberto está com pesadelos. Ao contrário do pesadelo, no pavor noturno a criança não se lembra do que aconteceu. Ele ocorre porque as crianças não distinguem o sonho da realidade, transformando suas vivências diurnas em sonhos em que imperam bruxas, dragões, bichos, monstros. A televisão desempenha um papel importante na gênese dos pesadelos.

Os pesadelos fazem parte do processo normal de desenvolvimento. A criança não costuma ser convencida de que aquilo com que sonhou não existe. Deve-se acalmá-la e transmitir-lhe segurança. Um abajur aceso ajuda. Não é conveniente retirá-la do quarto e levá-la para o quarto dos pais. Essa é a forma mais rápida e segura para que passem a receber uma visita noturna todas as noites.

O medo psicológico é contra perigos imaginários, gerados pela ansiedade da criança e intensificado pela experiência, educação e exemplo, surgindo geralmente a partir de um ano. Daí nasce o medo do escuro, dos animais, dos monstros, da escola, do dentista, do médico, da vassoura atrás da porta. O escuro é onde mora o bicho-papão que irá comê-la caso não tome banho; uma mordida que levou na escola ou um pito da professora desencadeia a fobia escolar; se não come, o médico vai lhe dar uma "bruta" injeção; se não for dormir, o lobisomem irá atacá-la e assim por diante. Como a compreensão da realidade ainda é falha e as crianças acreditam nas pessoas, é óbvio que fiquem apavoradas. O que causa o maior de todos os medos é a ameaça de abandono: "Se você não fizer o que estou mandando, vou embora e não volto mais." Esse tipo de ameaça nunca deve ser feito, pois tornará a criança mais insegura e medrosa.

O medo é uma das condições mais freqüentes na prática pediátrica diária. O que fazer? Saber que o medo é um sentimento comum a todas as pessoas; que as crianças, em seu processo normal de desenvolvimento, passam por períodos nos quais ele se instala com mais facilidade e que, na maioria das vezes, os adultos são responsáveis por seu agravamento e mesmo por sua transformação em fobias; que as crianças geralmente conseguem superá-lo com o apoio e o respeito dos pais; que ridicularizá-las agrava o processo; que obrigá-las a viver situações que elas temem poderá transformar essas situações em experiências aterradoras, com repercussões desastrosas sobre seu futuro emocional.

Medos e temores dos bebês

Os medos e temores nos acompanham do nascimento até a morte. Muita gente se preocupa em combatê-los por achar que sejam sentimentos negativos. Isso não é verdade, pois são eles que possibilitam a avaliação de diferentes situações, permitindo que nos defendamos daquelas consideradas perigosas. Devemos ensinar a criança a vencer o medo, mas nunca a tentar erradicá-lo, pois esse sentimento é essencial para nossa autopreservação.

Entretanto, se o medo for excessivo, em freqüência ou intensidade, levando a situações de pânico — as fobias —, precisa ser controlado. Nas crianças, a imensa maioria dos medos é normal, às vezes é até benéfica, por despertar a atenção dos pais para a necessidade de algum tipo de ajuda.

Os medos podem ser divididos em dois grupos: os universais, que ocorrem com todas as crianças, e os específicos — medo de animais, do escuro, de elevador, de bruxas, do banho, de objetos, da televisão. Os universais, comuns nos bebês, são também chamados de incertezas. O medo de cair é o mais precoce; quando os bebês são mudados bruscamente de posição, ficam retesados, fecham as mãozinhas, expressam desconforto, podem chorar e até gritar. Seguros com firmeza, acariciados e tranqüilizados, voltam à normalidade. Os movimentos bruscos, os barulhos fortes, as luzes intensas, a visão de pessoas vestidas de formas bizarras, as músicas barulhentas atemorizam o bebê. Quase todos têm medo de estranhos: franzem a testa, olham para a pessoa e para os pais, fazem cara de espanto e biquinho que precede o choro.

Esse tipo de medo, que tem início em torno da sexta semana, quando as crianças começam a perceber diferenças entre os pais e as outras pessoas, vai aumentando a partir do quinto até o décimo segundo mês. É a maneira que o bebê tem de demonstrar sua preocupação em relação ao que lhe possa acontecer. Pode não ocorrer caso a pessoa estranha se aproxime de mansinho, fale com suavidade, brinque e não olhe dentro dos olhos do bebê, nos primeiros momentos.

Bebês que aos três meses se desmanchavam em sorrisos para o pediatra, a partir do quinto mês, ao serem colocados na mesa de exames, ou ao nos aproximarmos deles com o estetoscópio, ficam sérios, imóveis, fazem biquinho, contraem o queixo e choram; se colocados no colo, enfiam o rosto no pescoço da mãe e, de vez em quando, lançam olhares raivosos para o médico.

Antes de examiná-los, teremos que brincar, mostrar-lhes objetos coloridos e fazer festinhas; antes de auscultá-los, mostrar-lhes o que iremos fazer, auscultando primeiro a mãe, o pai, a avó, a babá ou um bichinho de pelúcia. Durante o exame, o bebê deve ter sempre a possibilidade de ver a mãe ou uma pessoa com a qual esteja familiarizado. Infelizmente, isso nem sempre funciona, e tem-se que enfrentar o choro, que costuma cessar quando ele volta para o colo da mãe, ou pouco tempo depois.

Tenho observado um fato curioso: as crianças que mais choram no consultório são justamente aquelas que se tornarão mais ligadas a nós; algumas inclusive pedem para chamar-nos quando se sentem doentes, só tomam remédios após falar conosco pelo telefone, fazem questão de acompanhar os irmãos nas consultas e exigem ser examinados.

Outro medo comum é o da separação. Surge entre sete e doze meses e costuma durar até os dois anos e meio, embora existam adultos que não conseguem se separar das mães.

Longe da pessoa que cuida deles, seja a mãe, a avó, a babá, os bebês param de comer, ficam tristes e perdem peso. Freqüentemente, mães aflitas nos procuram e têm dificuldade em entender as reações do bebê, quando a babá que tomava conta dele é despedida; para ele, quem foi despedida foi sua "mãe". Com o tempo, tudo volta a normalizar-se.

A criança chora quando a mãe sai de perto dela, qualquer que seja o motivo; quando vai de um cômodo para outro; quando sai de casa para o trabalho, vai às compras, ou quando a deixa na escola ou em casa de outras pessoas. Caso a mãe tenha, por algum motivo, de se separar do filho pequeno por um tempo maior, deve acostumá-lo a conviver com outra(s) pessoa(s), o que costuma levar em torno de duas semanas e que diminuirá sensivelmente, ou mesmo evitará, o temor da separação.

Esse temor vai diminuindo progressivamente, assim que a criança se conscientizar de que aqueles com quem convive e de quem gosta sempre voltam, deixando de se preocupar com isso. A partir do segundo ou terceiro ano de vida, elas precisam aprender a conviver com outras crianças. Infelizmente, existem mães que, no íntimo, gostam de ver o filho chorar quando elas saem de casa; as despedidas são horríveis e duram muito tempo, como se nunca mais fossem se reencontrar. É só ver a mãe se dirigir para a porta, que já começa o choro. Pode ser interessante sair de casa sem despedidas, deixando a criança entretida com outra pessoa. O que não se deve fazer nesses momentos é enganar a criança. Todos esses medos e temores tendem a desaparecer com o desenvolvimento, a não ser que sejam mal conduzidos pelos pais ou pela família.

Medos das crianças de 5 a 10 anos

As crianças crescem e os medos e temores muitas vezes não desaparecem. Pelo contrário, dependendo das causas que os motivaram, eles continuam, em sua maioria, sob outras formas. Lidar com esses medos de forma equivocada pode até agravá-los.

Nessa faixa etária, os temores mais freqüentes são o fracasso, o abandono, a separação ou morte dos pais, a violência em suas várias formas — sem dúvida, a mais importante é a doméstica —, as doenças, a morte e, em muitos países, a guerra. O medo do fracasso é um dos mais comuns, principalmente na vida escolar ou nas atividades esportivas competitivas, tal como ocorre inclusive entre adultos. Esse temor será maior se os pais forem perfeccionistas e fizerem muitas exigências. A baixa auto-estima, gerada por críticas constantes ao comportamento da criança — "preguiçoso", "burro", "fracassado", "você não tem jeito" —, aumenta o medo.

Tive um professor, na época de ginásio, excelente conhecedor da disciplina e, infelizmente, péssimo em regras elementares de psicologia. Administrava provas que eram impossíveis de ser concluídas no prazo da aula. Ao iniciar cada prova, passava a atormentar os alunos menos favorecidos com frases como "Fulano, seja leal! Você não sabe nada! Entregue a prova"; "Beltrano, você não deveria estar aqui, deveria estar ajudando seu pai na lavoura, onde seria mais útil"; "Sicrano, você não percebeu que está roubando o dinheiro do seu pai? Entregue logo a prova. Seja pelo menos honesto". E os pais ainda pediam a ele para "apertar os filhos".

Tenho cinco filhos, cada um com suas peculiaridades. Um deles era ganhador sistemático de medalhas; o outro, embora inteligente, era um aluno médio, tinha um pouco mais de dificuldade. Exatamente por isso, ele resolveu se dedicar firmemente aos estudos e conseguiu um brilhante terceiro lugar. No final do ano, revoltou-se com o que considerava uma grande injustiça. O irmão havia ganho cinco medalhas e ele, após um esforço que considerava sobre-humano, pois havia ficado entre os primeiros da turma, não havia recebido nenhum incentivo. Desse dia em diante, fiquei contra as medalhas e a favor de se utilizar outros tipos de recompensa que contribuíssem para estimular os alunos a estudar e a elevar sua auto-estima.

O medo do fracasso pode nos conduzir ao sucesso e à perfeição como também pode nos levar à autodestruição. As crianças que acham que nunca conseguirão vencer os desafios da vida precisam confiar mais em si mesmas. O melhor a fazer é elogiá-las com freqüência, estimular seus talentos e habilidades, fazer com que elas se sintam queridas do jeito que são e pressioná-las menos.

O medo da própria morte, de os pais se separarem ou morrerem, surge a partir dos cinco anos e é típico dessa faixa etária. Vem acompanhado do temor do abandono ou da separação dos pais — as crianças sentem o clima que precede a separação dos casais e reagem de várias formas. Uma delas é não desejarem freqüentar as aulas, com medo de que, ao voltarem, não encontrem os pais, ou um deles.

Comum também nessa idade é o medo das doenças. Não é pequeno o número de crianças que dizem estar se sentindo mal e exigem ser levadas ao médico ou ao hospital. E nos fazem perguntas como: "É grave?", "Será que vou morrer?", "Vou ficar paralítico?", "Vou ser operado?".

Atualmente, no entanto, o temor mais terrível que as crianças têm é da violência física, mental ou sexual. Infelizmente, é no lar, onde a criança espera encontrar atenção, amor, carinho, segurança, que ela prospera. Quase a metade dos casos de violência ocorre em casa e é praticada pelos pais e familiares. Acreditem, existem pais que ameaçam os filhos e até batem neles por motivos tão ínfimos como não querer comer, não ter apetite, não querer tomar banho ou escovar os dentes. Como existem aqueles que batem por não ter coragem de enfrentar suas dificuldades profissionais, financeiras ou matrimoniais, vingando-se nas crianças, incapazes de reagir.

Este comportamento agressivo consegue levar as crianças à submissão ou à revolta, sentimentos prejudiciais ao seu futuro como cidadãs. Jamais conseguiremos controlar a violência que assola o mundo sem acabarmos com a que existe no lar, que imprime profundas cicatrizes e mesmo deforma a personalidade de suas vítimas.

Como ajudar a criança a vencer o medo

A pior coisa que se pode fazer a uma criança medrosa é chamá-la de "medrosa", "maricas" e repetir-lhe comentários como "você não é homem", "você é um homem ou é um rato?". Ou então obrigá-la a tentar vencer seus temores, fechando-a, por exemplo, num quarto escuro para mostrar-lhe que não existe nada lá, que ela se apavorou à toa; jogando-a dentro da piscina para que perca o medo de se afogar, ou obrigando-a a abraçar cachorros, para mostrar que eles são inofensivos.

Alguém já disse que ninguém entende mais de medo de criança do que ela própria. Assim, ouça seus temores com atenção e, sobretudo, respeite os seus sentimentos. Diga-lhe que é natural que todas as pessoas tenham medo e que eles diminuirão ou desaparecerão quando ela crescer. Ajude a criança a compreender seus temores. Se tem medo de cachorro, mostre-lhes figuras de cães ou mesmo acaricie um para que ela veja que nada acontece. Se ela fica amedrontada com temporais, pergunte-lhe por que tem medo, explique-lhe sua origem, seus benefícios. Acima de tudo, dê-lhe segurança, mostrando-lhe que, em qualquer tipo de situação, você estará a seu lado, ajudando-a a vencer o medo. Nunca a ridicularize ou faça pouco-caso de seus temores. Lembre-se de que eles podem ser ensinados, pois ela aprende com facilidade o que ouve, passando a imitar o comportamento dos adultos. O medo de ratos e baratas, que costuma persistir por toda a vida, é um exemplo; o de raios e trovões, outro.

Os pais ou familiares, incapazes de impor sua autoridade, incutem o medo na criança para discipliná-la e para conseguir que ela faça o que lhe mandam.

A televisão é outra fonte produtora de medos: os filmes violentos, os seres sobrenaturais, os monstros, os animais ferozes fazem com que sua imaginação fértil crie situações capazes de lhe tirar a tranqüilidade e o sono. Por último, se os pais não confiam em si próprios e vivem atacados por medos, como transmitir segurança a seus filhos?

Comportamento

Brigas de crianças

Existe uma grande diferença entre brigar e lutar, atividade lúdica das crianças. Temos que saber identificar o que é aceitável ou inaceitável em termos de desenvolvimento. Vocês já notaram que crianças pequenas, com meses de idade, puxam o cabelo ou batem no rosto de outras pessoas? Será que essas ações necessitam ser reprimidas?

A criança já nasce com o que chamamos de "dualidade instintiva". Ou seja, possui, ao mesmo tempo, um potencial agressivo e amoroso. Se tem algum desconforto, o recém-nascido revolta-se, fica furioso, rubro, esperneia e exige alimento, aquecimento ou carinho. Se conversamos e o acariciamos, fica alegre e sorridente.

Quando contrariada, a criança com cerca de um ano dá tapas no rosto da mãe. Se ela sorrir e achar engraçado, continuará a fazê-lo; se, ao contrário, o gesto for reprimido com carinho, ela, aos poucos, não o repetirá. Entre um e dois anos, a criança começa a testar seus dentinhos, mordendo primeiro a bochecha dos pais e depois outras crianças, seja por brincadeira, raiva ou amizade.

Em torno do segundo ano, torna-se extremamente egoísta e possessiva. Pensa ser o centro e a razão da existência do mundo. Nunca cede, pois não tem consciência dos direitos alheios. Tira os brinquedos dos outros e não gosta que peguem os seus, agredindo, sem hesitação, aqueles que tentam.

Aos quatro anos, já é capaz de defender seus direitos, até certo ponto, utilizando-se do diálogo.

A partir dos três anos, compraz-se em dizer nomes feios, chamando os pais de burros, feios e outras palavras mais pesadas, que provocam reações diversas na família — alguns acham graça e outros ficam bastante irritados. Em certas ocasiões, esse comportamento pode criar situações constrangedoras. Newtinho tinha três anos e usava palavrões à vontade. Havia um jantar em sua casa e ele arrastava uma vassoura pela sala. Lá pelas tantas, uma senhora extremamente elegante, fina, educada, resolveu entabular uma conversa com ele. Começou dizendo: "Oh, menino bonitinho! Para que esta vassoura?" Newtinho respondeu rapidamente: "Para enfiar no seu c.!"

Dos seis aos dez anos, as brincadeiras tornam-se mais violentas e elaboradas. Às vezes, as crianças organizam-se em grupos que pelejam um contra o outro, causando grande preocupação aos pais.

Praticamente todas as crianças, com maior ou menor intensidade, desenvolvem os comportamentos descritos. O grau vai depender, principalmente, da reação das pessoas com as quais convivem. Alguns pais pensam que essas atitudes devam ser imediatamente reprimidas. E, em parte, têm razão, pois existe uma necessidade de se educar as crianças para que sejam capazes de controlar seus sentimentos agressivos.

Entretanto, não deve existir uma preocupação exagerada em relação a este tipo de comportamento, pois ele faz parte do desenvolvimento normal das crianças. A maioria delas passará a controlá-los. À medida que crescerem e desenvolverem seu caráter e personalidade, o que, obviamente, dependerá do seu relacionamento com os pais e familiares, a maioria delas aprenderá a controlar essa agressividade.

Mais uma vez, as punições estão formalmente contra-indicadas e o carinho, a compreensão e a firmeza têm seu lugar. Mostre, sempre que necessário, a sua desaprovação pelo comportamento errado. Se ele se tornar repetitivo ou muito intenso, deve-se procurar as causas, que poderão indicar a necessidade de tratamento especializado.

Quando as crianças mordem e brigam

Com freqüência, as crianças pequenas desenvolvem o hábito de morder e brigar, criando situações de constrangimento para os pais. Embora exista a necessidade de se controlar esse tipo de comportamento, não podemos considerá-lo como agressão no sentido que nós, adultos, entendemos.

Entende-se como agressão o comportamento que ofende, ou tem um potencial para ofender, uma outra pessoa ou objeto. Que pode ser um ataque físico ou verbal ou, ainda, uma violação dos direitos alheios, desde que exista uma intenção de causar danos. Dentro desse conceito, a maioria das brigas e mordidas de crianças pequenas não poderia ser considerada como agressão, pois elas não têm o propósito ou intenção de machucar as outras.

Alguns teóricos distinguem dois tipos de agressão: a hostil e a instrumental. A primeira tem como meta provocar algum dano ou lesão, o que a diferencia da segunda, que visa somente atingir um objetivo. Se uma criança bate na outra, visando conseguir ou recuperar um brinquedo ou uma melhor posição no meio familiar, ela é do tipo instrumental. Na maioria das vezes, a criança nada mais está fazendo do que defendendo aquilo que acha um direito seu. Raramente, zangada, agride para machucar.

A agressão precisa ser diferenciada da assertividade, que representa a luta pela propriedade ou direitos. Em linguagem popular de negócios, usamos a agressividade e assertividade como sinônimos. Ou seja, uma pessoa agressiva nos negócios é uma pessoa assertiva. Isso é extremamente importante na educação das crianças, pois enquanto a assertividade — luta pelos direitos — deve ser estimulada, a agressividade deverá ser controlada.

Assim, a maioria das brigas dos pequeninos é do tipo instrumental, não tem intenção de causar danos e, sim, atingir um objetivo; ao mesmo tempo, é assertiva, visa defender aquilo que eles consideram seus direitos — seus brinquedos, seu espaço, seu lugar no lar, o amor dos pais. Como estão numa fase de desenvolvimento em que pensam ser o centro e a razão do mundo, não conseguem definir até onde vão os seus direitos e os dos outros. Por isso, nunca cedem e sempre tentam fazer com que a sua vontade prevaleça, mesmo que tenham que brigar ou morder.

A causa mais comum das brigas são os brinquedos. Renato, três anos, vai visitar José, dois e meio. A mãe de José leva Renato para o local dos brinquedos para que se divirtam juntos. Cada vez que Renato pega um brinquedo, José o toma. Em determinado momento, José está com oito brinquedos e Renato, sem nenhum. Renato tenta tomar um deles à força e aí começa a briga. A mãe de José tenta convencê-lo a emprestar algum brinquedo, sem resultado.

O que fazer? Resolver, obrigando José a entregar um brinquedo? Não vai dar certo. Eles querem continuar brincando sem perder seus direitos. Várias estratégias podem ser usadas. Levar os dois para assistir à televisão, inventar jogos, contar histórias, colocar os brinquedos para "dormir", tentar dar para o Renato um dos brinquedos que o José menos goste etc.

O que não deve ser feito é resolver a situação a ferro e fogo, pois as duas crianças acabarão aborrecidas. Submeter o filho a uma regra de hospitalidade, que ele não é capaz de entender, não será correto. Dificilmente ele compreenderá o que é uma visita.

Talvez seja até mais fácil observar como as crianças irão resolver o impasse do que tentar interferir. Com freqüência, depois dos empurrões, tapas e pontapés, elas mesmas resolverão seus problemas e voltarão a brincar. Se a briga for violenta, e principalmente quando uma das crianças é bem mais forte que a outra, estará justificada a intervenção dos adultos.

Quando o visitante desejar levar algum brinquedo, o que para ele é natural, os pais deverão ensiná-lo a devolver o que não lhe pertence, mesmo que isso acarrete protestos, choros ou berreiros, pois isso é de extrema importância para sua formação. Não é nada digno um pai ou uma mãe que ajudam o filho a empalmar um objeto que não é seu, o que, infelizmente, acontece. Caso o berreiro seja grande, nada melhor do que dizer palavras carinhosas, brincar e distrair a criança. Afrouxar? Nunca!

Outra agressão instrumental muito comum entre as crianças pequenas são as mordidas. Volta e meia, chegam mães ao consultório, queixando-se de que o filho morde ou é mordido por outras crianças. As crianças o fazem por brincadeira, raiva ou, por incrível que pareça, por amizade. Quantas mães não são mordidas pelos filhos? E às vezes até gostam.

A mordida ocasional não deve ser levada em conta se a criança for alegre, feliz e sociável. Se, por outro lado, for infeliz, triste e nervosa a maior parte do tempo, algo estará errado e devemos pesquisar as causas. Crianças ciumentas, superprotegidas ou reprimidas, que tenham pouco contato com outras crianças ou mesmo que temam alguma forma de agressão ou competição, podem desenvolver esse tipo de comportamento.

A melhor forma de controlar o mordedor é não deixar que ele morda, reprová-lo quando ele atacar e fazê-lo sentir que esse tipo de comportamento é inaceitável, evitando-se sempre a utilização de castigos físicos.

A grande maioria dos mordedores é vencida pela socialização e pelo desenvolvimento. Quando crescem e conhecem bem as outras crianças, deixam de morder. Até lá, devemos desestimulá-los a fazer isso e proteger as outras crianças. Raramente existe necessidade de se procurar tratamento especializado. Embora existam adultos especializados em "morder" o bolso dos amigos, a criança que morde raramente o faz após o quarto ano de vida.

Dedo no nariz

"Paulinho, tira o dedo do nariz! Que coisa feia! Você já tem quase três anos e vive com o dedo no nariz!" "Que coisa horrível." Marcelo, dois anos e meio, além de enfiar o dedo no nariz, come a meleca, que lhe parece muito gostosa. "Marcelo, eu já lhe disse para não fazer mais isso! Que coisa nojenta! Que sujeira! Você vai acabar ficando doente!" Igor, com dois anos e meio, também é comedor habitual de meleca. "Igor, não faça isso! Se você repetir, vou lhe dar uns tapas. Você é um menino muito feio! Se continuar botando o dedo no nariz, você vai perder seus amigos e vai acabar sozinho!" "Eu não lhe disse para não botar o dedo no nariz? Vá já para o quarto de castigo, até aprender a não fazer mais isso!" "Filhinho, botar o dedinho no nariz é muito feio. Tire o dedo daí e não faça mais, senão a mãezinha não gosta mais de você. Menino bonito não faz essas coisas."

Assim as mães se comportam, quando as crianças têm o hábito de colocar o dedo no nariz. O pai infelizmente costuma reagir de forma mais agressiva, utilizando ameaças, repreensões e mesmo castigos físicos. Todas essas fórmulas, utilizadas para corrigir o considerado "mau hábito", estão erradas e podem até contribuir para que o hábito se mantenha ou para conflitos emocionais de maior ou menor intensidade, principalmente quando são feitas ameaças de deixar de gostar ou de abandonar a criança.

Por que praticamente todas as crianças enfiam o dedo no nariz? Chupar os dedos, enfiar o dedo ou a chupeta no nariz, na orelha, coçar partes do corpo, esfregar as mãos, enrolar e arrancar cabelos, roer unhas e masturbar-se constituem manipulações habituais do corpo, realizadas por todas as crianças nessa idade, que devem desaparecer espontaneamente em torno do terceiro ano de vida. Encaradas como maus hábitos, são alvo de medidas repressoras que, em vez de suprimi-las, terminam por reforçá-las. Essas crianças estão na fase do negativismo e medidas repressoras em geral surtem efeitos contrários.

Vamos então fingir que não estamos vendo? Não. Quando uma criança estiver com o dedo no nariz, devemos recorrer a artifícios que a obriguem a usar as duas mãos, como brinquedos, jogos, ou então distraí-la. Sem que ela perceba, aos poucos, vai deixando o hábito. Nunca a mande tirar o dedo do nariz. Quanto a comer meleca, todos sabem que existem crianças que gostam de comer as próprias fezes, por achar que lhes pertencem; isso também é considerado uma fase do desenvolvimento infantil, que desaparece espontaneamente.

Para que os maus hábitos não se repitam, deve-se evitar qualquer tipo de repreensão, o que somente irá reforçá-los. Parando de enfiar o dedo no nariz, a criança não comerá mais meleca. Infelizmente, algumas crianças continuam com esses hábitos acima dos três anos; em geral as que foram reprimidas ou que estão seguindo o exemplo de algum adulto, que vive com o dedo no nariz.

Rabiscando o corpo

O ato de desenhar ou rabiscar constitui uma das maiores fontes de alegria para as crianças. Os rabiscos, graças ao desenvolvimento dos processos intelectuais, irão tornar-se um sentimento, um gosto artístico.

As criancinhas rabiscam tudo — papel, cadernos, livros, paredes, mesas e o próprio corpo — desde que tenham nas mãos lápis, caneta, giz, carvão, tinta, graxa. Até certa idade, elas têm um prazer especial em rabiscar e pintar o próprio corpo. Raro é o dia em que não atendo no consultório um desses rabiscados, principalmente quando acabaram de sair da escola.

Os pequenos executam os primeiros rabiscos de forma mecânica, sem saber o que estão fazendo. Por isso, alguns acham que esses rabiscos iniciais nada mais seriam do que uma forma de canalizar sua energia motora. Parece haver uma certa semelhança entre o balbucio e o rabisco. Balbuciar não significa falar, bem como rabiscar não significa desenhar ou escrever. Entretanto, como o balbucio é o precursor da fala, o rabisco exercita os mecanismos que permitirão desenhar e escrever.

Até os seis anos de idade, as crianças desenham o que pensam e não o que vêem. Identificam as garatujas: "O que é isso, Joãozinho?" "Isso é uma lua andando de bicicleta." "E aquilo ali?" "É o meu pai querendo pegar a lua." Seus desenhos são espontâneos, e sua grande alegria, ao desenhar, é a falta de subordinação a qualquer norma. Quando têm vontade, desenham o que querem, como querem e em qualquer lugar, inclusive em si próprias. Ao começar a rabiscar ou desenhar, elas se sentem livres, sem nenhuma preocupação com o resultado. Por ser uma atividade livre, não se cansa e só pára quando sacia sua vontade de desenhar.

Como, para a criança pequena, bastam poucos traços para identificar as pessoas, animais e objetos, os adultos não devem esperar nenhuma representação gráfica fiel, nem proporções corretas entre as partes. Cabe aos adultos estimular os filhos, elogiá-los e respeitar sua criatividade, reconhecendo que são capazes de criar navios redondos, aviões sem asas, cavalos com duas patas, e assim por diante. Quando tivermos vontade de corrigi-los, ensinando-lhes a visão dos adultos, lembremo-nos de *O Pequeno Príncipe* e não tentemos criticá-los ou bitolá-los. É preciso deixá-los viver seu mundo gostoso, onde misturam fadas, cachorros, bruxas, duendes, carros, navios e aviões.

Com o passar dos anos, os rabiscos evoluem para desenhos simples, nos quais um traço longo significa um membro, um traço oval representa um rosto, um círculo com dois, três ou quatro traços retrata um homem. A partir dos cinco anos, começa a haver proporção entre os componentes da figura humana. Daí para a frente, a criança representa graficamente o ambiente em que vive, da maneira como ela o vê ou como o imagina, quase sempre sem um significado estético.

Os desenhos das crianças são de grande utilidade nos estudos de psicologia. Muitas vezes, somente pela análise dos desenhos, dos traços, das cores, da disposição dos elementos figurativos e dos tons, pode-se chegar a conclusões interessantes, inclusive quanto ao diagnóstico de problemas intrafamiliares. Se uma criança desenha a família e esquece o pai, representa-o bem pequeno ou afastado do grupo, ela demonstra a ausência do pai ou a rejeição a ele. Linhas firmes, bem delineadas e tonalidades claras, como o amarelo e o azul, costumam revelar calma e tranqüilidade. Existe um teste, conhecido como Goodenough, baseado no desenho de um boneco, que pode ajudar na identificação de problemas infantis.

O desenho, assim como as brincadeiras, é muito importante para o desenvolvimento infantil. Não podemos esquecer que, não são só os pequenos que gostam de desenhar na pele; quase todos os povos primitivos, como os índios, gostam de se pintar, principalmente em festividades. A maioria das mulheres usa maquiagem para se sentir mais bonita. Muita gente acha bonito encher o corpo de tatuagens. Assim, por que nos preocuparmos com as crianças que gostam de rabiscar o corpo?

Travessuras

Eu era considerado um dos meninos mais bem-comportados de Leopoldina, Minas, nos idos de 1930. Citado pelas mães daquela época, e até hoje, como um exemplo a ser seguido por todos. Talvez se soubessem as atividades por mim desenvolvidas, mudariam um pouco de opinião.

Éramos um grupo de primos e amigos e tínhamos a cidade à nossa disposição. Subíamos em árvores, pulando de uma para outra, voávamos por cima do Feijão Cru, ribeirão que atravessa a cidade, utilizando para isso bambus que se vergavam; cruzávamos o mesmo rio, engatinhando ou andando sobre um cano de esgoto, que ficava a seis metros do solo; brincávamos de pique nos telhados das casas e em prédios em construção; escalávamos residências de três andares pelo lado de fora; apostávamos corrida em cornijas de terraços; andávamos a galope; e outras brincadeiras mais suaves, tais como jogar bola dentro e fora de casa, pular dos armários nas camas, subir em mesas, guerra de travesseiros e brigas, que acabavam na maior amizade.

Tínhamos entre seis e dez anos. A nossa atividade só era interrompida, no início, pelo sono, e, mais tarde, pelo sono e pela escola. Nessa idade, esse é o comportamento normal das crianças. Em torno dos seis anos, as tensões emocionais chegam a um pico e podem ser expressadas por balanceio das pernas e braços, roer unhas, ranger dentes, comer meleca do nariz, morder objetos, principalmente lápis, fungar, pigarrear, sacudir a cabeça.

As brincadeiras, muitas delas consideradas travessuras, além de funcionarem como válvula de escape, contribuem bastante para o desenvolvimento da coordenação motora e são uma forma de as crianças se tornarem independentes. Assim, em princípio, não devem ser coibidas, exceção feita àquelas que envolvam riscos. Nesses casos, devemos ser coerentes e firmes, proibindo a brincadeira perigosa e deixando evidente que esperamos ser obedecidos. Caso não o sejamos, o castigo deverá ser imediato, adequado à falta cometida, sem ser físico. Nunca ameaçar e não cumprir. A criança deverá compreender o porquê da punição e, também, que ela continuará a ser amada.

Não gosto de você!

A manipulação emocional, também conhecida como chantagem emocional, faz parte do desenvolvimento da criança. Pode ocorrer, inclusive, em conseqüência de carências. "Você não gosta de mim! Se gostasse, deixaria eu ir ao cinema hoje. Toda mãe deixa. Só você que não!" "Por que eu vivo sendo perseguida?" "Eu queria ganhar um presente todo dia, como a Marcinha. O pai dela gosta tanto dela que lhe deu uma bicicleta." "Não vou gostar mais de você!" Frases desse tipo, ditas em tom de lamúria, são comuns e sempre acompanhadas de uma carinha de infelicidade, de tristeza, de sofrimento, com a pretensão de conseguir alguma vantagem.

Às vezes, a manipulação é até justa, pois pode manifestar a carência de atenção, de amor ou de carinho da criança. Carentes ou não, as crianças tentam manipular os pais. Embora para muitos a palavra signifique uma tentativa de modificar o comportamento de outras pessoas por meios ardilosos, desonestos ou insidiosos, não se pode pensar da mesma forma quando se trata de relacionamentos intrafamiliares.

A manipulação é utilizada tanto pelos filhos quanto pelos pais. Cada um tenta conhecer melhor os limites dos outros. Elogiar, recompensar, subornar, ameaçar não são formas de os pais manipularem os filhos? "Geraldo, você é um bom menino. Eu gosto muito de você. Vá até a cozinha e traga um copo d'água para o papai." "Manuel, seu nariz vai crescer e ficar igual ao do elefante se você não for dormir." "Se você papar tudo, a mamãe vai gostar mais de você. Se não, eu vou ficar muito triste." Como vêem, cada um tenta manipular o outro. "Meu filho, você está triste hoje? Está tão quietinho!", diz a mãe a Pablo, que está encolhidinho no canto do sofá. Aliás, uma das formas mais utilizadas para manipular os pais é ficar quieto, com uma expressão triste, sentado sozinho num cantinho da casa. Essas atitudes estão longe de representar ardis desonestos para chamar a atenção.

A manipulação começa cedo, ainda quando bebês. Quantas vezes os pais, principalmente a mãe, chegam em casa e encontram seu bebê no berço, admirando as mãozinhas e os pezinhos, rolando sobre o corpo, feliz. Mas assim que enxerga a mãe, ele fica agitado, chora e só volta a sorrir quando colocado no colo? Crianças de um a cinco anos usam a manipulação para chamar a atenção e para fugir de determinadas situações — vomitam, têm dor de cabeça, na barriga, no coração, nas pernas, têm dificuldade de andar, pigarreiam, tossem, têm constipação, fazem xixi nas calças etc.

Com freqüência, tentam manipular os pais imitando situações observadas em casa: reclamam de dor de cabeça quando a mãe tem enxaqueca; de dor no peito quando a avozinha se queixa do coração; de dor no joelho quando o irmãozinho fraturou a perna. Os momentos mais utilizados para manipular os pais são os de despedidas, das refeições, da ida para a escola, dos banhos e de ir para a cama. Uma boa história identifica a maioria das causas.

As provocações e as manipulações servem para testar os pais: se não provocarem reações, não serão mais usadas. Se conseguirem envolvê-los, serão sempre um recurso para as crianças. Uma das piores formas de manipulação é a que suscita desavenças e brigas entre os pais, como as do tipo: "Você não permite que eu saia, mas vou sair porque a mamãe já deixou." O que fazer? Ignorar tudo que estiver sendo usado para manipular ou aborrecer, como queixas, lamúrias, choro, birras, ataques de raiva, caras feias, súplicas, regressões.

Nunca pergunte a uma criança que tenha entre um e quatro anos de idade: "Você quer tomar banho?", "Você quer passear?" Na maioria das vezes, a resposta será: "Não!" Diga: "Pedrinho, está na hora de escovar dentes"; "Patrícia, está na hora do banho". Assim você será obedecido.

Situações que aumentam as tensões

Existe uma falsa impressão de que as crianças não ficam estressadas com certos acontecimentos que ocorrem em seu dia-a-dia. Assim como os adultos, as crianças também sofrem tensões e até mais profundamente. As angústias, as preocupações e os medos podem deixar marcas indeléveis e modificar seu comportamento quando adultas.

Se o sentimento estiver relacionado com fatos comuns e inevitáveis, freqüentes na vida da criança, o episódio será superado, sem maiores conseqüências. Entretanto, existem situações vividas pela família que podem ser traumatizantes para a criança se não forem bem trabalhadas. A perda da babá, do ursinho companheiro de todas as noites, da chupeta, do cachorrinho de estimação, as mudanças de casa, o nascimento de irmãos, a entrada na escola, as visitas ao médico e ao dentista, os acidentes, a hospitalização, as doenças, a separação da mãe, o divórcio dos pais, as guerras, os desastres naturais, os pais drogados ou alcoólatras, as brigas em família e até a morte de entes queridos, como o pai ou a mãe, podem trazer tensões e sofrimentos profundos para as crianças.

Talvez as mais freqüentes causas de tensão residam nas brigas dos casais e nas ameaças feitas pelos pais, principalmente pelas mães, de não gostarem mais dos filhos ou de abandoná-los. Dependente, incapaz de sobreviver sozinha, sem saber se a ameaça é ou não verdadeira, a criança sofre com a idéia de não ser amada ou de ser abandonada.

Sem dúvida, as tensões e mudanças são necessárias para o desenvolvimento emocional infantil. Entretanto, caso tornem-se agudas, poderão causar distúrbios físicos ou psicológicos. Daí a necessidade de os pais ajudarem os filhos a ultrapassar, sem seqüelas, essas crises circunstanciais. O segredo está em prepará-los para enfrentar os eventos futuros que possam causar tensões e ajudá-los nesses momentos.

Nunca engane a criança. Se ela for tomar uma vacina, explique-lhe que é para evitar doenças, poupando-lhe sofrimentos; não diga que não vai doer nada. Seja sempre honesto, pois essa é a base da confiança mútua. Se ela tiver que ser hospitalizada, aja da mesma maneira: explique-lhe de forma carinhosa os motivos da internação, diga-lhe que estará a seu lado e que a ama muito. Se a babá foi embora, dobre a dose de carinho. Se o ursinho sumiu, console-a, arranje-lhe outro animalzinho, ou mesmo outro ursinho. Nunca a ridicularize, leve-a sempre a sério.

Embora o adulto considere esses acontecimentos banais, para a criança eles podem ser extremamente dolorosos. Acompanhe-a na tristeza. Demonstre seu carinho e seja claro para que ela possa entendê-lo. Dê as notícias aos poucos, para que ela possa acompanhá-lo; responda às perguntas que porventura surgirem de forma breve, clara e honesta.

Essas orientações poderiam ser tidas como genéricas, válidas para quase todos os casos. Outras são específicas para cada situação que possa perturbar a criança, como mudanças de casa, nascimento do irmãozinho, separação dos pais, mortes na família etc.

Vamos mudar de casa

Embora praticamente todas as famílias tenham se mudado pelo menos uma única vez, existe uma despreocupação, ou até mesmo negligência, quanto a conversar sobre o assunto com as crianças, que são simplesmente levadas sem direito a voz e, muito menos, a veto. Parece existir um consenso de que esta seja a maneira correta de proceder.

As mudanças ocorrem por vários motivos: o pai vai assumir um emprego em outra cidade; o sonho da casa própria concretizou-se; o contrato de aluguel do apartamento terminou e não foi renovado; por motivo de doença foi recomendada a transferência para outros ares; a casa tornou-se pequena; a família vai trocar o pequeno apartamento por uma linda mansão. Se os pais acham que não existe outra alternativa, por que razão deveriam consultar os filhos ou conversar com eles? Porque as mudanças constituem experiências estressantes para as crianças, principalmente se o novo lar ficar distante do antigo.

A idade e o nível de desenvolvimento condicionam o tipo de reação. As crianças pequenas comportam-se de forma diferente dos adolescentes. Elas costumam cumprir uma rotina: amam fazer as mesmas coisas da mesma maneira todos os dias, como descer, ir ao parquinho ou à escolinha, brincar no jardim, andar de velocípede, brincar na areia, ver os cachorros, conversar com as mesmas pessoas, brincar com os mesmos amigos. Até mesmo a preocupação com a possibilidade de perder tudo isso pode angustiá-las, tornando-as tristes, irritadas, choronas, birrentas e solitárias. Já os adolescentes, principalmente os que têm sua galera, suas namoradas, são os que sentem mais e, por essa razão, causam mais problemas para as famílias. Cerca de 20% desses têm dificuldades de adaptação, contra 6% das crianças com menos de dez anos. Sem dúvida, o que as crianças e os adolescentes mais sentem é a perda dos amigos.

Os problemas relacionados com a adaptação ao novo lar podem ser agravados se algum dos filhos tiver dificuldades em fazer amigos ou se o pai ou a mãe estiver frustrado e descontente com a mudança de vida ou de casa. Por essa razão, o comportamento das crianças deve ser observado cuidadosa e carinhosamente nos primeiros seis meses após a mudança, em busca de prováveis sinais de solidão ou depressão, como tendência ao isolamento, dificuldades escolares, modificações do apetite, insônia, nervosismo, irritabilidade. Todos eles são indicadores de que a criança ou o adolescente necessita de ajuda.

Embora existam essas conseqüências negativas, as mudanças podem também trazer alegrias, representar vitória ou melhorias de vida, ser motivo de orgulho, aumentar a autoconfiança e a capacidade de adaptação e até constituir fator de união das famílias, desde que sejam bem conduzidas.

Uma vez decidida a mudança, a primeira coisa a fazer é conversar com os filhos, pois eles estarão ansiosos para saber o porquê, quando e para onde irão. Essas informações devem ser dadas pelos pais ou responsáveis, pois seria de todo inconveniente se o fossem por outras pessoas. Nessa conversa, os aspectos positivos devem ser enfatizados, como a possibilidade de ter novas experiências, conhecer outras pessoas, fazer novos amigos, freqüentar outras escolas, desfrutar as vantagens de uma casa ou de um apartamento, estar mais próximo da escola, ir a clubes, ter facilidades de transporte, de alcançar outras realizações, de vislumbrar novas esperanças e até de ter novas preocupações. Torne as crianças participantes do processo de mudança.

Se houver reações desfavoráveis, como muitas vezes ocorre, entenda-as e até encoraje seus filhos a expressar suas opiniões, tentando responder as suas dúvidas com compreensão e honestidade, tantas vezes quantas forem necessárias.

Transcrevemos aqui algumas dicas para diminuir a perturbação e a confusão da criança durante a mudança:

- leve-a junto quando for escolher a nova casa e ouça suas opiniões;
- se estiver construindo uma nova casa, deixe-a participar das discussões e da definição da arrumação e decoração de seu quarto (dela) que, se possível, deverá lembrar o ambiente que está deixando;
- caso não seja possível levá-la para conhecer o novo lar, mostre-lhe fotografias da casa, da escola, do clube, do parque, da vizinhança que ela irá freqüentar;
- não se esqueça da festa de despedida dos amigos e colegas, pois ela precisa dizer que irá sentir falta deles e precisa ouvir que sua ausência também será sentida. Estimule-a a combinar formas de manter vivas essas amizades;
- estimule a criança a telefonar, a escrever cartas ou mesmo a visitar os velhos amigos, pois assim sentirá menos falta deles;
- deixe a criança participar ativamente da mudança e da arrumação da nova casa e faça com que ela sinta que a sua ajuda foi muito importante;
- encoraje-a a fazer novas amizades;
- inscreva-a em algum tipo de atividade de que ela goste;
- tente ficar na nova casa o máximo possível nos primeiros dias após a mudança.

As maiores preocupações dos pais e das crianças estão relacionadas à perda dos amigos e dos colegas, à adaptação a uma nova escola e a perturbações emocionais resultantes do próprio processo de mudança. Noventa por cento das crianças abaixo de dez anos não têm dificuldades em fazer novos amigos. As maiores, principalmente os adolescentes, enfrentam dificuldades e necessitam do apoio e da compreensão da família. Um quarto das crianças encontra dificuldades em se adaptar à nova escola. As mais velhas e aquelas que se mudam no meio do ano letivo encontram mais dificuldades. Essa é uma das razões para que as mudanças que exijam troca de escola sejam feitas durante o período de férias, se possível. Essas tensões podem ser diminuídas se forem seguidas as sugestões dadas.

O sentimento de posse

A raiva, a frustração por não poder realizar seus desejos, a falta de tolerância à espera e, principalmente, o egocentrismo explicam por que as crianças brigam com tanta freqüência. Cada uma pensa ser a dona do mundo e a razão de tudo o que acontece, tornando-se inconsciente das necessidades, dos interesses e direitos dos outros. Por essa razão é que, em uma briga por brinquedos, nenhuma quer ceder o seu, mesmo que tenha vários, apelando até para a luta.

Esse sentimento de posse, que começa em torno de dois anos, é próprio desse estágio de desenvolvimento mental e emocional e, portanto, normal, não devendo ser motivo de preocupação. Tal comportamento é facilmente observado quando a criança grita “Ela é minha!”, como reação ao fato de alguém tocar ou abraçar sua mãe.

A criança de dois a quatro anos, tal como os adultos, é egoísta e tenta resolver seus problemas com os irmãos, amigos ou coleguinhas de forma mais direta e radical, com freqüência no tapa. Só mais tarde, passa a utilizar o diálogo para atingir seus objetivos.

Todas as crianças são agressivas. Obviamente, umas são mais do que outras. Essa agressividade, se bem controlada e dirigida, é de grande importância para o futuro da criança, quando contribuirá decisivamente para que ela seja bem-sucedida em seus empreendimentos. Só deverá ser reprimida quando for excessiva.

A agressividade é uma espécie de combustível indispensável para evitar a extinção das espécies, inclusive a humana. Triste é o espetáculo de brigas, berros e tapas em que adultos medem forças com crianças. Na maioria das vezes, as brigas de crianças terminam sem conseqüências, desde que o adulto não interfira. Elas logo voltam a brincar, como se nada houvesse acontecido. Caso isso não aconteça, devem ser separadas, sem julgamentos, ou, se houver muita violência por parte de uma delas, ela deve ser segura, com delicadeza, diplomacia e firmeza, olhando-se diretamente em seus olhos e dizendo "não!". Evite sermões, ameaças, castigos e atribuição de rótulos, como "mau", "egoísta", "perverso".

A aprendizagem da disciplina, da harmonia e dos bons hábitos só será conseguida pela paciência, delicadeza e compreensão. Essa é a melhor maneira de ajudar uma criança a controlar seus impulsos de fazer o que não deve. Seria interessante que os adultos analisassem se a criança tem ou não razão de estar com raiva, pois o motivo da briga pode ter sido a tomada de sua boneca de estimação. Nesses casos, faça-se justiça, devolvendo a boneca a sua dona.

Às vezes, a criança solicita a intervenção dos pais e, quando o faz, tenta tê-los do seu lado. Nesses casos, todo cuidado é pouco, pois a lógica da criança não é a do adulto. Se, analisando-se os fatos, chegar-se à conclusão de que a criança não tem razão, isso não pode ser simplesmente dito, pois a criança ficaria decepcionada. Esse momento tem de ser aproveitado para uma pequena conversa sobre os seus direitos e os dos outros.

Em princípio, os pais não devem interferir na brigas dos filhos, para que estes aprendam a resolver seus próprios problemas. A menos que as brigas, por serem violentas e freqüentes, os obriguem a isso. Não é saudável criarmos um filho "que não leve desaforo para casa", pois estaremos contribuindo para o aumento da violência. Caso as brigas ocorram na escola e sejam motivo para que nossos filhos não queiram freqüentá-la, seria conveniente termos uma conversa com o diretor ou o professor. A criança permanentemente insatisfeita, birrenta, agressiva pode ter problemas sérios, que muitas vezes necessitam de tratamento especializado.

Manipulação e chantagem

A agressividade, a desobediência e a manipulação são comportamentos que devem ser controlados, nunca reprimidos. Fazem parte do dia-a-dia das crianças e serão necessários na vida adulta. Bebês com poucos meses já tentam manipular os pais, chorando por carinho ou atenção. Quando colocados no colo, abrem o maior sorriso. Maiorzinhos, tentam manipular as pessoas na hora de comer ("não quero nada!"), de dormir ("eu quero água!"), de tomar banho ("não vou!"), de escovar os dentes ("não quero!"), de conseguir as coisas ("Você não vai me dar um brinquedo? Papai me deu um" ou "Papai gosta mais de mim do que você!"). Quantas vezes, ao serem repreendidos por alguma coisa errada, respondem: "Eu fiz isso porque o papai disse que podia" ou "A mamãe deixou, você deixa?"

Não subestime seu filho! Lembre-se de que as crianças são muito mais vivas e inteligentes do que admitem os adultos e que a manipulação feita com arte e sutileza será um trunfo na vida adulta. As seguintes medidas poderão ser úteis no controle das manipulações, quando elas forem exageradas:

- a firmeza e a unidade de pensamento dos pais são essenciais. Nunca devem tomar partido ou decisões diferentes na frente da criança: o que um disser deve ser aceito pelo outro; as divergências devem ser discutidas em particular;

- chantagens não devem ser aceitas e, logicamente, não devem ser utilizadas pelos pais. O suborno, por ser aviltante, nunca pode ser usado para se conseguir qualquer modificação do comportamento;
- deixe bem claro o tipo de comportamento que você espera de seu filho e, respeitando sua idade, apresente-lhe as opções que poderá escolher e as conseqüências positivas (recompensas) e negativas (punições que poderão advir de sua escolha);
- deixe bem claro também que a toda opção corresponde uma conseqüência e que a responsabilidade pela tomada de decisão, seja ela boa ou má, será sempre dele. Isso irá ensinar-lhe que cabe a ele tornar as coisas melhores ou piores. Ao sentir-se manipulado, evite gritar, berrar, xingar e, muito menos, bater. Aprenda a conversar e, quando tiver que utilizar qualquer punição, explique à criança as razões que fizeram com que ela a merecesse. Lembre-se de que a manipulação, por ser inerente ao comportamento diário das crianças, raramente necessita ser motivo de punições;
- analise bem suas reações, que eventualmente podem ser exageradas, lembrando-se de que a criança provoca com o objetivo de testar os seus limites e os próprios e que isso faz parte de seu aprendizado;
- não pergunte à criança, principalmente àquelas que têm entre um e cinco anos de idade: "Você quer fazer isso?" Mesmo que ela queira, ela irá responder-lhe que não. Diga, por exemplo: "Está na hora do almoço, de ir para a cama, de tomar banho, de escovar os dentes, de ir para a escola...";
- participe das atividades de seu filho e sempre que ele se mostrar disposto a cooperar ou tenha um comportamento que você considere positivo, elogie-o.

Quando se sentir manipulado por seu filho, lembre-se de que ele está usando o mesmo artifício que você usa quando lhe diz que o que está fazendo é para o bem dele ou quando tenta conseguir alguma coisa recorrendo a recompensas — presentes, elogios — ou punições. E quantas vezes os adultos fazem manipulações no dia-a-dia, em casa, na rua, no trabalho, e sentem-se felizes quando elas permitem que seus objetivos sejam alcançados?

Mania de grandeza

As crianças passam por fases em que têm necessidade de mostrar que são superiores às outras. Um desses comportamentos característicos é a "mania de grandeza". Falam da riqueza dos pais, de sua casa imensa, dos brinquedos, das jóias, da casa em Miami, das fazendas, aviões, iates etc. Às vezes, estão dizendo a verdade, mas, infelizmente, na maior parte do tempo, não. São crianças de classe média ou baixa que tentam aumentar sua auto-estima e, assim, conseguir um lugar ao sol.

Muitos pais tentam corrigir os filhos falando mal da riqueza. "Riqueza não traz felicidade", "O dinheiro não vale nada, o que vale é a cabeça", "Rico, mas ignorante". Não amaldiçoem o dinheiro; não façam com que eles vejam a riqueza como um mal; não digam que o dinheiro só traz infelicidade, pois não é verdade. Ele nos permite ter uma boa educação, possuir casa própria, carro, televisão, geladeira, cuidar da saúde, alimentarmo-nos bem, enfim, permite-nos ter uma vida melhor. Não vamos fazer como na fábula de La Fontaine, em que a raposa dizia que as uvas estavam verdes por não poder alcançá-las e, assim, não podia comê-las. Devemos explicar-lhes que, para viver com conforto, não é necessário ser rico, basta trabalharmos. A importância e a valorização do dinheiro ganho com o trabalho deve ser motivo de conversas freqüentes com os filhos. Com isso, estamos evitando que eles se tornem sonhadores, que passem a vida pensando em ficar milionários à custa de herança, loterias, jogos, negócios mirabolantes.

Por mais ricos que sejam, os pais devem convencer os filhos de que a riqueza não é sinônimo de felicidade. Muito melhor é ter pais bons, amigos, carinhosos, que, ricos ou pobres, assegurem aos filhos amor, segurança, disciplina e liberdade. É possível ser feliz sem ser rico e muito infeliz, nadando em ouro. Saúde e felicidade são as coisas mais importantes em nossa vida. Deve-se mostrar aos filhos os riscos da ostentação, que irá afastá-los dos amigos, e ensiná-los a cultivar a humildade e a admirar as pessoas pelo seu mérito e não por sua posição social.

A mania de grandeza pode ser inspirada por conversas escutadas em casa, onde a ostentação é valorizada. "Vendi um touro por um milhão de reais", "O colar de pérolas mais bonito da festa era o meu", "Comprei um iate lindíssimo", "Minha Ferrari é a única do Brasil", "A única pessoa lá do clube que tem um avião sou eu!" Se os pais promovem a ostentação na frente das crianças, elas nada mais fazem do que imitá-los no colégio ou nas festas.

Meu filho mente

Alguém já disse que criança não mente à toa. Estou quase totalmente de acordo. As crianças têm a capacidade de mentir a partir dos três anos e, aos quatro, praticamente todas mentem. Dos três aos sete, a mentira pode ser considerada como algo que faz parte do seu desenvolvimento e, portanto, não deve ser motivo de grande preocupação. Entretanto, aquelas com mais de dez anos que mentem, geralmente o fazem por mecanismos compensatórios ou imitativos, exigindo que se faça o diagnóstico preciso e se proponham as medidas corretivas necessárias.

Por que as crianças mentem? As razões são as mais variadas e talvez sejam melhor entendidas por meio de exemplos. Paulinho, 5 anos, diz para a mãe que quebrou um vidro da sala, o que lhe valeu uma tremenda surra. Algum tempo mais tarde, descobriram que alguém havia mexido no computador do pai. Paulinho, inquirido, embora culpado, negou que tivesse sido ele. Nada lhe aconteceu. Mentiu por medo de ser punido; como nada aconteceu, aprendeu a se proteger atrás da mentira. Situações como esta se repetem no dia-a-dia das crianças, ensina-as a fugir das responsabilidades mentindo. Trata-se da chamada mentira utilitária. Esse tipo de mentira, para enganar, é a mais comum e a mais perigosa, predominando entre famílias com pais severos, que usam castigar as crianças com freqüência. Muitas vezes, para fugir à punição, a criança culpa outras pessoas ou até animais. Quando isso acontecer, os pais deverão agir no momento oportuno, com tranqüilidade e firmeza e em local adequado, o que significa rapidamente e não ser na sala nem na presença de outras pessoas. Ouvir sempre as razões da criança, mostrar o que ela fez de errado, se necessário, repreender e, finalmente, perdoar.

Marianinha ouve os pais mentirem o dia todo: no telefone, com as visitas, com as empregadas, para ela e até um com o outro; mandam inclusive que ela diga que eles não estão em casa, que estão doentes, que estão tomando banho; prometem coisas e não cumprem, dizem que vão levá-la ao parquinho e a levam ao dentista. Marianinha se tornará uma pessoa mentirosa, pelo exemplo ou pela imitação, a não ser que os pais mudem seu comportamento e passem a valorizar a verdade.

As crianças vivem num mundo próprio, onde a realidade muitas vezes se confunde com a imaginação. Isso faz com que Claudia misture o real com o imaginário, quando conta o que viu e ouviu, às vezes esquecendo o que é importante e descendo a detalhes freqüentemente inverossímeis. A mãe acha que Claudia mente, quando, na realidade, fantasia. Isso é muito comum entre crianças e faz parte de seu desenvolvimento. São as chamadas mentiras faz-de-conta. Muitas vezes, afirmam que viram leões na rua, tigres voando, fadas no quarto, cobras gigantescas no jardim, tubarões na banheira. Com o amadurecimento, elas se tornam mais objetivas e conseguem separar o real do imaginário. Será que se pode considerar a fantasia mentira? Acredito que não, pois mentir é algo que se fala contra o que se pensa, com intenção de enganar, o que não é o caso da criança que fantasia. A pessoa que mente sabe a verdade, mas a oculta.

Martinha é uma filha muito querida, porém não tem bom rendimento escolar. Chega em casa e diz aos pais que a professora acha que ela é a melhor aluna da classe; os pais se alegram e querem detalhes. Martinha cai em contradições; na verdade, não era bem isso que a professora havia dito. Martinha mentiu para se beneficiar, para subir no conceito dos pais. Com carinho, deve ser mostrado a ela que a mentira não é uma forma correta de se conseguir as coisas.

As crianças que mentem por interesse assim agem para tentar melhorar sua auto-estima, para justificar suas faltas, para ficar bem com os parentes, e, quando descobertas em flagrante, costumam negar que estejam mentindo. Muitas vezes, a falta cometida é de caráter moral ou sexual — como masturbação, ver menininhas(os) peladas(os) pelo buraco da fechadura, espionar pessoas trocando de roupa, dizer palavrões — e a mentira decorre da vergonha em confessá-la. Marcelo está inconformado com sua condição familiar e social; diz que os pais são muito ricos, que o tio tem casa em Miami, que tem uma Mercedes, que sua televisão é gigantesca; nada verdadeiro. Marcelo busca na mentira compensar sua situação.

Julinho quer ser sempre o centro das atenções; se necessário, inventa, conscientemente, histórias em que ele, sempre melhor do que os outros, é o herói; conta viagens maravilhosas, feitos escolares e nos esportes, tomando sempre o cuidado de fazê-lo para pessoas crédulas e que não o conheçam bem. Mente para se gabar, por vaidade. Não o ridicularize, pois a auto-estima de Julinho está em baixa e ele precisa de alguém que o ajude a aumentar sua autoconfiança.

Ricardinho diz que a escola é muito ruim, que os professores perseguem os alunos, que os colegas não prestam, que a matéria é mal ensinada, tudo para justificar seu fracasso escolar. Infelizmente, muitos pais acreditam e até mesmo chegam a tomar satisfações. Ricardinho mente por preguiça ou incompetência.

Luís Felipe tem uma família bem estruturada. Aprendeu com os pais que é muito feio delatar. Um de seus melhores amigos cometeu uma falta na escola. O professor, indignado, dirige-se a ele e pergunta quem foi. Luís Felipe diz que não sabe e, se necessário, assumirá a culpa, mas não entregará o colega. Mente para salvar o amigo. É a mentira altruísta.

Certas crianças mentem para prejudicar os outros por maldade ou vingança, principalmente contra seus inimigos ou seus algozes. Para que a criança não se torne um adulto mentiroso contumaz, teremos que saber por que ela mente e remover as causas, que foram, em sua maioria, aqui relacionadas. Os pais devem dar o exemplo do amor à verdade e incutir na criança o horror à deslealdade e à mentira. Para corrigi-la, devemos, no momento oportuno e em local adequado — nunca na sala ou na frente de outras pessoas —, usar o diálogo, o carinho, a compreensão e, se necessário, as repreensões e punições brandas, em que os castigos físicos nunca terão lugar. Nunca encurrale a criança!

Há crianças que mentem para receber punições, inclusive castigos físicos, pois essa foi a única forma que encontraram para conseguir alguma atenção da família. Pesquisas mostram que pais que usam princípios morais para explicar por que não se deve mentir obtiveram melhores resultados do que aqueles que utilizaram castigos físicos. As famílias perfeccionistas, os pais autoritários, os professores vigorosos, o estresse relacionado com os estudos contribuem para agravar a situação. A opção pelo "não fui eu" transforma-se em tábua de salvação ante uma ameaça real ou imaginária de punição. Devemos confiar em nossos filhos, pois a confiança mútua impede o florescimento da mentira. Nas casas em que existe respeito, amor, confiança e carinho, a mentira é praticamente inexistente. Crianças com auto-estima elevada raramente mentem e, quando o fazem, é em defesa de alguém que lhes é caro. Perdoe sempre seu filho, deixe-o sentir que, embora zangado e decepcionado, você continua a amá-lo. Jamais o rotule de mentiroso! A mentira habitual pode ser sintoma de ansiedade e medo, agravado por medidas repressivas. Nesse caso, o controle poderá exigir a ajuda de profissionais competentes.

Não fui eu

Durante trinta e oitos anos, ocupei cargos de chefia. Uma das coisas que mais me irritavam, pela freqüência e total falta de objetividade, era receber como resposta o "Não fui eu!".

Chegando ao serviço e dando por falta de uma pasta que não continha nenhum documento importante, pergunto: "Neide, você viu a pasta cor-de-rosa?"; "Dr. Lisbôa, não fui eu quem a tirou daí." Pergunto à enfermeira-chefe: "D. Helena, a senhora sabe onde está o prontuário desta criança?"; "Não fui eu quem pegou." Pergunto a um dos médicos: "Você sabe quem fez esta prescrição?"; "Não fui eu." Inquirida sobre quem levou os materiais para exames ao laboratório, a auxiliar de enfermagem responde: "Eu não fui!" Em nenhuma das ocasiões foi perguntado: "Foi você quem fez?" Todas as perguntas foram feitas com a intenção de esclarecer alguma dúvida, sem nenhuma implicação punitiva ou recriminativa. Infelizmente, essa mesma resposta também pode ser usada para encobrir uma mentira ou fugir de responsabilidades, por medo de punições.

Essa conduta tem sua origem na infância. A criança pequena pratica um pequeno malfeito, como, por exemplo, quebra um copo. Ao perguntarem se foi ela quem o quebrou, em sua ingenuidade, responde que sim. Fica de castigo, para aprender a não quebrar copos. Passado algum tempo, espatifa uma jarra de estimação. Apavorada, ao perguntarem se foi ela quem a quebrou, nega veementemente e põe a culpa nos outros, inclusive no cachorro. Dessa vez, nada lhe acontece.

A partir dos oito anos, as crianças passam a ter noção do que é certo e do que é errado. O que se deve fazer? Estimulá-las a dizer a verdade e deixar de puni-las pelos pequenos malfeitos. Todas as crianças mentem. Só devemos nos preocupar quando as mentiras se tornarem freqüentes ou servirem para acobertar situações sérias ou delicadas. O rigor na educação recebida na infância é o principal responsável pelo uso excessivo, descabido e inconseqüente da expressão "não fui eu" por parte dos adultos.

A criança que furta

Therezinha colocou uma nota de dez reais na mesa da sala e foi apanhar a bolsa. Ao voltar, a nota havia sumido. Perguntou às empregadas e às crianças se a haviam tirado. Todos negaram, exceto Carla, três anos, que disse triunfante: "Fui eu!" "Onde você a colocou, minha filha?" "Eu sei, mas não digo!" Apesar de todos os esforços, nada foi encontrado. Um mês após, Therezinha notou que o enxoval de noivado de uma das empregadas era bem melhor em qualidade que o da casa. Armou uma cilada e pegou-a em flagrante. Aí entendeu por que o marido há meses vinha se queixando de que alguém estava surrupiando dinheiro dos seus bolsos e, quando ele se queixava, ela sempre respondia: "Tiro para os gastos da casa e para comprar coisas para seus filhos." Com essa resposta, nada mais era dito e perguntado. E Carla? Não havia furtado, havia mentido, o que é um fato comum entre crianças de três, quatro anos. O furto também é, e as duas atitudes costumam, com freqüência, estar associadas. A criança mente, tentando acobertar o furto.

Breno tinha cinco anos. Furtava desbragadamente, principalmente dos coleguinhas colecionadores: selos, caixas de fósforos, marcas de cigarro, tampinhas de garrafas. Quando ele se aproximava, todos se precaviam. Quando sumia alguma coisa, ele era sempre lembrado. Cresceu e se tornou alto funcionário do governo e pessoa de confiança de um dos maiores banqueiros do país.

Quantas crianças vão a festas, casa de amiguinhos, clubes e até a nossos consultórios e levam para casa lembrancinhas? Quando descobrem, os pais ficam alarmados e preocupados: "José, nosso filho é um ladrão!", diz a mãe chorosa. "Furtou o carrinho do Marcos. Como é que nós vamos fazer para devolvê-lo? Eles vão saber que nosso filho rouba!" Há mães que já imaginam o filho na penitenciária.

Infelizmente, boa parte dos pais reage castigando pronta e severamente o filho, de preferência aplicando-lhe umas boas palmadas, ou uma surra que seja eternamente lembrada, para que ele nunca mais tente repetir o "crime". Os pais que assim agem erram por desconhecer algumas peculiaridades do desenvolvimento infantil. As crianças começam a furtar, aos quatro ou cinco anos de idade, como uma prática exploratória e aquisitiva, e não com o significado que os adultos lhe dão. Portanto, o furto e a mentira, quando praticados por crianças nessa idade, não têm a gravidade que lhes é atribuída.

Elas roubam por dois motivos. Primeiro, por achar que são as donas de tudo até que lhes provem o contrário. Por essa razão, elas se acham com o direito de se apropriar dos objetos e brinquedos, levando consigo tudo aquilo de que gostem; não estão furtando e sim agindo de acordo com o que acham correto. Se pensam assim, não vão aceitar uma punição, da mesma forma como nenhum de nós aceitaria. Segundo, pela necessidade que têm de se identificar com determinadas pessoas, o que pode levá-las a tirar objetos dos pais, dos irmãos, dos colegas, pensando que desta forma poderão assemelhar-se a elas. Se agem por esses dois motivos, em vez de puni-las, os pais deveriam aproveitar esses episódios para ensiná-las sobre o sentido de propriedade e não para castigá-las.

As crianças nessa faixa etária ainda não desenvolveram uma consciência. Os sentimentos de culpa só surgirão mais tarde, em conseqüência das decepções das outras pessoas em relação a elas. A conduta em relação a uma criança que mente, ou furta, é muito semelhante. No caso do furto, é preciso ensiná-la a entender corretamente o sentido de propriedade, aquilo que é seu e o que é dos outros; que se ela fica triste quando alguém lhe tira um objeto de que goste, o mesmo se passará com os outros, evitando criar-lhe sentimentos de culpa. Não a encurrale, perguntando se roubou ou não, o que certamente a levará a mentir.

Aja com serenidade, compreensão, amor e firmeza; se necessário, repreenda-a ou lhe dê algum tipo de castigo, lembrando-se sempre de que os castigos físicos têm efeitos desastrosos e podem até fazer com que esse comportamento se torne padrão, com prejuízos incalculáveis para o futuro. A criança poderá mesmo achar que deve ser honesta somente para não ser castigada. Ensine-a a pedir as coisas e a devolvê-las. Se a outra criança se negar a emprestá-las, ajude-a a se conformar com isso, pois, assim agindo, estará protegendo seus próprios pertences. Ajude-a a pagar ou a devolver o objeto tirado, ensinando-a a se desculpar. Nunca compactue com o roubo! Infelizmente, certos pais acham que "isso é coisa de criança" e não tomam nenhuma atitude; alguns até se alegram ou se vangloriam da habilidade do filho. Se, apesar de tudo, o comportamento errado persistir, a criança poderá estar enfrentando algum tipo de dificuldade: assustada, insegura, culpada, fracassada ou, o pior de tudo, rotulada de ladra. Nesses casos, a terapia é o mais indicado.

Para terminar, uma história contada pelo Dr. Monastier, grande pediatra paranaense. Um pai descobriu que a filha roubava lápis dos colegas. Deu-lhe 900, de presente. A menina continuou furtando. Desesperado, levou-a a um psicólogo. A menina não sentia falta de lápis. Sentia falta de amor. Como diria um velho conterrâneo meu: "O amor é tão bom que até faz a gente deixar de roubar lápis."

Meu filho é sempre o primeiro em tudo!

A hereditariedade e os fatores ambientais desempenham papéis importantes na formação da personalidade. A hereditariedade responde pelas estruturas físicas e neurológicas. A conduta, os comportamentos emocionais e a sociabilidade dependem mais de fatores ambientais. Uma criança tanto pode ser tensa por ser produto de uma família onde vários membros o são, ou seja, ela é somente mais um caso, quanto pode se tornar tensa em função de situações ambientais. A segunda alternativa, sem dúvida, é a mais comum.

A partir dos seis anos, muitas crianças demonstram uma preocupação inusitada com relação à sua competência em tudo que fazem. Querem ser sempre as melhores: nos brinquedos, nos esportes, nos estudos. Cabe aos pais estimular a criança a vencer desafios, observando até onde ela consegue ir sozinha e ajudando-a sempre que for necessário. Atuando dessa maneira, conhecerão as motivações e as limitações de seus filhos e, respeitando-as, contribuirão decisivamente para que eles sejam felizes.

Entretanto, existem pais, geralmente o pai, que não aceitam esses limites e passam a exigir cada vez mais de seus filhos: querem que eles sejam os primeiros em tudo, não aceitando derrotas. Os filhos passam a ser o veículo de sua realização. Geralmente são pessoas de nível cultural elevado, bem-sucedidas, vitoriosas em determinado tipo de atividade, ou, ao contrário, de baixo nível cultural, porém dominados por sonhos de grandeza, que esperam ver transformados em realidade. Querem que os filhos sejam perfeitos em tudo, ou em determinadas atividades, para dar continuidade ao que foram, ou por ver neles a possibilidade de alcançar triunfos que desejaram e nunca conseguiram. Daí a palavra *perfeccionista*. O perfeccionista almeja a perfeição para si mesmo ou para seus filhos. Para conseguir seus objetivos, tornam-se exigentes, não desculpando fracassos. Temos a impressão de que são escultores, que querem modelar os filhos como se eles fossem de barro, gesso ou mármore, para que se tornem iguais a eles, embora, muitas vezes, por falta de autocrítica, considerem-se perfeitos sem o ser. Ou então, querem modelá-los para que se tornem naquilo que sempre ambicionaram e nunca conseguiram.

À primeira vista, esse tipo de atitude parece até razoável por parte dos pais; nunca, entretanto, para a criança, que passa a ser tratada como alguém que tem a obrigação de continuar representando algo de que a família se orgulha ou de conseguir as vitórias que ela nunca alcançou. Esquecem que essas crianças são seres humanos, possuidores de uma carga genética, que têm seus próprios desejos e aspirações, e que o amor, o carinho, a amizade, a compreensão, o respeito às suas motivações e aos seus limites constituem as armas que temos para ajudá-las a formar sua personalidade, para que sejam bons cidadãos e, principalmente, felizes.

As conseqüências desse tipo de educação são sempre desagradáveis. Não conseguindo corresponder às expectativas, a criança fica frustrada, o mesmo ocorrendo com os pais, que, desapontados com seu comportamento, negam-lhe a atenção devida, passando a desvalorizá-la, a criticá-la e a humilhá-la. Cria-se um círculo vicioso em que imperam as frustrações, os desajustes, a agressividade e a submissão. Algumas crianças, entretanto, conseguem corresponder ao esperado e passam a ser exibidas como o orgulho da família, embora a maioria delas viva em permanente estado de tensão pela possibilidade de vir a falhar.

O bom desenvolvimento depende muito da capacidade de as crianças criarem laços afetivos com aqueles que as cercam, especialmente com os pais e a família, o que será conseguido com facilidade nos lares onde existam carinho, afeto, segurança, tranqüilidade, liberdade e harmonia. Como bem dizia, com sabedoria, o poeta Kalil Gibran: "Podeis esforçar-vos em ser como eles, mas não procureis fazê-los como vós." Meu filho Antonio Carlos, tentando me consolar da frustração de não ter conseguido motivar nenhum de meus filhos a estudar medicina, explicou: "Pai, é fácil você entender. Se um de nós fosse um médico bem-sucedido, todos iam dizer: 'Também, com o Lisbôa ajudando, não é nenhuma vantagem.' E se, ao contrário, falhássemos como médicos, iam comentar: 'Como pode ser tão ruim, sendo filho do Lisbôa!' Se eu for bom ou mau engenheiro, o Lisbôa nunca terá nada com isso, não é verdade?"

É verdade, meu filho, que você continue a me dar as alegrias que você tem me dado como engenheiro, o que, embora não cure, diminui minhas frustrações por não ter um filho médico.

Como destruir a auto-imagem de seu filho

O sucesso e a felicidade das pessoas dependem muito do autoconceito, da auto-estima ou da auto-imagem que cada uma delas tenha de si própria. Nada como ter confiança em sua capacidade, estar seguro de que conseguirá atingir seus objetivos, enfrentar desafios com a certeza de que conseguirá superá-los, não se curvar perante obstáculos e saborear o êxito alcançado.

A auto-imagem depende, principalmente, do tratamento dispensado à criança pelas pessoas com as quais ela convive. Os castigos, as humilhações, os comentários depreciativos sobre sua aparência física ou seu comportamento, a intolerância, a falta de estímulos e de recompensas, a superproteção, a desvalorização são fatores que contribuem para que a criança tenha um baixo conceito de si própria.

Infelizmente, não é pequeno o número de pais, inclusive de bom nível socioeconômico, que repudiam e até mesmo condenam veementemente os castigos físicos, substituindo-os por ofensas verbais, comentários sarcásticos e depreciativos, pensando que, assim agindo, causam menos prejuízos emocionais a seus filhos. Mas o uso rotineiro de agressões verbais pode causar danos maiores e mais duradouros do que palmadas e tapas ocasionais.

Obviamente, não estamos nos referindo a espancamentos de crianças, que, além de não disciplinarem, são a forma mais segura de se colocar mais um ser violento na comunidade.

Também não podemos imputar exclusivamente aos pais a perda da auto-estima. O preconceito, a intolerância, as zombarias, o pensamento intolerante, na escola ou na comunidade, podem levar à perda da auto-estima e aos comportamentos anti-sociais.

Tal como ocorre com a violência, existem fórmulas seguras e eficazes para se destruir a auto-imagem de alguém, algumas delas citadas sob a forma de comentários por David Lewis em seu livro *Ensine Inteligência aos Seus Filhos*. Vejamos algumas:

- "Faça o que eu digo e não o que eu faço." É dito quando a criança, por imitação ou instrução, repete um comportamento errado e contumaz do adulto; esse comentário deixa a criança perdida, cria situações conflitantes e está entre os mais perturbadores e desestruturadores. A criança poderá achar-se incapaz de realizar tarefas ou tomar decisões, julgar-se inferior ou sem importância e, se for inteligente, ficar frustrada, inconformada e agressiva;
- "Você vai fazer porque eu mandei." Com o significado de que "minha palavra é lei, as minhas leis têm que ser obedecidas sem contestação, principalmente por você, que não tem o direito e a capacidade de julgá-las ou questioná-las". Esse comentário é feito quando, incapazes de argumentar, os pais dão a ordem, derivada de uma autoridade que julgam ter por serem pais, física e intelectualmente mais fortes, e com direitos ilimitados sobre o filho. Este é pequeno, dependente e indefeso. Os direitos da criança, nesse caso, são negados da maneira mais arbitrária possível. Em função desse comentário, a criança poderá ter dúvidas sobre a sua competência, achar que os outros é que têm que pensar e decidir por ela e acreditar que não deva questionar as ordens recebidas, principalmente daqueles que tenham ascendência sobre ela;

- "Por que você não se esforçou mais?" Sem levar em consideração que, muitas vezes, a criança, apesar de seu esforço sobre-humano, foi malsucedida, o que pode ocorrer com qualquer pessoa. Os pais perfeccionistas são useiros e vezeiros em fazer esse tipo de comentário. O apelo para se esforçar mais, ou fazer o impossível, é prejudicial ao desenvolvimento da criança, principalmente quando se refere a atividades competitivas, como nos esportes, levando a conflitos entre a imagem ideal e a real. Esse comentário, se usado com freqüência, poderá fazer com que a criança se ache incompetente para cumprir seus deveres e tarefas, fique frustrada, sinta vergonha de seu comportamento em relação às pessoas que a amam, e, por isso, não se sinta digna do seu amor;
- "Por que você não veio falar comigo antes?" Comentário que, acompanhado de uma longa explicação, significa que a criança, antes de fazer qualquer coisa, deve buscar a aprovação dos pais, o que pode torná-la insegura ao tomar decisões, e medrosa ao enfrentar situações desconhecidas. Isso freqüentemente leva a criança a não conseguir resolver seus problemas sem buscar auxílio;
- "Por que você não consegue se sair tão bem quanto...?" ou "Por que você não é igual ao seu irmão, primo, amigo...?" Esses comentários explicitam uma situação de inferioridade da criança com relação a outra, ou outras. A frase é usada para criar sentimentos de ciúmes e inveja, na tentativa de melhorar o desempenho. Embora possa efetivamente tornar a criança invejosa, ciumenta e criar animosidades e rivalidades, dificilmente atingirá seu objetivo, que é o de melhorar o desempenho. Com freqüência, suas vítimas ficam com raiva e tentam denegrir o modelo, menosprezando-o, insultando-o e humilhando-o. A repetição freqüente desse tipo de comparação poderá prejudicar a auto-imagem da criança, por fazê-la se sentir inferior, incompetente, desvalorizada e não merecedora do mesmo amor e carinho dedicados aos outros;
- "Você não será nada na vida." A frase agressiva sobre competência e valor pessoal tem um sabor especial para mim, pois fui com ela agraciado por um professor no curso ginasial, por estar usando uma borracha na aula.

Felizmente, ele não estava certo. Entretanto, o mesmo não se passou com vários de meus colegas, que, vítimas de uma verdadeira lavagem cerebral, acabaram acreditando na profecia do mesmo professor e fracassaram em praticamente tudo o que tentaram. Se até o adulto, ouvindo esse comentário, deixa-se influenciar por ele, quanto mais uma criança em processo de formação de personalidade! As mais suscetíveis são aquelas entre seis e dez anos. Usada freqüente e repetidamente, a frase leva a criança a achar que todas as suas iniciativas estarão fadadas ao fracasso;

- "Não seja burro!", "Seu ignorante!", "Sua besta quadrada!". Esses comentários não levam a nada, são grosseiros e desrespeitosos e, se interiorizados pela criança, vão fazê-la realmente se sentir uma pessoa "burra";
- "Você não faz nada certo!" Usado com parcimônia, não prejudica a criança, porém, com freqüência, torna-se uma rejeição à sua competência, fazendo-a incorporar à sua auto-imagem a idéia de que só faz asneira, que é irresponsável, que não merece confiança, que será sempre mal-sucedida. O que pode desestimulá-la a tentar esforçar-se em suas atividades, com conseqüente declínio do desempenho e do valor pessoal;
- "Pare de se comportar como um bebê, como um neném", "Você não é homem?". Dirigido com muito maior freqüência aos meninos, visa humilhá-los, principalmente quando apresentam regressões no comportamento, por terem medo, por chorarem, por se vestirem ou brincarem como as crianças do sexo oposto, situações inaceitáveis, principalmente para pais machistas que, entre outras coisas, ignoram que os meninos choram com mais facilidade que as meninas até completarem cinco anos e que a maioria das brincadeiras das crianças pequenas não tem nada a ver com o comportamento sexual futuro. A intenção dos pais é modificar o comportamento da criança, provocando vergonha e constrangimento, o que a torna incapaz de manifestar certas emoções e de entendê-las, quando manifestadas por outras pessoas, podendo provocar severos danos psicológicos. Em alguns casos, esses comentários podem até reforçar os comportamentos considerados impróprios, levando a criança a se questionar: "Afinal quem sou eu?" O que não é bom;

- "Você é mau mesmo. Não tem remédio", "Você não presta", "Ninguém te agüenta". Freqüentemente são dirigidos a crianças com problemas sérios de rejeição e de auto-estima. Rotular uma criança de "má" sem tentar saber o que a levou a esse tipo de comportamento é negar-lhe qualquer oportunidade de recuperação. De tanto lhe dizerem essas frases, a criança as incorpora a sua auto-imagem e se convence de que é má, indisciplinada, malcomportada e rejeitada pelos adultos, que não gostam dela e não lhe dão o amor de que tanto necessita. Resolve, então, fazer-se notada pelo mau comportamento, sendo considerada pelos pais e mestres como difícil e irrecuperável. Esses comentários, ao invés de melhorarem, pioram o comportamento dessa criança, que veste a camisa de má e irrecuperável;
- "Você é preguiçoso." Antes de fazermos essa acusação, teremos que saber os motivos que levaram a criança a não se dedicar com afinco a suas atividades — estudo, esportes, lazer. O que está por trás da falta de interesse e entusiasmo? Falta estímulo? Falta motivação? A criança está com problemas ligados a sua saúde física, mental ou emocional? A repetição da acusação a leva a achar que realmente não adianta se dedicar a suas tarefas porque, por mais que se esforce, nunca irá conseguir o reconhecimento e o afeto de que tanto necessita dos outros.

O adulto subestima as crianças. Elas têm sentimentos e emoções. São dignas de nosso amor e respeito por vários motivos, entre eles, o de que serão os adultos de amanhã. Frases ou comentários críticos, feitos repetidamente durante uma fase considerada importante para a formação da personalidade, poderão levar a danos irreparáveis na formação da auto-imagem. Não se deve fazer os comentários aqui assinalados. Entretanto, para Lewis, se você os usa em média de 1 a 4 vezes por semana, os prejuízos serão pouco prováveis; de 5 a 10 vezes, haverá danos à auto-imagem de seu filho; de 11 ou mais vezes, você está destruindo a competência e o valor pessoal de seu filho e, se você ainda gosta um pouquinho dele, valerá a pena mudar sua forma de tratá-lo para que seu futuro não seja irremediavelmente comprometido.

Como está a auto-imagem de seu filho?

Gostar de si próprio é a chave que abre as portas da felicidade e do sucesso. Quem já não ouviu as frases "Fulano está de mal com a vida" ou "Beltrano não gosta nem dele mesmo", significando que essas pessoas têm uma visão negativa de tudo o que acontece consigo ou ao seu redor? Amar a si mesmo é a base de tudo o que é bonito e importante na vida, pois é o alicerce da responsabilidade e da alegria. Ciente de seu valor, a pessoa se torna autoconfiante, tem identidade própria, independe do que os outros pensam ou falam a seu respeito.

É fundamental para a auto-estima dos filhos o conceito que os pais tenham de si próprios. Se se consideram vencidos, derrotados, desestimulados, incapazes, como poderão transmitir garra, vontade de viver e de vencer, persistência, determinação e outros valores necessários ao sucesso? Gostar de si mesmo não pode ser confundido com o complexo do pavão — a pessoa que quer ser o centro de tudo e que pensa que o mundo gira a seu redor. Gostar de si mesmo significa respeitar a si e aos outros, desfrutar a vida sem remorsos, conhecer as próprias capacidades e limitações, defender-se, e até atacar, se necessário, ter confiança, perdoar-se, não ter medo de aprender, de crescer e de mudar e, sobretudo, de amar a si próprio e aos outros. Como as crianças aprendem a maior parte das coisas pelo exemplo e pela imitação, é essencial, para a formação da auto-estima e da identidade de cada uma, que os pais a tenham em nível elevado.

Crianças com auto-estima elevada têm maior aproveitamento escolar, raciocínio rápido e claro, são mais competentes, ávidas por novas experiências, alegres, comunicativas, amistosas, otimistas, entrosam facilmente com a comunidade em que vivem, exprimem com facilidade suas idéias, sentimentos e desejos, contestam respostas inconclusivas, podem ser brincalhonas e bagunceiras e se consideram inteligentes e competentes. As crianças com auto-imagem ruim são pouco ativas, tímidas, arredias, tristes, deprimidas, passivas, ansiosas, fogem do convívio social, não gostam de mudanças, temem enfrentar situações novas, não aceitam bem as brincadeiras e as gozações, são dispersivas, têm dificuldade de concentração, preocupam-se com facilidade, têm dúvidas quanto à capacidade de resolução de problemas, buscam ajuda com freqüência, acham-se "burras", fogem das tarefas que lhes são atribuídas pelo receio de falhar. Como mecanismo de fuga, mentem, apelam para o engodo, a rebeldia e a resistência passiva. A reação mais comum da criança com baixa auto-imagem é dizer "não vou conseguir...", "está muito difícil", "nem vou tentar...".

Pode-se conseguir que uma criança com baixa-estima passe a se tornar segura, confiante e bem-sucedida, efetivando-se, principalmente, duas mudanças no ambiente familiar. A primeira, reduzindo-se, ou abolindo, o uso de comentários depreciativos, humilhantes, vexatórios em relação a ela. A segunda, aumentando as recompensas e diminuindo as punições. Recomenda-se que a uma punição correspondam, no mínimo, cinco recompensas. No início, a criança ficará surpresa, e mesmo desconfiada, com a diminuição das agressões e o aumento das frases, sorrisos ou gestos que signifiquem aprovação. Como recompensa entenda-se menos presentes e mais amizade, amor, carinho, compreensão, passeios, cinemas, lanchonetes, televisão, clubes, futebol. Reforce as recompensas, principalmente quando a criança demonstrar competência ("Isso mesmo!"; "Ótimo!"; "Legal!"; "Viu como deu certo?!") ou sentimentos de valorização pessoal ("Você está mais bonito hoje: que roupa bacana!"; "Você está tão arrumado, vai a alguma festa?"; "Gostei muito do seu amigo Bruno, traga-o para almoçar conosco"; "A Juliana é uma gata, tenho orgulho de você!").

Os elogios indiretos também dão bons resultados. O pai finge que não sabe que o filho está no quarto e diz à esposa: "Beth, você viu que o Luís Felipe tirou boas notas em Matemática e Física? Estou felicíssimo!"; "Como o Raul está grande e bonito. Ontem estava elegantíssimo na roupa nova!"; "Julinho está um homem. Arrumou seu quarto sozinho!"

Os resultados certamente não serão imediatos. A auto-estima levou algum tempo a ficar lá embaixo e demorará um pouco a se elevar, mas valerá o esforço. Afinal, nem só as crianças se sentem bem ao ser elogiadas.

Dois acontecimentos colocaram minha auto-estima nas nuvens. Ao ser homenageado pela população de minha terra, Leopoldina, meu filho Antonio Carlos, então com oito anos, fez um discurso de saudação e terminou dizendo: "Papai, somos amigos há oito anos." O segundo, meu filho caçula, Luiz Felipe, dez anos, me olha firmemente nos olhos e diz: "Papai, tenho orgulho de você." As crianças perguntam freqüentemente: "Papai, do que você gosta mais em mim?" A resposta deveria ser sempre: "Gosto de você, meu filho, porque você é você."

Por que as crianças imitam tudo?

Luiz Felipe, meu filho caçula, tinha um mês. Brincando com ele, resolvi mostrar-lhe a língua. Qual não foi minha surpresa quando ele repetiu o gesto. Por várias vezes, repetimos juntos as mesmas manobras. Depois aprendi que os bebês com duas semanas já têm a capacidade de repetir alguns gestos, quando provocados. O que eles estão fazendo? Aprendendo por meio da imitação. Copiar o que fazem as pessoas é uma forma de aprendizagem que se inicia nas primeiras semanas de vida. É considerada uma capacidade sensório-motora inata, pois os bebês já nascem com essa aptidão. Parece ser comparável ao nadar dos peixes e ao vôo dos pássaros.

Nas primeiras semanas, as crianças imitam os gestos faciais ou manuais: fazem biquinho, põem a língua para fora, abrem e fecham a boca, mexem os dedos.

Um pouco mais tarde, quando sorrimos, sorriem; quando falamos, balbuciam; quando batemos palmas e damos tchau, eles imitam; quando cantamos o *Parabéns a Você*, eles já começam a tentar cantar e a bater palmas; quando nos escondemos atrás da cabeça das pessoas, passam a brincar de esconde-esconde.

Bem mais tarde, repetem o que dizem e o que fazem as outras pessoas: comer, vestir, escovar os dentes, colocar os sapatos. Um dos meus filhos reagia violentamente quando alguém queria ajudá-lo, dizendo: "tozinho, tozinho!"

E como as crianças aprenderam tudo isso? Na grande maioria das vezes, por meio da imitação. Esse é um dos motivos pelos quais considero errado imitar o palavreado das crianças, utilizando seu tom e vocabulário. Devemos respeitar a forma com que elas se comunicam, mas responder utilizando vocabulário correto. As mães acham gostosa essa forma de comunicação e querem mantê-la pelo maior prazo de tempo possível.

Quando mais velhinhas, as crianças irão continuar repetindo tudo que ouvem. Se a linguagem em casa é carinhosa, elas se comunicarão com ternura. Se os palavrões são utilizados, eles serão repetidos, independentemente de horário e local, e, obviamente, merecerá ser punido quem ensinou e não quem repetiu. Se a mãe, manifestando sua discordância, diz "nem pensar", "fique quieta", "você quer apanhar", na primeira oportunidade, ela usará as mesmas palavras, com a mãe, com a vizinha ou com a boneca.

Crianças com idade entre dois e três anos, durante uma consulta, passam a nos imitar: "D. Margarida, vamos dar este remédio para o Paulinho"; "D. Margarida, vamos dar este remédio para o Paulinho", repete o guri; "A senhora pode misturá-lo com um pouco de água e açúcar"; em tom gaiato, Paulinho repete: "A senhora pode misturá-lo com um pouco de água e açúcar"; até que a mãe intervenha e diga: "Não imite mais o doutor!" Muitas vezes, os brinquedos e as bonecas quebradas podem ter sido vítimas de imitações, situações vividas pelas próprias crianças.

A imitação tem duas características: deve repetir o comportamento exibido e ser seletiva, ou seja, ocorrer depois de um determinado comportamento, conforme o modelo. Assim, se um bebê coloca a língua para fora todas as vezes que nós a colocamos, ele estará imitando; porém, se coloca a língua para fora toda vez que olhamos para ele ou mexemos a cabeça, não se trata de imitação, pois não é seletiva. A imitação seletiva ocorre com mais freqüência a partir dos sete ou oito meses, tornando-se, posteriormente, cada vez mais complexa, aumentando muito de freqüência entre um e três anos de idade.

Ela é dificultada pela incerteza de poder imitar o modelo. Por exemplo, se a criança não tem maturidade para andar, evita imitar outras crianças que estão andando. Os atos imitados são aqueles que ela consegue dominar completamente.

A imitação é utilizada para promover interações sociais (brincadeiras com os pais e familiares) desde o nascimento; para aumentar a semelhança com outras pessoas (pai, mãe), a partir dos três anos; com a finalidade de atingir determinadas metas (para executar uma tarefa, a criança observa como ela é cumprida por outra pessoa e faz de modo semelhante; bate nas outras crianças, porque observou que essa é uma forma de conseguir o seu objetivo), a partir dos três anos.

A capacidade de imitar um modelo é a chave do avanço intelectual e do desenvolvimento tecnológico por ser uma das formas mais eficientes de se aprender novas ações. Acredito que uma das grandes dificuldades no ensino de qualquer profissão esteja no desconhecimento desse fato. Não adianta colocar médicos, engenheiros, advogados, eletricistas, bombeiros para aprender suas profissões em salas de aula. Um médico competente prepara médicos competentes; um bom bombeiro prepara bombeiros competentes; um professor competente para dar aulas de medicina, mas incompetente na prática médica, dificilmente preparará bons médicos, o mesmo ocorrerá com relação ao preparo de outros profissionais.

Quando uma pessoa elege outra como modelo de vida, de profissão, de elegância, de honestidade, ela tentará fazer o que a outra faz, consciente ou inconscientemente. Assim agindo, estará utilizando a imitação como forma de atingir uma realização.

Em resumo, a imitação é uma das fórmulas mais válidas utilizadas diariamente por todos nós. Assim, nenhuma criança deverá ser reprimida por tentar utilizá-la, a não ser que as atitudes imitadas envolvam riscos de vida ou comportamentos anti-sociais.

Irmãos

Nasceu o irmãozinho

Margarida está grávida pela segunda vez. Sente-se feliz por isso. Pergunto-lhe: "Como está se sentindo o Juquinha depois de saber que terá um irmãozinho?" Ela me responde com certa preocupação e uma ponta de tristeza: "Às vezes, fica triste, irritado e preocupado. O senhor acha que ele receberá bem o irmão?" Infelizmente, é difícil prever com certeza como o "invasor" será recebido ao chegar em casa e quanto ele interferirá no relacionamento amoroso já estabelecido entre o primogênito e os pais, principalmente a mãe. Certamente, quando os ciúmes começam durante a gestação, pode-se inferir que os problemas com o irmão terão início bem cedo.

Juquinha tem dois anos. É um menino alegre, vivo, esperto, independente. É o rei da casa, cercado de carinho pelos pais, avós, tios, primos, que o solicitam a todo momento, pois gostam de vê-lo rindo e brincando. Imaginem que Juquinha resolveu fazer um diário. Como não sabe escrever o que pensa, vamos ver o que fica registrado em sua cabecinha:

"Mamãe está ficando muito gorda. Estão dizendo que ela vai ter um filho. As pessoas lhe dão os parabéns e desejam um feliz parto (não sei o que é isso). Olham para mim e dizem: 'Juquinha, você vai ganhar um irmãozinho. Você agora vai ser um homenzinho, vai ter que gostar dele e ajudar sua mãe a cuidar do nenê.' Não estou gostando nada disso! Tenho certeza de que vai sobrar pra mim. Papai se preocupa muito com a mamãe e já não tem muito tempo para brincar comigo. Estou muito triste. Mamãe sumiu de casa; papai também. Será que eles vão ter um bebê?"

"Hoje foi o pior dia da minha vida: o bebê chegou em casa. Ninguém olha mais pra mim. Todas as visitas foram pra ele. E os presentes? Ganhou um montão, e eu, nada! O pior de tudo foi a mamãe olhando o dia inteiro para ele, e o papai passando quase todo o dia lá no quarto. Até a vovó, que vive me pegando no colo, se esqueceu de mim. Os dias vão passando e pouca coisa mudou. O bebê mama o dia todo na minha mãe! Fica o dia inteiro junto da minha mãe! Parece que ele é o reizinho da casa; todos querem vê-lo, pegá-lo, beijá-lo."

"Estou me sentindo cada vez mais abandonado. É verdade que, de vez em quando, recebo um pouquinho de atenção, mas nada igual ao que 'ele' recebe. Tenho ódio desse intruso, que só falta tomar meus brinquedos. E ainda vivem me perguntando: 'Juquinha, você gosta de seu irmãozinho?' Minha vontade era acabar com ele. Outro dia, não resisti e comecei a andar em cima dele, dei-lhe uma pisada na barriga e recebi umas boas palmadas. Também tentei sufocá-lo com as fraldas, mas a mamãe não deixou e ainda zangou comigo. Cheguei a perguntar a ela quando iria devolver o bebê para o hospital."

"Decidi lutar pelos meus direitos. Passo o dia correndo atrás da mamãe, que estão tentando roubar de mim. Quando ela não me olha, puxo seu vestido; no início, ela perguntava carinhosamente o que eu queria; agora, me escorraça, dizendo: 'Juquinha, não agüento mais! Você vive miando atrás de mim, puxando meu vestido. Eu tenho que descansar para amamentar o bebê!' Mas com 'ele' ('ele' tem nome, mas estou tão aborrecido que não quero dizer o nome), ela fica o dia inteiro. Papai também tem cada vez menos tempo para mim e mais para 'ele'. Tenho feito o impossível para que me dêem um pouquinho de atenção, de carinho. Nada tem funcionado. Agora, vou apelar para a birra e o mau humor. Estou ficando cada vez mais raivoso e birrento. Afinal, estão sendo negados os meus direitos."

"Parece que o novo esquema não tem funcionado. Mamãe e papai estão cada vez mais zangados comigo. Todos os dias me chamam atenção, me põem de castigo; minha sorte é que as palmadas não são freqüentes. Acho que cada vez mais eles gostam do bebê, e menos de mim. Vou tentar a última cartada: voltar a fazer xixi ou cocô nas calças ou até no tapete da sala."

"Não deu certo, e até fui motivo de gozações de toda a família: 'Juquinha, que vergonha, um menino grande como você fazendo xixi nas calças.' Ajudem-me! Estou desesperado! Não quero perder minha mãe e não sei mais o que fazer!"

Boa parte dos primogênitos reage dessa maneira quando nasce o irmãozinho. Inicialmente, a raiva é dirigida contra os pais, considerados por eles os principais responsáveis pela situação de abandono que estão vivendo. Depois, dirigem seus sentimentos contra o irmãozinho, principalmente quando este começa a mexer em seus brinquedos. Nessa fase, lançam mão de seu lado maquiavélico para atormentar cada vez mais o invasor, com o objetivo de envolver cada vez mais os pais em sua luta.

À medida que o bebê se torna mais engraçadinho, principalmente quando se relaciona com pessoas estranhas, roubando o lugar do primogênito, este se torna cada vez mais agressivo ou, ao contrário, mais triste, pedindo com freqüência o colo da mãe, chupando o dedo ou a chupeta, passando a observar de forma atenta e sofrida as brincadeiras dos visitantes com o bebê e, eventualmente, apresentando sinais de regressão, querendo parecer um nenê, pelo menos durante algum tempo.

Os ciúmes entre as crianças podem ser prejudiciais ou benéficos, dependendo da conduta dos adultos. A criancinha, não os compreendendo, pode, como o Juquinha, apresentar alterações no comportamento e passar a ter uma visão perturbada do mundo em que vive. Por outro lado, é de toda conveniência que se aprenda a conviver com os ciúmes e a inveja, sentimentos irmãos e impossíveis de ser banidos de nossas vidas, lidando adequadamente com eles.

Ciúmes do irmão

Aprender a conviver e a compartilhar é uma das coisas mais importantes na vida e também das mais difíceis. Para confirmar essa assertiva, basta olharmos à nossa volta e verificarmos a dificuldade cada vez maior que as pessoas têm de conviver umas com as outras, fora ou dentro do ambiente familiar. Sem dúvida, uma das causas dessa dificuldade pode ser a inabilidade em lidar com o ciúme e com a rivalidade entre irmãos.

O grande segredo para se prevenir, diminuir ou controlar o ciúme do irmão mais velho causado pelo nascimento de um novo filho consiste em prepará-lo para receber o novo integrante da família e torná-lo co-responsável pela saúde e segurança do bebê, desde o início da gestação, fazendo-o sentir-se como um segundo pai, ou segunda mãe, se for menina. Ele deverá ser informado dos cuidados permanentes com o bebê, da amamentação periódica, do choro freqüente, da necessidade de acariciá-lo, de trocar suas fraldas, da exigência de maior disponibilidade de tempo e atenção dos pais e, por último, o mais importante, da importância de sua ajuda para tomar conta do bebê. Aliás, seria muito recomendável que o filho mais velho visitasse sua mãe e seu irmãozinho na maternidade. Certamente, ele ficaria satisfeitíssimo em ver sua mãe contente e alegre, e seria uma oportunidade para conhecer seu irmãozinho.

Para que o irmão mais velho se sinta importante, devemos atribuir-lhe algumas tarefas ligadas aos cuidados com o bebê, com complexidade de acordo com sua idade, tais como apanhar fraldas, ajudar a trocá-las, escolher as roupinhas, ajudar a vesti-las, colocar os sapatinhos, pegar no colo, acariciá-lo, ajudar no banho, conversar com o bebê, ajudar a empurrar o carrinho, participar dos passeios etc. Agradeça e elogie a cooperação recebida. Evite mandá-lo para a casa dos avós ou de parentes logo após a chegada do bebê; isso poderá dar a impressão de que está sendo substituído.

Mude o menos possível sua rotina, principalmente se for filho único. Se seu quarto for destinado ao bebê, faça a mudança bem antes do nascimento. Se pretende enviá-lo para a escolinha ou creche, não deixe para fazê-lo logo após o nascimento. Quanto mais for apegado aos pais, mais ele se sentirá traído, enganado. Existe necessidade de um tempo para que a criança, por si só, chegue à conclusão de que continua ocupando um lugar no coração dos pais. Durante esse tempo, dobre a atenção e o carinho a ela dedicados, principalmente nos primeiros dias após a chegada do bebê.

Ao entrar em casa, em vez de perguntar "Como vai o nenê?", dê um abração no filho(a) mais velho(a) e diga: "Como vai o meu garotão?" ou "Como vai minha querida princesa?" Se for visitar os netinhos, a vovó não deve perguntar ao mais velho: "Juquinha, onde está sua irmãzinha? A vovó trouxe um lindo presente para ela." Se o Juquinha tentar agredir o bebê, proteja-o da agressão, demonstre claramente que você não permitirá que o pequenino seja machucado, mas abrace o Juquinha e diga que você o ama. Como ele não gosta do bebê porque teme perder o seu amor, a pior coisa que a mãe pode dizer-lhe é: "Se repetir isso, eu nunca mais vou gostar de você!"

Rivalidade fraterna

Antonio Marcio, 5 anos, era um menino grande e forte. O irmão, Antonio Carlos, 4 anos, franzino, vivia provocando o mais velho e daí surgiam turras freqüentes. Era um tal de soco pra cá, empurrão pra lá, gritos e trocas de palavras agressivas. Um dia, a situação assumiu um tal grau de risco que Therezinha, a mãe, teve que intervir: "Parem de brigar! Vocês vão acabar se matando!" Calmamente, Antonio Carlos lhe respondeu: "Mamãe, nós não estamos brigando. Estamos lutando".

A rivalidade entre irmãos é tão comum que pode ser considerada normal e inevitável. Quem tem filhos sabe que é praticamente impossível evitar as disputas entre eles e que, até certo ponto, essa rivalidade constitui um aprendizado saudável, pois os prepara para enfrentar o mesmo tipo de situação nos brinquedos, na escola, nos esportes e na vida adulta. Os extremos, caraterizados por um excesso de agressividade ou, ao contrário, por uma inércia que leva a criança a ser uma perdedora, deverão ser motivo de preocupação.

Os ciúmes, a necessidade de conseguir a simpatia e a atenção dos adultos, a pouca diferença de idade entre os irmãos e a ordem de nascimento podem aumentar a rivalidade, com o objetivo, na maioria das vezes, de envolver os pais, que se sentem na obrigação de intervir, tomando o partido de um ou de outro.

O primogênito será considerado, quase sempre, uma criança especial. O segundo filho poderá passar a vida queixando-se de que sempre foi o "segundo". Como em todas as situações da vida, existe sempre um lado mau e um lado bom. O segundo filho, por viver se lamentando de que não é querido e outras coisas do gênero, sente-se desafiado e torna-se mais competitivo, levando sempre a melhor quando desperta com o primeiro. E os outros filhos? Vão se sentir pior do que o segundo, mas, em compensação, contarão com o apoio e a experiência dos irmãos mais velhos para ajudá-los. Isso compensa um pouco o complexo de culpa de alguns pais, quando acham que não conseguem dar a devida atenção a todos os filhos.

Existem algumas dicas que podem contribuir para diminuir a rivalidade entre irmãos:

- a regra mais importante: nunca faça comparações entre seus filhos;
- caso esteja grávida, não diga nunca a seu filho: "Não fique triste, pois vamos continuar gostando igualmente de você e do bebê que vai nascer", pois ele poderá estar entendendo de forma diferente essa mensagem;
- as mudanças na rotina dos passeios e brinquedos, as trocas de camas ou de quartos, a substituição de brinquedos deverão ser feitas bem antes ou bem depois da chegada do irmãozinho;
- evite mandar seu filho para a creche, a escolinha, a casa de parentes ou de amigos pouco antes ou pouco depois do nascimento do irmão;
- embora algumas instituições de saúde ainda façam restrições ao ingresso de crianças na maternidade, seria recomendável que seu filho visitasse a mãe e o irmãozinho ainda no hospital;
- deixe seu filho segurar o bebê, com sua ajuda, e peça-lhe que auxilie nos cuidados com o recém-nascido, como banhos, trocas de fraldas e de roupas; faça-o sentir-se responsável pelo irmão;
- se ele passar agarrado na sua saia o dia inteiro, choramingando, redobre sua paciência, pois ele está se sentindo infeliz, "destronado" pelo "intruso" que vive o dia inteiro ao seu lado, monopolizando sua atenção e seu carinho, que antes eram só dele;

- convença os avós, tios e padrinhos a reservarem sempre um tempinho para o mais velho; geralmente as visitas só vêem o recém-nascido, provocando os ciúmes da criança, que se sentirá cada vez mais rejeitada e com mais raiva do irmãozinho;
- esteja atento: freqüentemente, o grau de exigência é maior em relação ao mais velho, que recebe punições maiores e mais severas, pelo mesmo tipo de mau comportamento que o dos menores, o que cria um clima de injustiça;
- ao intervir nas brigas dos filhos, os pais definem, às vezes erroneamente, quem é o culpado e quem deverá ser castigado; nesses casos, a criança culpada sentir-se-á injustiçada e responsabilizará o irmão pelo castigo, aumentando a rivalidade;
- a não ser que haja algum risco, os adultos deverão deixar que os filhos resolvam seus próprios problemas.

O centro moderador da rivalidade fraterna são os pais, que deverão fixar limites, sem recorrer a uma repressão sistemática, elegendo as normas que devem reger a boa educação e a harmonia no lar. Como disse alguém, "os gatinhos precisam desenvolver suas unhas".

Deixem as crianças resolver seus casos entre si. Elas aprenderão que nem sempre vencem as causas que julgam mais justas, que, infelizmente, a malícia e a força podem ser premiadas e que é preciso lutar por aquilo em que se acredita desde cedo.

As brigas pela posse de brinquedos são as mais comuns e constituem um bom momento para o aprendizado de limites e do sentido de propriedade. Para os filhos, os pais representam o Legislativo, o Executivo e o Judiciário. É por essa razão que as injustiças e as preferências secretas por um dos filhos os magoam tanto. Eles apelam para a rivalidade a fim de tentar monopolizar a atenção dos pais, ou até mesmo para desmascarar preferências ocultas. Em síntese, rivalidade fraterna, agressividade, desobediência são comportamentos que podem ser controlados, nunca reprimidos. A constatação de que os filhos deixaram de ser somente irmãos e passaram a ser companheiros constitui uma das maiores alegrias para os pais.

Os gêmeos

Os gêmeos sempre suscitam admiração e alegria. Não há quem não goste de vê-los, ainda mais quando são muitos. É lindo ver os dois, os três, os quatro, os cinco sendo transportados em seus carrinhos nas ruas ou nos parquinhos. "Como são lindos! Os dois são homens? Um menino e uma menina! Que gracinha!" Mas como dão trabalho para as mães, principalmente nos primeiros anos de vida! Trabalho que é regiamente recompensado quando crescem.

Os chamados gêmeos idênticos (monozigóticos), que alguns preferem chamar de semelhantes, por não serem absolutamente iguais, provêm da fecundação de um mesmo óvulo, são sempre do mesmo sexo e têm características físicas bastante parecidas.

Quando a fecundação ocorre em dois óvulos diferentes, originam-se os chamados gêmeos não-idênticos ou fraternos (dizigóticos), que podem ser de sexos opostos e apresentar características distintas, como, por exemplo, um ser louro e o outro moreno, ou um ter olhos castanhos e o outro, verdes, como se tivessem nascido de duas gestações diferentes.

Cuidar de gêmeos é, no mínimo, duas vezes mais trabalhoso e cansativo, o que torna recomendável a ajuda de parentes ou de uma pessoa contratada para esse fim. Não se pode deixar de reconhecer que o melhor auxiliar seria um pai que pudesse, além de participar dos cuidados com os filhos, ajudar nas atividades domésticas e, principalmente, dar o indispensável apoio afetivo à mãe.

Com freqüência, mas não sempre, os produtos de gestações múltiplas em que existe "superpopulação uterina" nascem prematuramente e, logicamente, com peso menor do que os provenientes de gestações simples. Os fraternos ou dizigóticos podem nascer com diferenças tão acentuadas de tamanho, que exigirão cuidados diferentes.

Existe uma idéia errônea de que as mães não consigam amamentar gêmeos e que se deva iniciar as mamadeiras precocemente. Não é verdade. A alimentação ao seio é exeqüível, pois a maioria das mães tem leite suficiente, podendo amamentar gêmeos por meses. Quando, por algum motivo, isso não for possível, é preferível que o seio seja dado ao de menor peso, mais frágil e mais carente da proteção do leite materno.

O desenvolvimento psicológico de gêmeos, principalmente no que se refere à formação da individualidade, é uma preocupação de pediatras e psicólogos. Não é tarefa fácil estimular cada criança a desenvolver sua personalidade própria, mas é possível. As dificuldades são maiores entre os gêmeos idênticos e podem começar pela escolha dos nomes: Pedro e Paulo, José e Maria, Roberta e Renata, Lucas e Mateus. A sociedade incentiva os pais a torná-los absolutamente iguais.

É com ar de felicidade que as mães ouvem os comentários: "São gêmeos? Como são bonitinhos! Eles são tão iguais. Você consegue reconhecê-los?" "Que engraçadinhos! Eles ficam tão lindos vestidos da mesma maneira!" São um sucesso nas festinhas, no parquinho, nos supermercados, nas ruas, quando estão vestidos de forma idêntica. Orgulhosos, muitas vezes os pais recusam nossos conselhos e avisos, preferindo que eles ajam como uma unidade física, mental, emocional e social, o que poderá não ser bom. Para manter a igualdade a qualquer custo, os pais tentam nos convencer que agem assim por ser mais prático e barato comprar roupas, brinquedos e berços iguais.

Temos que estimular a individualidade dos gêmeos, principalmente se forem idênticos. Por isso, vista-os com modelos diferentes, ou, pelo menos, com cores diferentes; não corte seus cabelos da mesma forma; não use os mesmos enfeites e adereços; faça com que eles sejam reconhecidos por qualquer pessoa sempre pelos nomes; evite chamá-los de "os gêmeos"; identifique as preferências de cada um pelos brinquedos, jogos, atividades físicas, esportes e estimule-as; não tente treiná-los como se fossem uma só pessoa; respeite o grau de desenvolvimento de cada um, que, muitas vezes, é diferente, principalmente entre os gêmeos fraternos, ao treiná-los para andar, falar, controlar os esfíncteres, deixar as fraldas e a chupeta; não exija que tenham o mesmo aproveitamento nos estudos e nos esportes; evite compará-los; tenha consciência de que pior do que vesti-los igual é tratá-los como se tivessem personalidades idênticas. Muitos pais não identificam seus filhos gêmeos como se fossem duas crianças iguais às outras, e sim como se um fosse uma criança igual à outra. Existem gêmeos que perdem a individualidade de tal forma que, velhinhos, adoram vestir-se da mesma maneira, passear e fazer programas sempre juntos.

Entretanto, ao criar gêmeos, nem tudo deverá ser diferente: o amor, o carinho e a segurança devem ser distribuídos igualmente, sem privilegiar nenhum dos filhos, embora um possa ser mais expansivo e simpático do que o outro.

A chegada de gêmeos polariza a atenção da família, que pode esquecer os outros filhos, seja em função do trabalho que os primeiros dão, seja pelo fascínio que exercem sobre as pessoas. Isso pode fazer com que os irmãos se sintam deslocados, preteridos, frustrados, infelizes e, dependendo da idade, passem a apresentar sinais de rejeição, como voltar a fazer xixi ou cocô nas calças. A situação tenderá a se agravar quando as conversas dos amigos e familiares ficarem polarizadas em torno dos gêmeos. Para que isso não aconteça, os pais deverão reservar um tempinho de atenção só para os outros filhos, a fim de que estes tenham a certeza e a segurança de que continuam sendo amados.

Obesidade

O gordinho

"Hei, Bolão, vem cá!" "Ô, Barril de Chope, não vai jogar hoje?" "A Fofuda não gosta de brincar?" "Eu não gosto de você. Você é muito gorda." "Mamãe, os meninos vivem rindo de mim!" "Hei!, Casas da Banha!" "Alô! Pão de Forma!" Essas e outras frases balançam o ego das crianças gordas.

Existe uma situação paradoxal em relação ao excesso de peso entre crianças. A maioria das mães deseja que seus bebês sejam robustos, rechonchudos, fofinhos, cheios de dobrinhas. "Ah! Eu queria tanto que meu bebê fosse gordinho!" Trata-se de uma queixa e de um pedido freqüente nos consultórios pediátricos. Poucos anos mais tarde, a coisa muda e as perguntas do tipo "O senhor não acha que o Pedrinho está meio gordinho?" tornam-se mais constantes.

A obesidade infantil é um problema pediátrico, cuja solução muitas vezes não é fácil. Considera-se que uma criança é gorda quando seu peso está 20% acima do esperado, e obesa, quando superior a 30%, levando-se em consideração a relação peso/idade/altura. A obesidade pode estar presente desde o nascimento — filhos de diabéticas — ou surgir nos primeiros meses de vida. Ela é mais comum, entretanto, entre os oito e os quatorze anos. Suas causas mais freqüentes são: hereditariedade, excesso no consumo de alimentos altamente calóricos, falta de exercícios físicos e distúrbios emocionais ou glandulares. O diagnóstico causal é fácil, podendo ser feito pelo pediatra sem necessidade de especialistas.

A obesidade é motivo de preocupação porque pode ocasionar graves distúrbios para a saúde. Iniciando-se na infância, eles podem estender-se até a velhice. Desde problemas psicológicos (disfunções psicossociais) e ortopédicos (doença de Blount, deslizamento da epífise da cabeça do fêmur) à tolerância anormal à glicose (diabete), hipertensão, distúrbios do metabolismo do colesterol (aumento de lipoproteínas de baixa densidade + diminuição de lipoproteínas de alta densidade = doenças cardiovasculares, infarto, colelitíase) podem ser causados pelo excesso de peso.

Embora os bebês gordinhos sejam, além de bem aceitos, queridos e festejados por todos, as crianças pequenas, entre dois e cinco anos, já começam a discriminá-los, enquadrando-os entre os que não querem como amigos. Nessa fase, ou na idade escolar, começam a surgir os apelidos. Os meninos gordinhos praticam mal os esportes competitivos e as meninas levam desvantagem na competição social, o que pode levar a sentimentos de ansiedade e depressão. Felizmente, ou infelizmente, esses gordinhos não costumam ter a auto-imagem prejudicada. O que é bom, por um lado, e ruim, por outro, pois não se sentindo afetados pelos apelidos ou por qualquer observação menos lisonjeira sobre sua aparência física, eles são imunes aos apelos para que comam menos e deixem de assaltar a geladeira.

Entre os adolescentes e pré-adolescentes obesos, isso muda. Passa a haver uma insatisfação com a auto-imagem, o que nos ajuda a conseguir que aceitem as prescrições dietéticas. A televisão contribui decisivamente para a diminuição da auto-estima: os galãs são magros, as estrelas são esbeltas, os mocinhos são atléticos, as magrelinhas desfilam em passarelas, enquanto os chefes dos bandidos e os personagens humorísticos freqüentemente são gordos. Sem falar nos programas de cunho "científico", aterrorizantes, que nos dão a impressão de que os gordos estão sempre à beira da morte, sujeitos a infartos, acidentes vasculares cerebrais, diabetes graves e até à morte súbita. O que, aliás, é muito bem faturado pela indústria da magreza.

O apetite exagerado, a voracidade pelos *fast food*, podem se dever à insatisfação emocional. É a época em que os filhos se afastam mais dos pais e, caso não consigam fazer amizades com outras crianças, passam a sentir-se infelizes, solitárias e desamparadas. Como compensação, devoram doces e sanduíches em excesso, entregam-se a atividades sedentárias — televisão, computador e os videogames. Estes estão entre os principais responsáveis pelo enorme número de adolescentes americanos gordos — e por que não dizer, também dos brasileiros.

Bebê rechonchudo, adulto obeso

Embora a obesidade seja um problema cada vez mais comum, dificilmente se encontrará alguém satisfeito em ser gordo, seja por motivos estéticos seja pelos riscos decorrentes. O Instituto Nacional de Alimentação e Nutrição estimou que 27 milhões de brasileiros adultos, 32% da população, estejam com excesso de peso. Entre esses, 6,8 milhões são obesos. Boa parte deles começou a engordar ainda bebê, devido a uma alimentação com excesso de calorias.

O número de células de gordura (adipócitos) de uma pessoa é determinado nos primeiros anos de vida, principalmente no primeiro. Quando as células recebem uma quantidade de gordura maior do que a que conseguem armazenar, multiplicam-se exageradamente e seu número nunca mais diminuirá, mesmo que a pessoa emagreça. Se isso acontecer, as células diminuirão de volume, murcharão, mas seu número continuará o mesmo, o que explica porque os gordos têm tanta facilidade em recuperar o peso perdido.

Isso também explica por que bebês rechonchudos terão maior propensão para ficar gordos e assim permanecer, tornando-se adultos com grande dificuldade em controlar o peso. Portanto, não é sem motivo que se costuma dizer: "Criança gorda, adulto obeso." Como todos os ditos populares, este também tem seu fundo de razão.

Felizmente, uma boa parte das mães já se preocupa com o problema, questionando-nos: "Doutor, meu filho não está engordando demais? O senhor acha que ele tem que fazer alguma dieta?" Há mesmo algumas poucas mães que, apesar de terem filhos magros, têm um medo obsessivo da gordura e passam a restringir determinados alimentos, com prejuízos evidentes para o crescimento da criança.

Como a causa principal da obesidade está relacionada com o excesso ou o tipo de alimentação, a nutrição do bebê deve ser motivo de cuidados especiais, principalmente se seus pais são gordos. A obesidade paterna é um fator de risco bem conhecido. Meu avô, meu pai, eu e dois de meus filhos ficamos gordos após os vinte e cinco anos de idade. Existe uma relação proporcional entre a obesidade dos pais e a dos filhos: pequena, se os pais são magros; maior, se um deles é gordo; alta, se ambos são gordos. Isso significa que se os pais são gordos, deverão ser redobrados os cuidados com os bebês, tendo em vista, sobretudo, que é conhecida sua complacência em relação aos excessos alimentares dos filhos.

Se é assim, as medidas preventivas deverão ser iniciadas na mais tenra idade. O primeiro passo para que não se tenha um filho obeso começa nos primeiros dias: amamentá-lo exclusivamente ao seio nos primeiros seis meses de vida. Entretanto, certos bebês, mesmo amamentados ao seio têm excesso de peso. São gulosos, choram muito e, por esse motivo, vivem pregados aos seios da mãe, que acham que eles estão sempre com fome. Eles engordam muito e choram com freqüência por estar empanturrados, com distensão abdominal, e o que denomino de indigestão crônica. Nesses casos, deve-se aumentar o intervalo entre as mamadas.

Mas, sem dúvida, os bebês alimentados com mamadeiras são os que têm maior risco de se tornar obesos. Na tentativa de conseguir que seus filhos fiquem fortes, as mães ou babás lançam mão de alguns dos seguintes artifícios:

Com relação ao leite em pó: enchem bastante as medidas, o que aumenta a quantidade de pó em 15%; comprimem e raspam as medidas com força de encontro à lata, o que fornece até 50% a mais de pó; dão algumas medidas além das que foram prescritas, para que a mamadeira fique "mais forte".

Com relação às farinhas: introduzem-nas precocemente — às vezes no primeiro mês —, em quantidade suficiente para engrossar bem as mamadeiras, para que o bebê tenha "menos fome e ganhe peso". Mas bebês que consomem uma quantidade excessiva de farinha são gordos, pálidos e vulneráveis às infecções. Tornam-se portadores de um quadro clínico chamado distrofia farinácea, e são também conhecidos como gigantes de pés de barro por sua fragilidade.

Com relação ao açúcar: colocam bastante açúcar nas mamadeiras para que o leite "fique bem docinho" e o bebê "bem gordinho".

Todas essas medidas são extremamente eficazes em aumentar o número de bebês, crianças e adultos obesos.

As mamadeiras devem ser feitas com o número de medidas indicadas, passando-se uma faca para retirar o excesso de pó; as farinhas devem ser usadas somente a partir do terceiro mês, uma vez por dia, devendo ser evitadas entre os gordinhos, que poderão eventualmente tomá-las, uma vez por dia, a partir do sexto mês. E não se deve colocar açúcar nas mamadeiras. Como norma, os bebês devem ser acostumados com alimentos que contenham pouco açúcar, sal e gordura. Assim, estaremos contribuindo para a redução dos casos de obesidade, diabete e distúrbios cardiovasculares, entre os quais destacam-se a hipertensão e os infartos.

A mamadeira noturna engorda?

Ao nascer, a criança deve mamar quando tiver fome, inclusive à noite. Entretanto, em poucos dias, ela passará a querer mamar em intervalos regulares, de mais ou menos três horas. Com dois meses, esse intervalo passa a ser de 4/4 horas. Com quatro ou cinco meses, a maioria dos bebês se satisfaz com cinco mamadas por dia, alguns até com quatro, e não precisa mais mamar de madrugada. A mamada da noite, das 10 ou 11 horas, será suspensa quando ele deixar de solicitá-la ou não acordar com fome durante a noite. O que, em geral, ocorre a partir do oitavo mês. Em resumo, a maioria das crianças não necessita mamar de madrugada a partir dos três meses e dispensa a mamada noturna a partir do oitavo.

O processo descrito acima costuma ocorrer nos países anglo-saxônicos, porque na América Latina as coisas são diferentes. Crianças com quatro, cinco, seis meses tomam sua mamadeira ao deitar e algumas ainda de madrugada. Por que isso acontece? Por despreparo e insegurança dos pais, principalmente das mães. O bebê chora por vários motivos, e a mãe, achando que ele tem fome, passa a dar o seio ou a mamadeira a toda hora, dia e noite, fazendo dele um mal-educado. É preciso que ele tenha seu horário disciplinado. Infelizmente, a obesidade dos bebês ainda é interpretada como um sinal de que ele é bem cuidado. E a mamadeira noturna, muito mais do que a amamentação natural, em que a quantidade ingerida é regulada pelo apetite do bebê, é a maior responsável por isso.

A partir de um ano, por crescerem menos em peso, as crianças passam a comer menos e a ter um apetite flutuante. Somem as papadas e as dobrinhas, e os pais têm a impressão de que a criança está emagrecendo porque está comendo pouco. Preocupados, eles passam a dar mamadeiras suplementares durante o dia e, mais ainda, durante a noite. Isso, na verdade, além de não resolver o problema, pode, ao contrário agravá-lo.

As mamadeiras noturnas tiram a fome da criança, que passa a tomar leite durante a noite e deixa de comer, durante o dia, outros alimentos necessários ao seu bom desenvolvimento. Essas mamadeiras prejudicam o estado nutricional da criança, tornando-a mais dependente dos adultos, comprometem a dentição e, se administradas durante muito tempo, podem ser responsáveis por uma série de outros problemas, como sinusites, otites, tosse noturna crônica. Conclusão: a mamadeira à noite pode até fazer com que os bebês ganhem peso, mas realmente não deve ser indicada.

Não quero que meu filho fique gordo

Marcelo, sete anos, tem ficado aborrecido com os apelidos. Ao chegar à escola ou na hora do recreio, é chamado "carinhosamente" pelos colegas de "bolão", "jamanta", "pão de forma". No início, não se importava, mas a repetição continuada tem lhe causado problemas de ordem social e emocional. Está se achando diferente dos outros e acredita que algumas pessoas pensam que ele está doente, pois não consegue acompanhar os colegas nas brincadeiras, cansando-se com facilidade. Prefere ficar sentado, olhando os outros se divertirem. Sua alegria, no recreio, é saborear a suculenta merenda.

Flávia, dez anos, também é gordinha e acha que os meninos só gostam dela como amiga, mas vivem atrás da Francisca, uma lourinha magrela. Essas situações, como já mostramos, prejudicam a auto-imagem das crianças, despertando sentimentos de ansiedade e depressão. Sendo a obesidade vista como indesejável pela sociedade como um todo, tanto os adultos quanto as crianças gordas são considerados pessoas negligentes em relação a seu aspecto físico e a sua saúde. Infelizmente, essa impressão é compartilhada por pais, familiares, professores e até mesmo pelos médicos, que passam a discriminá-los.

Enquanto a pretensa falta de apetite do pré-escolar é habitualmente a expressão das preocupações de uma mãe superprotetora, o apetite excessivo e a voracidade podem representar uma forma de compensação de sentimentos de insatisfação ou rejeição. Alguém já disse que a criança comilona "abarrota o estômago para preencher o vazio do coração". Outra situação também é comum: a imitação. Se o pai ou a mãe forem comilões, a criança pode imitá-los, tentando ficar parecida com eles.

Os erros alimentares — aliados à falta de atividade física e os problemas emocionais, principais causas do excesso de peso entre escolares e pré-escolares — são de duas ordens: **os quantitativos**, que são caracterizados pela excessiva ingestão de alimentos, seja em grandes quantidades de cada vez, seja em quantidades menores a curtos intervalos — quando se costuma dizer que a criança se alimenta uma vez por dia: desde que acorda até quando se deita. E os **qualitativos**, caracterizados pela ingestão de alimentos de alto poder calórico, como farinhas, massas, gorduras, sorvetes, doces, refrigerantes, batatas fritas. Todos encontrados nas lanchonetes e adorados pelas crianças.

A falta de atividade física é outro fator importante; as calorias ingeridas não são queimadas pelo organismo, e se acumulam sob a forma de gordura. Televisão, videogames e computadores, muitas vezes incentivados pelos pais que têm medo da violência urbana, tornam as crianças ainda mais sedentárias. A equação poderia ser: televisão ou computador + sanduíches (embutidos, manteiga ou bacon) + litros de refrigerantes + sorvete + pizza = um gordinho a mais na praça.

Os fatores emocionais também são importantes e a insatisfação é geradora de adolescentes gordos.

De tudo isso, pode-se retirar algumas regras práticas para evitar que uma criança se torne obesa:

- Equilibrar a alimentação, que deve conter pelo menos um componente dos seguintes grupos de alimentos: proteínas (carnes, peixes, leite, ovos), carboidratos (açúcar, massas) e gorduras (óleos), vitaminas e minerais (frutas, legumes e verduras). As carnes deverão ser magras, retirando-se gorduras e peles, e, de preferência, grelhadas, assadas ou cozidas. Deve-se usar pouco sal e gordura, e valorizar o consumo de peixes;

- Restringir, porém não abolir, os alimentos de alto poder calórico, aqueles com elevados teores de carboidratos ou gordura;
- Evitar que a criança coma a toda hora. O hábito de beliscar, muitas vezes incentivado pelos pais porque o filho "não come nada", é nocivo tanto para os magros quanto para os gordos;
- Acostumar a criança a tomar sucos no lugar dos refrigerantes e a substituir os sanduíches com embutidos (salame, mortadela, presunto, hambúrguer) por outros que contenham queijo ou carnes magras (frango, peixe), já que é quase impossível fugir das lanchonetes e dos *fast foods*;
- Incentivar os exercícios físicos, que são a medida prática mais importante para prevenir a obesidade, o que implica afastar a criança por algumas horas da televisão. Além de consumir calorias, a atividade física diminui as tensões e as ansiedades, ocasionadas pelos estudos e pelas preocupações, que podem ser responsáveis pela gula;
- Controlar o peso da criança: ao primeiro sinal de excesso, identificar a(s) causa(s) e tomar as medidas necessárias;
- Não esquecer que a falta de amor, de carinho, de atenção ou a rejeição podem ser a causa do apetite exagerado de seu filho, que tenta matar a "fome" afetiva comendo muito.

Conduta na obesidade

À primeira vista, o tratamento parece fácil, mas, na prática, as coisas são mais complicadas. Pensem que mesmo pessoas adultas, infelizes, conscientes dos malefícios do excesso de peso, que prezam sua auto-imagem, têm grande dificuldade em seguir as dietas prescritas. E, quando conseguem perder peso, as recaídas são freqüentes, no chamado efeito ioiô. Imaginem então uma criança, que tem muito menos força de vontade do que um adulto.

Isso significa que, se os pais de um gordinho quiserem que ele perca peso, toda a família terá que mudar seus hábitos alimentares, comendo alimentos de baixo teor calórico, deixando o vício de beber refrigerantes — que não deverão ser estocados na geladeira —, trocando as deliciosas tortas e sorvetes por frutas e até, se necessário, substituindo o açúcar por adoçantes.

Será que seria justo o gordinho ser privado das coisas de que mais gosta e a turma de casa se fartar em comê-las na sua frente? Não resistindo, ele passa a assaltar a geladeira, a ser o maior freguês da lanchonete da escola e a ajudar os colegas inapetentes a comerem a merenda. Como muitos gordinhos têm problemas emocionais, costumam considerar uma injustiça essa discriminação e passam... a comer mais!

Em termos práticos, como uma primeira tentativa de tratamento, que dá resultado em boa parte dos casos, devemos diminuir a participação dos carboidratos — massas (pão, bolos, biscoitos, macarrão, pizza) e açúcares (sorvetes, refrigerantes, balas) — e das gorduras (frituras em geral, embutidos, carnes gordas) na dieta. A criança poderá comê-los nas festas, desde que a elas não compareça com freqüência. Por sua vez, os pais deverão diminuir progressivamente a quantidade de alimentos oferecidos. A criança deverá consumir diariamente pelo menos 750 ml de leite, carnes, aves ou peixes, um ovo, legumes, verduras e frutas. Em caso de dúvida, seu médico poderá indicar uma dieta balanceada.

É essencial a prática de atividades físicas, que, além de consumir calorias, dá oportunidade de encontrar fora da alimentação a solução para necessidades emocionais. O tipo e a duração dessas atividades dependerão da idade e das condições de saúde da criança. O apoio emocional, por parte da família, dos professores e do médico também é importante.

As crianças devem ser levadas ao médico com regularidade, para ser examinadas, ter seu peso controlado e, principalmente, ser aconselhadas e estimuladas, pois costumam aceitar melhor as sugestões de pessoas estranhas. Por ser nocivos, não devem ser dados à criança remédios para que ela emagreça, a não ser em casos muito raros, em que exista uma indicação médica precisa nesse sentido. Muitas crianças se beneficiam freqüentando os Vigilantes do Peso.

A obesidade deve ser encarada como um problema sério. Caso as medidas sugeridas não dêem resultado, devem ser consultados especialistas — endocrinologistas, nutricionistas, psiquiatras infantis e psicólogos. Da mesma forma, crianças e adolescentes com peso normal que fazem dietas extremas por medo ou pânico de ficarem gordos devem ser motivo de preocupação.

Exercícios físicos

Natação

"A importância das forças ambientais para os problemas da biologia, da medicina e da sociologia humanas nunca foi formulada com maior amplitude ou com visão mais penetrante do que na aurora da história científica", escrevia o biólogo René Dubos. Hipócrates, considerado o pai da medicina, reconhecia o "poder curativo da natureza" em que se incluíam os banhos. Meu avô, Xavier Lisbôa, que exerceu a medicina durante longos anos em Itajubá, Minas Gerais, antiescravagista, republicano, ao se formar pela Faculdade de Medicina da Bahia, defendeu tese sobre hidroterapia.

A utilização dos banhos como tratamento é conhecida desde a antiguidade. A natação alia os benefícios do banho aos dos exercícios, e chega a ser considerada por muitos a atividade que mais contribui para um desenvolvimento corporal harmonioso. A água fria aumenta a resistência das crianças às infecções respiratórias. E o exercício aumenta a capacidade respiratória. É assim duplamente benéfica para as crianças asmáticas, presas fáceis das infecções respiratórias.

Entretanto, a indicação da natação não pode ser feita de maneira indiscriminada, ou seja, achar que toda criança se beneficia com ela. Algumas delas, que por razões até mesmo anatômicas da trompa de Eustáquio — comunicação entre o ouvido e o nariz —, apresentam otites de repetição, e outras, por serem portadoras de sinusites recorrentes, freqüentemente não se beneficiam da natação. Nas fases agudas das otites e sinusites, a natação está formalmente contra-indicada e, em certos casos. esse impedimento poderá se estender por meses e anos.

O que faz mal é o mergulho, e não a água fria. Como é praticamente impossível impedir que uma criança mergulhe, contra-indica-se a natação. A colocação de tampões nas orelhas aumenta a proteção contra as otites externas, não contra as otites médias, pois, aqui, o que causa o problema é a entrada de água nas narinas, irritando a mucosa nasal e obstruindo a comunicação entre o ouvido e o nariz. Certas crianças têm asma induzida por exercícios; nesses casos, a permissão para nadar deve ser dada ou recusada pelo médico que a examina. Algumas precisarão tomar medicamentos antes dos exercícios, para prevenir as crises.

Com freqüência, mães se queixam de que seus filhos têm resfriados todas as vezes que tomam banhos de piscina. Geralmente, são crianças que em casa tomam banhos quentes. Se for o caso, será conveniente acostumá-las a banhos quase frios ou, como se diz, somente "quebrando a temperatura da água". O que se consegue baixando-se gradativamente a temperatura do chuveiro, durante uns quinze dias, até atingirmos o desejado. Não será bom passar do quente para o frio de forma abrupta, nem iniciar a mudança com a criança doente. Alguns médicos, em particular homeopatas, contraindicam a natação nos casos de asma.

Existem divergências quanto à melhor idade para ensinar os filhos a nadar. Pessoalmente, recomendo que o treinamento seja iniciado assim que eles comecem a andar, pois, a partir desse momento, as piscinas se tornam um risco. Entretanto, conheço várias crianças que aprenderam a nadar bem mais cedo, sem nenhum prejuízo. Confesso que fiquei apavorado ao assistir a um filme "educativo" onde se ensinavam crianças de poucos meses a nadar, por meio de um método que batizei de "sobrevivência". Jogava-se o bebê na água, ele afundava e, tal qual um cachorrinho, voltava à superfície. Essa manobra era repetida várias vezes e a criança acabava nadando. Felizmente, esse método já se tornou obsoleto e existem muitos outros em que, com paciência e com o auxílio dos pais, até mesmo crianças muito pequenas aprendem a nadar.

A cultura física

A valorização da cultura física começou na antiga Grécia e, desde então, tem passado por períodos de apreço e de abandono. Inicialmente, a preocupação maior era com a elegância e a harmonia das formas do corpo; mais tarde, ainda em Atenas, descobriu-se como era importante no preparo dos soldados — as Olimpíadas tinham uma forte conotação guerreira.

Na Idade Média, a cultura física era utilizada para preparar lutadores. E foi somente no século XX que se valorizou seu papel na promoção da saúde. Ao que parece, o motivo principal foi a publicação na França do livro *A Quoi Tient la Superiorité des Anglo-Saxons*, em que o autor descrevia a obsessão pelos esportes entre os ingleses e atribuía ao fato a hegemonia da Inglaterra, então considerada a maior potência mundial. Desde então, muito tem se falado e escrito sobre o valor dos exercícios físicos e dos esportes na promoção e preservação da saúde.

Exercícios físicos e esportes muitas vezes são considerados erroneamente quase sinônimos. Exercício não é sinônimo de esporte. Pedalar uma bicicleta, caminhar, fazer ginástica são formas de exercício, mas não de esporte. Quase todas as atividades profissionais envolvem a prática de exercícios, em maior ou menor grau. Prescrever exercícios para um entregador, que pedala uma bicicleta o dia todo, é, pelo menos, desumano.

O esporte pode ter como objetivo a competição, a formação ou a participação. Como competição, exige de quem o pratica resultados cada vez melhores; valoriza o rendimento e a performance. Como formação, é desenvolvido, por exemplo, na preparação de professores de Educação Física. Como participação é o que muita gente faz jogando peteca, vôlei, futebol com os amigos nos fins de semana. É mais uma atividade social.

Os exercícios e os esportes não-competitivos são indicados para as crianças. Os esportes competitivos só deveriam ser praticados com autorização médica, levando-se em consideração a idade, a maturidade e, principalmente, as condições de saúde da criança. Existem fases do desenvolvimento infantil adequadas a cada um deles. A prática de esportes competitivos, sem orientação médica ou de professores de educação física, pode acarretar conseqüências tardias desastrosas sobre as fases do desenvolvimento físico, psíquico e emocional dos pequenos praticantes.

Esportes

A maioria dos pais não pergunta aos filhos se eles desejam ou não fazer exercícios físicos ou praticar esportes, e também ignora quais os mais indicados, ou contra-indicados, para cada faixa etária. Infelizmente, um número crescente de crianças vêm sendo sobrecarregadas de atividades.

Pedrinho, quatro anos, é levado ao consultório por viver cansado; a mãe acha que ele deve "tomar algum remédio, ou, quem sabe, um fortificante" que lhe dê mais energia. Pedrinho levanta às 7 horas, coloca sua "pequena" mochila nas costas (deve pesar uns cinco quilos) e segue para a escola. Volta ao meio-dia e almoça; das 3 às 5 horas, três vezes por semana, é levado para a natação; duas vezes por semana, no mesmo horário, pratica judô; nos fins de semana, vai ao clube com os pais, irmãos e amigos, onde nada e joga futebol. Ia me esquecendo: duas vezes por semana, estuda inglês. Quando eu pergunto à mãe quando é que o Pedrinho brinca, ela leva um susto e responde: "Na hora do judô e na natação." Aí se estabelece um diálogo que é mais ou menos o seguinte: "D. Margarida, foi o Pedrinho que pediu para ir à escola, para estudar inglês, para fazer natação e judô?" "Não, mas ele gosta." "Se foi colocado nessas atividades, sem haver pedido e para onde é levado em horários determinados, acho que o Pedrinho não está brincando, está cumprindo tarefas a ele atribuídas. Em outras palavras, está trabalhando, e de forma muito pesada. Não seria justo dar-lhe um medicamento para aumentar sua resistência. Prefiro recomendar-lhe que suprima algumas das atividades e deixe seu filho brincar, que é do que ele mais precisa nessa idade."

Esse tipo de situação, embora com variações, vem acontecendo, cada vez com maior freqüência, pela preocupação que a sociedade vem tendo com a cultura física e com a necessidade de se praticar exercícios, como forma de conseguir beleza, força, equilíbrio emocional, prestígio, sucesso e principalmente saúde. Assim, não é sem razão que os pais, em especial as mães, desejem que seus filhos comecem a se exercitar cada vez mais cedo.

Desde que adequados às peculiaridades de cada faixa etária e de cada criança, os exercícios físicos podem, e devem, ser iniciados logo após o nascimento. Os esportes, no entanto, particularmente quando são competitivos, podem ser bastante nocivos. Atividades frenéticas, como as desenvolvidas por Pedrinho, em que as crianças são empurradas para as quadras, para as piscinas, os tatames, os campos de futebol, os ginásios olímpicos, e, a pior de todas, para academias de musculação, podem produzir danos irreversíveis, do ponto de vista físico ou emocional. A melhor atividade física para uma criança pequena é brincar.

Os exercícios são indispensáveis?

A maioria das pessoas, sem hesitar, responderia a pergunta acima de modo afirmativo. Entretanto, tenho minhas dúvidas. Os filhotes de praticamente todos os animais são muito ativos. Correm e brincam o dia inteiro. O carneiro, o cavalo, o bezerro, o cabrito, o cachorro exercitam-se bastante durante a infância e a adolescência. O mesmo ocorre com o filhote do homem, após completar um ano. Mal começa a andar, sai correndo.

Entre um e cinco anos, crianças em idade pré-escolar fazem o mesmo que os filhotes dos outros animais: brincam e correm o dia inteiro. Portanto, embora os exercícios possam ser justificáveis até para o bebê, que não se locomove, acredito que sejam desnecessários nessa faixa etária. Costumo chamar as crianças de um a três anos de investigadores: andam quilômetros por dia, tanto que cansam qualquer adulto que tente acompanhá-las. Olham e pegam tudo o que esteja a seu alcance, cheiram, provam e comem qualquer coisa ou objeto. Suas atividades são algo de fantástico. "Doutor, dê um calmantezinho para ele. Ele não pára!", é uma queixa comum das mães dos pré-escolares. O mesmo se poderia dizer dos escolares — crianças de seis a onze anos —, que vão para a escola a pé ou de bicicleta, brincam de pique, de salva, e maré-maré, jogam peladas, nadam.

Infelizmente, a chamada vida moderna, principalmente nas cidades grandes, tem limitado as atividades físicas, tão salutares para as crianças. O "investigador" é colocado diante da televisão enquanto estiver acordado, para que a casa e os adultos tenham paz. Os que vão para a escola utilizam meios de transporte, que não exigem qualquer atividade física. Não são mais as crianças que conhecemos quando éramos pequenos, livres para ir de casa para a escola, ou para os locais de lazer. A saída da escola mais parecia uma revoada de pássaros, alegre, barulhenta, risonha, seguida de uma boa caminhada para se chegar em casa. Hoje, as facilidades de transporte e o medo da violência urbana fazem com que não se permita às crianças ir sozinhas à escola e se estimule sua permanência em casa, onde estão mais protegidas.

A televisão, o videocassete, o computador, o cinema, o transporte motorizado, a falta de áreas de lazer estão diminuindo a aptidão física das nossas crianças. Quando muito, elas são levadas a passear nos parquinhos ou no térreo dos edifícios, tal qual os animais de estimação. Nesses casos, impõe-se que se busque uma forma de atividade física para elas, o que se pode conseguir até pela recreação.

Entretanto, no planejamento da educação física para crianças, deve ser levado em conta que ela servirá também como um meio para liberar a agressividade, diminuir a ansiedade, estimular a iniciativa, o espírito de liderança, aumentando a autoconfiança, a auto-estima e o autocontrole. Daí se pode depreender a importância, ainda mais nos dias atuais, da prática da educação física nas escolas, que, infelizmente, é relegada a um segundo plano, tanto pelas próprias escolas quanto pelos professores e pelos pais.

Pais, incentivem seus filhos a praticar atividades físicas, inclusive nas escolas! Não peçam aos médicos que dêem atestados para que eles não façam educação física, sem que realmente exista um motivo muito forte que justifique. Pedidos de atestados criam situações embaraçosas, de grande constrangimento para o médico e para os pais, pois devem ser sistematicamente negados. Ainda mais nos casos em que, além de falsos, prejudicam as crianças.

Quando iniciar os exercícios?

Os exercícios podem ser iniciados logo após o nascimento. Até três meses, eles visam descontrair os bebês e devem ser feitos acompanhados de canções e palavras carinhosas que transmitam segurança, num ambiente calmo e tranqüilo. De preferência, use as mesmas palavras e canções para os mesmos movimentos. No início, os exercícios são muito simples e visam desenvolver a musculatura do pescoço, dos membros inferiores e superiores, e das mãos. Nunca deverão ser impostos, mas insinuados, tornando-se prazerosos.

Dos três aos seis meses, os exercícios devem durar no máximo quinze minutos, repetindo-se os anteriores e acrescentando-se aqueles que ajudem o bebê a se sentar, ou seja, os que reforcem as musculaturas abdominal e dorsal. A partir dos seis meses, eles devem preparar a criança para engatinhar, ficar de pé e finalmente andar — o pleno desenvolvimento da motricidade.

Dois livros — *A Ginástica do Bebê*, de Janine Levy, e *Da Barriga da Mamãe aos 3 Anos*, de Marcia Mamede e Maria Helena Corrêa — ensinam como devem ser realizados os exercícios mais importantes. Um método extremamente interessante é a técnica de massagens para bebês, conhecida no Ocidente como *shantala*. Estando o Prof. Leboyer, médico francês, em Calcutá, na Índia, observou uma mulher massageando o filho e ficou encantado com a seqüência de movimentos e a força do amor que os acompanhava.

Essa mulher se chamava Shantala, e seu nome foi utilizado pelo Prof. Leboyer para batizar a técnica, ou melhor, a arte de massagens e movimentos acompanhados de uma profunda interação entre a mãe e seu filho, desde o nascimento. Algumas dicas:

- Para promover a saúde, os exercícios não devem levar ao cansaço e, muito menos, ao esfalfamento; o excesso de exercícios tem encurtado a vida de muita gente;
- Devem ser feitos por todos, sempre levando-se em consideração as faixas etárias e as limitações próprias de cada indivíduo; a maioria das pessoas portadoras de deficiências, ou mesmo de doenças incapacitantes, pode, e deve, fazer exercícios, cuja indicação será individualizada;
- Os melhores são aqueles feitos com prazer, não como obrigação, levando-se em conta o horário do dia e as condições climáticas;
- Levar sempre em consideração que certas atividades podem substituir a ginástica: **em casa**, lavar o carro, o chão, vidros, cortar grama ou limpar o jardim, empurrar o carrinho do bebê, levar cachorro para passear, fazer compras, ir ao banco, à padaria, ao jornaleiro, brincar com as crianças; **no trabalho**, subir e descer escadas, estacionar o carro longe do escritório, ir a pé ou de bicicleta, descer do ônibus um pouco antes; **no lazer**, nadar, correr, dançar, pular corda, caminhar, pedalar.

Por último, devemos nos lembrar que os músculos são comandados pelo cérebro e que a força física deverá ser sempre subordinada à força intelectual e moral.

O atleta mirim

Quem é que não deseja ter um filho atleta? Forte, musculoso, bonito e, se possível alto, louro, de olhos azuis e queimado pelo sol! Para a grande maioria dos pais, esse sonho nunca se realizará, pois a genética se encarregará de frustrá-los.

Os exercícios e os esportes, bem orientados e praticados, podem contribuir bastante para o desenvolvimento físico e emocional das crianças. Qualquer uma poderá se beneficiar dessas práticas, mesmo as portadoras de doenças incapacitantes, desde que seja bem estabelecido o grau de limitação de cada uma e o tipo de atividade mais adequada.

Algumas crianças detestam qualquer exercício físico, queixam-se freqüentemente de cansaço, de dores musculares, apresentam um baixo rendimento por não gostarem do que fazem, e vivem atrás dos pais tentando conseguir uma forma de escapar da educação física. Por outro lado, em nome da estética e da saúde, ou mesmo por modismo, certos pais querem que seus filhos pratiquem esportes o mais precocemente possível e, ainda, que se tornem campeões.

Tanto a criança sedentária quanto a praticante de esportes competitivos podem apresentar problemas. As sedentárias apresentam maiores riscos de se tornarem obesas, aumentam as chances para doenças cardiovasculares e distúrbios emocionais, como nervosismo, irritabilidade e depressões. Os atletas mirins podem apresentar distúrbios ligados ao aparelho ósteo-articular-ligamentoso — posturais (coluna), articulares e ósseos — e crescer menos se forem praticantes de esportes que aumentem precocemente sua massa muscular. Determinados esportes, como, por exemplo, o tênis, desenvolvem de forma desproporcional a musculatura, comprometendo a harmonia do corpo.

Além disso, os efeitos psicológicos não são desprezíveis. Não atingindo a performance desejada pelos pais, a criança acha que os decepcionou e se frustra. Para alegrá-los, tenta dar cada vez mais de si, nem que isso signifique sacrifício de seu corpo. Se as cobranças forem freqüentes, esse processo pode se agravará, levando à insegurança e à depressão. Cometem erro grave os pais que têm desempenho brilhante em determinadas modalidades esportivas e exigem dos filhos os mesmos resultados por eles obtidos.

Pais de baixa estatura, inconformados com o pouco crescimento do filho, procuram o pediatra para que ele consiga o impossível — que o filho cresça o bastante para se tornar um astro no basquete ou no vôlei. Quantas crianças foram submetidas a tratamentos inócuos, desnecessários ou nocivos, inclusive hormonais, para satisfazer a vontade dos pais. Se nós, pediatras, soubéssemos como fazer as pessoas crescer o quanto desejassem, acima de seu potencial genético, os tampinhas desapareceriam.

Os pais não podem, e não devem, estimular seus filhos à prática de esportes competitivos que exijam determinados pré-requisitos físicos, como a altura, se não tiverem a possibilidade de prevê-los. Uma boa prática é a valorização de atividades intelectuais e culturais, que são as responsáveis pelo sucesso ou fracasso na vida adulta. Existem idades adequadas para o início dos esportes. Eles podem ser iniciados de forma não competitiva, na faixa etária adequada, como exemplificamos a seguir: natação, três a sete anos; ginástica olímpica, a partir dos sete anos; atletismo, dois a sete anos; tênis, a partir dos sete anos; futebol, entre dois e sete anos; ciclismo, entre dois e sete anos; basquete e vôlei, a partir dos sete anos; judô e caratê, a partir dos sete anos; hipismo, a partir dos sete anos; balé e sapateado, seis anos.

Os esportes competitivos podem ser iniciados entre nove e dezesseis anos, dependendo da avaliação das condições físicas, das medidas antropométricas, da maturidade biológica e da composição corporal. Não podemos nos esquecer de que alguns esportes competitivos, como golfe, arco e flecha, tiro ao alvo, exigem pouca atividade física.

Sexo

Quando falar sobre sexo?

Nasceu Gabriela, irmã de Marcelinho, dois anos e meio, e de Gustavo, um ano e dois meses. Durante o exame, notei que os meninos observavam atentamente a irmã desnuda. De repente Marcelinho apontou para a genitália da irmãzinha e perguntou: "Tio Lisbôa, quando é que vai crescer?"

Com dois ou três anos de idade, as crianças começam a fazer perguntas relacionadas com as diferenças sexuais. Nessa idade, as perguntas relacionam-se à reprodução e ao nascimento e, posteriormente, ao papel do pai em toda essa história. Freqüentemente, surgem quando a criança vê a barriga da mãe crescer e ouve conversas sobre a chegada de um irmãozinho. Só bem mais tarde, surgem perguntas relacionadas com o ato sexual.

As maiores dúvidas dos pais são *quando* responder as perguntas, *quem* deve respondê-las e *como*. Quando responder? Sempre que as perguntas surgirem, deverão ser respondidas de forma breve, clara e honesta, levando em consideração a idade e a satisfação da curiosidade da criança. Se os pais não souberem responder, devem dizer com honestidade que irão procurar informar-se para dar a resposta correta depois. Os sermões ou discursos explicativos são contra-indicados. Certamente a criança voltará à carga se sua curiosidade não tiver sido satisfeita, portanto, as explicações devem ser repetidas tantas vezes quantas forem necessárias. Sem pretender desanimar ninguém, um dos meus filhos me fez repetir mais de cinqüenta vezes como havia sido o seu nascimento.

Não se esqueçam de que algumas crianças vão conferir as informações recebidas, perguntando a mesma coisa a outros familiares e, às vezes, até às visitas. "Tia, você também tem pênis?" Se isso acontecer, a situação deverá ser encarada com naturalidade, sem risadas ou punições, que só confundirão a criança.

Embora sexo e reprodução sejam atos naturais da maior importância, pois possibilitam a continuidade das espécies, a educação sexual das crianças ainda é considerada um tabu. A maioria dos pais acha difícil conversar sobre o assunto com os filhos, apesar da chamada revolução sexual da década de 60. Pesquisa feita em Cleveland, nos Estados Unidos, constatou que mais de 85% dos pais nunca haviam conversado sobre sexo ou o ato sexual com os filhos entre três e onze anos, e 45% não haviam discutido sobre menstruação com as filhas.

Essa relutância deve-se principalmente à falta de conhecimentos, à idéia de que a transmissão prematura dessas informações possa prejudicar seus filhos, à expectativa de que outras pessoas, como os professores, possam fazê-lo ou até ao medo de que as crianças possam utilizar essas informações para "experimentações" perigosas.

Um dos erros mais freqüentes que os pais cometem é acreditar que as perguntas relacionadas com a reprodução impliquem necessariamente a experiência das sensações e da prática do sexo, o que não é verdade. Perguntas do tipo: "Por que a Mariazinha não tem pinto?", "Mamãe, por que o pinto do papai é maior do que o meu?", "Cadê o peru da Margarida?", "De onde veio o Juquinha?", "Como é que ele entrou na sua barriga?", "Como é que ele saiu da sua barriga?" estão relacionadas com uma curiosidade natural sobre a reprodução.

Tive um quadro abdominal agudo que, após alguns dias, terminou em cirurgia. Marcinho, o mais velho dos meus quatro filhos, então com quatro anos, procurou a mãe e disse: "Mamãe! Já sei o que o papai tem. Ele vai ter um nenê! A barriga dele está crescendo, ele vive segurando a barriga, e os médicos estão querendo levá-lo para o hospital!!!"

E quando falar com a criança sobre sexo e reprodução? Quando elas perguntarem; nem antes e nem depois. As crianças que até os sete anos não tiverem feito perguntas sobre sexo podem ter chegado à conclusão de que é proibido falar sobre esse assunto em casa ou, então, já obtiveram as informações que desejavam com outras pessoas. Nesses casos, será de toda conveniência que os pais provoquem uma conversa amistosa sobre o tema, fazendo perguntas e encorajando-as a falar, sem forçar, para saber se elas estão informadas e, principalmente, bem-informadas.

Quem deve falar sobre sexo?

A criança começa a demonstrar curiosidade e interesse sobre sexo entre dois e três anos. Isso quer dizer que a partir dessa idade as perguntas começarão a ser feitas e deverão ser respondidas. Os pais são, naturalmente, as pessoas mais indicadas para cumprir essa missão. O natural seria que o pai conversasse com o filho e a mãe, com a filha. Entretanto, não haverá nenhum problema caso ocorra o contrário.

O modo de encarar o sexo e a forma de convivência entre os pais irão influir positiva ou negativamente na educação. Se são inibidos, evasivos, preconceituosos, se o tema sexo e reprodução é considerado tabu e confundido com sujeira, nojo ou vergonha, haverá o risco de a criança não receber instrução alguma ou, pior, incorporar conceitos errôneos.

Muitos desses pais, inseguros e desinformados, não tendo vocabulário e liberdade que lhes permita conversar livremente com os filhos, jogam a responsabilidade da educação sexual para a escola. Embora os professores possam cumprir bem esse papel por estarem menos envolvidos emocionalmente com as crianças e até corrigir algumas distorções na orientação dada pelos pais, não se pode esquecer de que muitos professores bem-intencionados, por serem solteiros, sem filhos ou religiosos, não têm nenhuma vivência sobre o assunto, o que não vai lhes dar a segurança e a espontaneidade necessárias à transmissão dessas informações.

À escola cabe a complementação da educação recebida em casa. Infelizmente, além de faltar a boa parte dos pais os conhecimentos básicos e a habilidade para conversar com os filhos sobre um assunto de tal magnitude, muitas vezes suas vivências relacionadas com o sexo e a reprodução estão associadas a situações traumatizantes, idéias confusas, tabus e à sensação de vergonha, resultantes de informações errôneas por eles recebidas.

Não é sem razão que muitos pais, sentindo-se confusos, constrangidos, ansiosos e incapazes de responder a qualquer pergunta que lhes seja formulada, responsabilizam o outro parceiro, as outras pessoas ou a escola pelo processo de instrução. Ninguém duvida de que os pais sejam os maiores responsáveis pela educação sexual dos filhos. Se eles não os educarem, alguém, bem ou mal, o fará. Hoje, uma grande quantidade de livros de boa qualidade poderá ajudá-los a se sentir mais preparados e seguros, habilitando-os a representar bem o seu papel e impedindo-os de falar sobre cegonhas, lojas de bebês e outras coisas do gênero. Não permita que seu filho de quatro anos diga aos amiguinhos: "Imaginem vocês que o coitadinho do papai ainda acredita na cegonha!"

Como falar sobre sexo?

O ponto mais difícil da educação sexual, e talvez o mais importante, é a maneira de conversar sobre sexo com os filhos, que depende bastante de como os pais encaram o sexo e como assumem sua sexualidade. Ao falar sobre o tema, é indispensável que os pais sejam espontâneos. Transmitir informações sobre educação sexual deveria ser tão natural quanto ensinar hábitos alimentares, higiene, regras de comportamento, prevenção de acidentes ou explicar por que as abelhas gostam das flores, os cães abanam o rabo ou as folhas são verdes, amarelas ou vermelhas. Entretanto, não é. A maioria dos pais é preconceituosa, sente-se constrangida, tolhida e embaraçada quando o assunto é reprodução ou sexo.

Nada mais simples do que explicar o processo de reprodução em termos acessíveis, usando imagens comparativas ou algum dos inúmeros livros de gravuras sobre orientação sexual — desde que não se delegue aos livros o papel que cabe aos pais. Deve-se levar sempre em consideração a idade e o grau de desenvolvimento da criança. Não se dialoga com um menino de três anos, que está preocupado por ter descoberto que tem pênis e a irmã, não, da mesma forma que se conversa com um adolescente preocupado com problemas de ereção.

O meio em que vive a criança também influi na instrução. Ao se usar o exemplo clássico da "sementinha que o papai plantou dentro da mamãe" para explicar uma gravidez, deve-se levar em conta a possibilidade de a criança perguntar o que é uma sementinha, pois ela pode nunca ter visto uma. Ou, então, ao tentar explicar o processo de fecundação humana comparando-o com o de outros animais, deve-se lembrar que ela pode desconhecê-los por sempre ter vivido em um apartamento. Nesse ponto, as crianças que vivem em áreas rurais entendem as coisas com mais facilidade porque desde pequenas vêem animais reproduzindo. Por outro lado, os urbanos, "escolados" pela televisão, depois de ouvirem a explicação dos pais, podem procurar os amiguinhos e dizer: "Você sabe que os cavalos também fazem 'aquilo'?"

Nunca cometa o erro de associar suas explicações sobre sexo com pecado, doença, sujeira, coisa má, tabus sobre a virgindade etc. Será difícil o seu filho entender que um ato fisiológico como a reprodução possa ser, ao mesmo tempo, tão belo e tão nocivo.

A desinformação sobre sexo pode deixar seu filho vulnerável e receptivo a noções errôneas. Essa ignorância, na adolescência, é a causa mais freqüente das gestações indesejadas, um dos problemas mais importantes na área da saúde. É impressionante o número de adolescentes que brincam de sexo e transam sem o mínimo conhecimento sobre o assunto. Infelizmente, essa ignorância é também responsável pelo número crescente de casos de AIDS.

Esse risco pode ser comparado ao de uma criança que crescesse sem nenhuma instrução sobre como prevenir acidentes de trânsito. Alguns pais que são tão cuidadosos em ensinar aos filhos como atravessar as ruas, obedecer aos sinais, dar prioridade aos veículos, esquecem-se de ensinar-lhes os cuidados a serem tomados em relação ao sexo, o que poderá conduzi-los a males mais devastadores do que os que ocorrem no trânsito. Um jovem que recebeu uma educação sexual livre de preconceitos e de deformações saberá defender-se melhor de situações perigosas, entre as quais, os crimes e as violências sexuais. Os "sabidos", que receberam instruções inadequadas dos amigos e colegas, e os ingênuos são os que correm maior risco.

A instrução sobre sexo e reprodução que começar a ser ministrada às crianças de dois ou três anos tem que continuar durante todo o período de crescimento e desenvolvimento do ser humano. Às vezes, até na vida adulta e na velhice.

No matrimônio deve haver amor e prazer. O desajuste e o desequilíbrio na vida sexual dos casais são os grandes geradores de incompreensões, insatisfações, revoltas, ódios, amarguras, agressões, que inviabilizam casamentos e desestruturam as famílias. A educação sexual bem conduzida, que compatibiliza a realidade biológica com os valores morais e sociais, contribui decisivamente para a saúde mental do ser humano.

Masturbação

"Minha filha tem três anos, se masturba em cima da bola, há quase um ano, e se justifica dizendo que está fazendo ginástica." Praticamente todas as crianças em torno dos três anos, em algum momento, se masturbam. Infelizmente, para a cultura da maioria dos adultos, a palavra tem conotações morais de tal ordem que eles se sentem tentados a usar medidas coercitivas, que vão desde as críticas aos castigos físicos. A angústia e a preocupação exagerada dos pais são um dos principais fatores responsáveis pela duração prolongada da situação.

Aos três meses, o bebê descobre as mãos, pelo tato e pela visão. Depois de algumas semanas, já consegue colocá-las e retirá-las de seu campo visual e, com cinco meses, já consegue controlá-las. Daí para a frente, passa a usá-las para explorar outras partes do corpo: puxa os cabelos, enfia o dedo no nariz, nas orelhas e no umbigo, segura os pés e brinca com a genitália, uma região que lhes pode causar maior prazer do que as outras. Para obter mais satisfação, passa a manipulá-la com maior freqüência.

Para o bebê, coçar a cabeça ou o pênis é a mesma coisa, com o que os pais não costumam estar de acordo. Se sente prazer em coçar a cabeça, tudo bem, se coça o pênis, alguma coisa deverá ser feita. Geralmente, o bebê brinca com a genitália quando está nu. É muito comum a queixa das mães de que o menino vive segurando o "peru" ou que a menina vive com a mão na "perereca". Isso é uma fase de desenvolvimento de todas as crianças. A malícia só existe na cabeça do adulto e é aí que reside o problema.

A situação torna-se mais complicada quando o pênis entra em ereção e o bebê acha interessante brincar com ele. Os pais, ansiosos e preocupados, concluem que esteja se masturbando e que precisa parar com isso. Passam a tomar posições críticas e punitivas. Começam retirando as mãos do bebê da genitália. Depois vêm as proibições: "Não faça isso!", "Isso é feio". Seguem-se as ameaças: "Você vai machucar seu peru"; "Você vai ficar doente"; "Isto faz mal"; "Mamãe ficará triste se você fizer de novo". Por fim, os castigos, dos tapas nas mãos aos espancamentos.

Com esse tipo de atitude, os adultos conseguem conscientizar até crianças com menos de um ano de que estão fazendo algo errado, condenável e imoral. Em vez de melhorarem a situação, reforçam-na, dando-lhe conotação de culpa. Senão, pior ainda, suprimem um comportamento normal e necessário ao bom desenvolvimento da criança, o que pode levar à ansiedade e a distúrbios de comportamento. Crianças que não se interessam pela genitália e não brincam com ela podem se tornar adultos com acentuadas inibições e dificuldades na esfera sexual.

Qual a atitude recomendada para lidar com as crianças pequenas, quando elas manipulam a genitália? Deve-se distraí-las com brinquedos ou fazer com que usem as mãos, criando situações que desviem sua atenção. O que não deve ser feito? Dar-lhes a impressão de que o que estão fazendo é mau, feio ou sujo. Tal atitude poderá chamar-lhes a atenção para essa parte do corpo, reforçar o gesto, torná-lo um hábito ou criar uma situação de preocupação com a genitália.

A prevenção da masturbação excessiva e compulsiva começa com o bebê. Não compreendendo a posição crítica e punitiva tomada pelos pais, ele se sentirá cada vez mais renegado e culpado. Essa situação vai se agravando com o crescimento. Em torno dos três anos, o medo do que possa vir a acontecer ou que tenha acontecido com os órgãos genitais é uma das causas do manuseio excessivo, decorrente muitas vezes das ameaças ou castigos. Sentindo-se discriminada, insegura e angustiada, a criança perde o interesse por outras atividades e só encontra satisfação na masturbação, muitas vezes praticada em público, o que a torna motivo de recriminações.

O agravamento progressivo do quadro pode levar a uma situação compulsiva, prejudicial à criança. Com freqüência, as crianças que se masturbam compulsivamente o fazem por serem nervosas e preocupadas, e não o contrário. A falta de atenção e a solidão são companheiras da masturbação. Mais uma vez, a prevenção é bem mais fácil. Instalado o problema, os pais têm que agir com paciência, amor e carinho, para tentar eliminar o hábito, lembrando-se de que a insatisfação afetiva é uma de suas principais causas. Proporcionar diversões e buscar o convívio com outras crianças, para que ela sinta prazer no relacionamento com a família e com outras pessoas. Não zangar, não ameaçar, não punir, não bater!

Certas situações podem fazer com que as crianças coloquem as mãos com freqüência na genitália: assaduras, alergias, calcinhas confeccionadas com material sintético ou muito apertadas, vermes (oxiúros), corrimentos. Cada uma delas deverá receber tratamento adequado. Excepcionalmente, quando os pais não conseguem identificar os erros no relacionamento com os filhos, é aconselhável buscar o auxílio especializado de psicólogos.

Homossexualidade

São abundantes as teorias sobre a natureza e as causas da homossexualidade. Embora haja pouco conhecimento concreto sobre o tema e, tal como o fetichismo, o transvestismo e o transexualismo, seja considerado uma inversão psicossexual, cada um deles tem suas peculiaridades. A teoria psicanalítico-etológica admite "a regressão evolutiva do desenvolvimento libidinal em níveis pré-edipianos, em virtude da identificação com a figura materna superprotetora na presença de uma imagem paterna neutra ou ausente", durante um período crítico do desenvolvimento psicossexual, ou seja, entre três e sete anos.

Em nossa cultura, aprendemos desde a mais tenra idade que o homem desempenha o papel de forte, agressivo, corajoso, protetor natural das mulheres e das crianças. Por sua vez, a mulher é considerada frágil, terna, carinhosa, dócil e delicada. Essa postura cultural define o papel dos meninos e meninas. Eles devem gostar de esportes, discutir, brigar, subir em árvores, reagir a qualquer coisa que considerem uma agressão. Resumindo, têm que ser "machos". Elas devem gostar de bonecas, cuidar da casa, cozinhar, dançar, ouvir música, enfim, coisas que definem o papel feminino de esposa e mãe.

Essa visão puramente cultural permite a identificação de trejeitos masculinos e femininos. Tanto é cultural, que meninos usando saia na Escócia, Inglaterra, Grécia e noutros países europeus, são vistos com naturalidade, o que não ocorreria aqui. Ainda dentro dessa visão cultural, os meninos não devem ter medo, mas têm, e não podem mostrá-lo, por temor ao pai ou às chacotas dos colegas. Os considerados covardes ou medrosos, por falta de agressividade, são chamados de "menininhas" pelos outros meninos.

Na idade crítica, dos três aos sete anos, o menino pode reproduzir o comportamento do pai ou da mãe, inclusive preferências de um ou de outro. Pai agressivo, violento, arbitrário, dominador poderá fazer com que a criança fique revoltada e, caso ela seja de boa índole, prefira optar por seguir o comportamento e os trejeitos maternos. Quanto mais a criança percebe que essa atitude aborrece o pai, mais ela continuará agindo dessa maneira. Com o tempo, poderá desenvolver um comportamento homossexual, em que predominarão os trejeitos femininos.

Em torno dos oito e nove anos, podem ocorrer situações que eventualmente interferirão de modo negativo no desempenho do papel masculino, relacionadas aos companheiros de escola ou de lazer. A criança, não conseguindo acompanhá-los nas atividades próprias da idade — que, com freqüência, envolvem esforço físico, agressividade e, não raramente, certa dose de violência —, acaba afastando-se e optando por outros tipos de atividades como leitura, dança, jogos de salão. Essa atitude pode ser mal interpretada pelo grupo, que passa a discriminá-la e a tratá-la como "maricas", "efeminado" ou "nenenzinho". Os pais, tentando ajudar, procuram o auxílio de médicos ou psicólogos, o que reforçará na criança a idéia de que ela não é normal. Essa situação poderá criar dúvidas, ansiedades e complexos de inferioridade, relacionados a sua masculinidade, o que, eventualmente, levará a um comportamento homossexual se, na adolescência, fracassar em suas primeiras experiências sexuais.

O comportamento dessas crianças, ao contrário do grupo de menor idade, é masculino, por não se haver identificado com o padrão feminino. Crescem humilhadas, inferiorizadas, são vítimas das ironias e da agressividade dos colegas, o que faz com que tenham raiva de figuras masculinas.

Em resumo, aquelas crianças que se identificam com o nosso padrão cultural feminino, com menos competência para exercer o papel masculino e com raiva do pai ou dos colegas, chegam à adolescência com chances de se tornarem homossexuais. Esses adolescentes, além da inferioridade sexual masculina, têm medo de fracassar no ato sexual, por problemas de ereção, o que os leva a fugir das mulheres. Aos poucos, esse mesmo medo os leva a procurar companhia masculina e, caso vivam uma experiência sexual bem-sucedida, podem passar a ser homossexuais.

Há nos adolescentes momentos de desorganização da personalidade, seguidos de reorganização, que, se não ocorre rapidamente, permite que eles possam vivenciar delírios sobre a sua própria pessoa, relacionando-se com indivíduos do mesmo sexo, o que os leva ao denominado pânico sexual. Esse pânico tem como base sentimentos homossexuais inconscientes e ocorre com maior freqüência quando os adolescentes convivem com pessoas do mesmo sexo, em internatos, quartéis, habitações coletivas, prisões, o que explica a incidência maior de homossexualismo nesses locais. A reorganização da personalidade do adolescente pode ajudá-lo a lidar corretamente com o pânico e a não se tornar homossexual.

As causas da homossexualidade não podem ser restritas às explicações acima. Em determinadas famílias, há uma incidência maior de homossexuais. Pais homossexuais têm, com mais freqüência, filhos com o mesmo problema. Fatores genéticos, hormonais e ambientais também podem ser responsabilizados. Como disse no início, a problemática é complexa e ainda existem inúmeras dúvidas merecendo explicações convincentes.

Meu filho está apaixonado

Acredito que a maioria das pessoas tenha se apaixonado quando criança. Comigo aconteceu pela primeira vez aos dez anos. Nunca me esqueci da minha amada, a senhorita Helena, professora de Ciências no Gymnasio Leopoldinense. Achava-a linda, e ela o era, de verdade. Esperava ansiosamente as aulas, para revê-la e admirá-la. Meu embevecimento era tal que, quando ela me dirigia perguntas, eu levava um susto, pois estava em outro mundo. Esse amor platônico durou uns dois anos, até terminarem as aulas de Ciências. Helena, pessoa a quem hoje dedico uma grande amizade, só soube do fato trinta anos mais tarde, quando ambos já estávamos residindo em Brasília.

Quando era estudante de medicina no Rio de Janeiro, morava numa pensão com mais quinze primos, na Rua Clarice Índio do Brasil. Curiosamente, a dona da pensão, que nos controlava com carinho e mão de ferro, era também nossa prima e se chamava Clarice. Em um pequeno edifício, a uns trinta metros antes de nossa casa, morava Maria, uma linda menina de seis anos. Com muita freqüência, ao passar em frente à porta do edifício, lá estava a Maria, toda bem maquilada e penteada; dengosa, procurava sempre puxar uma conversa. No início, achei que fosse coincidência. Depois, cheguei à conclusão de que, por incrível que pudesse parecer, ela queria me namorar. Qualquer dúvida foi desvanecida quando ela passou a perguntar por mim aos meus colegas de pensão e, mais tarde, a bater no portão de minha casa e mandar chamar-me. As gozações choveram: "Antonio Marcio, sua 'namoradinha' está chamando"; "Como! Você não está perdoando nem as garotinhas?", e assim por diante. O "namoro" durou bem uns três anos. A Maria mudou-se e nunca mais nos vimos.

Em ambas as situações, fui vítima de paixonites; no primeiro caso, o apaixonado era eu; no segundo, fui objeto de uma paixão. Muitos anos mais tarde, já pediatra, aprendi que as crianças, geralmente a partir de três ou quatro anos, costumam ter "namorados". Elas agem por intuição ou, principalmente, por imitação, tudo não passando de simples brincadeiras. Como tal, não merecem a preocupação dos pais e, muito menos, sua interferência no processo, principalmente para reprimi-lo ou puni-lo, o que poderá causar futuros traumas em relacionamentos afetivos. Alguns psicólogos acham até saudável a descoberta do outro, que não seja o pai, a mãe e os irmãos. Gesell descreve a paixão por pessoas ou crianças mais velhas como uma das características das crianças que têm nove anos, o que está de acordo com os casos relatados.

Como a imitação é uma das formas mais eficientes de aprendizado, a televisão tem estimulado o namoro e o aumento do número de beijoqueiros. Por sua vez, as crianças tentam imitar o comportamento dos adultos, por pensarem que, assim agindo, conseguirão a atenção e a admiração das pessoas. Como aconteceu com Manuel, quatro anos, que, ao chegar em casa, vitorioso, disse aos pais: "Hoje aprendi a namorar. É só tirar a roupa e deitar na cama."

Em algumas ocasiões, a situação poderá tornar-se inconveniente, quando, por exemplo, a criança vive agarrando ou beijando as outras na boca. Ou, então, quando ela só quer brincar de namorar e despreza a companhia das crianças do mesmo sexo. Caso isso aconteça, existe a necessidade de os pais terem uma conversa com ela, com paciência e carinho, para saber o que pensa do namoro, para fazê-la refletir sobre a importância de sua participação nos eventos escolares e, principalmente, para estimulá-la a participar de atividades físicas e brincadeiras com crianças do mesmo sexo. Certas situações, felizmente raras, exigem a ajuda de psicólogos.

Violência

A semente da violência

A sociedade se interroga querendo saber o porquê da violência contra um pobre índio, queimado por um grupo de adolescentes de classe média alta. Infelizmente, tal como soubemos pelos jornais, queimar mendigos por brincadeira ou perversidade é uma ocorrência relativamente comum, em algumas capitais. Há poucos dias, três ra pazes foram entregues pela polícia aos populares, que, após tentarem linchá-los, acabaram queimando-os vivos. Em São Paulo, Rio, Porto Alegre, pais são assassinados pelos filhos, sem nenhuma razão aparente ou atrás de polpudas heranças. Adolescentes, sem habilitação, em carros importados, matam pessoas, sob a vista grossa dos pais, que se desculpam dizendo não conseguir controlá-los.

Em todas as funções ou profissões, encontramos marginais: deputados que roubam, vendem-se ou defendem privilégios inaceitáveis; juízes venais; médicos cobrando "por fora"; sacerdotes abusando de crianças; advogados desonestos; policiais que ficam milionários à custa de achaques e mutretas; policiais mancomunados com delinqüentes que ameaçam a população e matam por motivos fúteis; militares de altas patentes que enriquecem à custa de licitações fraudulentas; políticos que entram para o governo pobres e saem riquíssimos; pessoas da alta sociedade envolvidas com tráfico de drogas; cidadãos ditos respeitáveis comprando e vendendo meninas, estimulando a prostituição; funcionários usando seus cargos para enriquecer ilicitamente.

Entretanto, o pior de tudo é a violência encoberta, aquela que ocorre no lar, onde se constatam espancamentos, maus-tratos, estupros, sem punição. A doméstica, que representa quase a metade dos casos de violência sob suas diferentes apresentações, tem enorme importância em sua gênese e perpetuação.

Os fatos são registrados pela mídia de todos os países, pois a violência é universal. Infelizmente, está sendo combatida de forma errada. As ações advogadas, que chamamos de curativas, são dirigidas ao controle dos fatores predisponentes, ou mesmo dos desencadeantes, nunca contra os determinantes, os mais importantes e que realmente deveriam ser combatidos.

Há mais de dez anos, em todos os inúmeros fóruns de que tenho participado, tenho denunciado esse erro de direção, sem conseguir sensibilizar as autoridades, que continuam a acreditar que, melhorando a situação socioeconômica, acabando com a miséria, o racismo, a impunidade, o narcotráfico, treinando policiais, construindo prisões e centros de recuperação, matando marginais, denunciando agressores, infratores, delinqüentes, criando conselhos e delegacias especializadas, iremos conseguir controlar ou diminuir a violência. Ledo engano. São medidas paliativas. Afinal, tudo isso vem sendo tentado no país há quase um século. E os resultados? O clima de terror cresce assustadoramente. Assaltos, seqüestros, homicídios, estupros, roubos fazem parte do dia-a-dia. Sobressaltada, trancada em casa — algumas são verdadeiras fortalezas —, sem poder sair à noite, a população inerme não sabe mais o que fazer. Infelizmente, nem os órgãos de segurança, que confessam abertamente sua impotência para controlar essa situação.

A semente da violência é plantada na criança antes dos seis anos. Franco Vaz já dizia isso em 1914. Existe uma fórmula segura para se criar delinqüentes, marginais, criminosos, corruptos. Basta atuar sobre a criança: não lhe dê atenção, ignore-a, humilhe-a e provoque-a; grite um bocado. Mostre sua desaprovação por tudo o que ela fizer; encoraje-a a brigar com os irmãos, colegas e amigos; brigue bastante, principalmente no sentido físico, com seu parceiro conjugal, na frente da criança; ameace, castigue e bata bastante nela; engane-a, minta-lhe. Seja também permissivo. ensine-lhe que o mundo é dos espertos, vangloriando-se junto a ela de atos de que deveria se envergonhar.

E se isso não resolver, coloque-a em frente à televisão e dê-lhe carta branca para assistir a todos os espetáculos violentos disponíveis. E também às novelas, em que a desestruturação familiar é mostrada como um ganho social, e as safadezas, as imoralidades e os atos de atentado ao pudor são mostrados como fatos moralmente aceitáveis. Essas medidas são infalíveis para plantar na criança, seja ela pobre, rica, branca, negra, amarela, brasileira, americana, inglesa, japonesa, a *semente* da violência.

Daí para a frente, bastará encontrar um terreno fértil para que ela germine, cresça e dê seus frutos — a truculência, os furtos, os assaltos, os seqüestros, as torturas, os estupros, a corrupção, a agiotagem.

Até os seis anos, a criança não é violenta. Nosso grande trabalho será o de combater os fatores responsáveis pela implantação dessa semente. Sua existência, ou não, explica por que um motorista leva uma fechada e não se importa, e outro desce do carro, ameaça, briga e até mata. Ou por que um taxista encontra uma pasta com dinheiro, procura o dono e a devolve; o outro, mesmo sabendo quem é o dono, não a devolve e ainda faz uma festa em comemoração.

Toda ação deverá ser dirigida no sentido de proteger a criança dos fatores que possam desviá-la da normalidade no início da estruturação de sua personalidade, do seu caráter, da sua moral. Ou seja, antes dos seis anos. Um dos mais importantes deles é a privação materna. Nenhuma criança deveria ficar sem mãe um dia sequer além do necessário para se conseguir uma substituta, o que implicaria profundas modificações no sistema atual de adoções.

Como esses exemplos, existem inúmeros outros conhecidos e infelizmente desconsiderados em sua importância pelos especialistas no combate à violência. A tarefa será árdua, mas, a meu ver, menos do que acabar com a impunidade e, além disso, muito mais barata. Por que, em vez de continuarmos tentando acabar, sem resultado, com os delinqüentes, não passamos a trabalhar no sentido de formar bons cidadãos?

Por que as medidas para diminuir a violência não têm dado resultado?

Qualquer pediatra ou psicólogo, mesmo os menos preparados, sabe que o temperamento violento pode ser herdado ou adquirido. A herança genética pode ser responsabilizada por somente um pequeno contingente dos indivíduos com comportamento anti-social, atribuindo-se aos fatores ambientais atuando sobre indivíduos suscetíveis, a maior responsabilidade.

Quem são esses indivíduos? Em sua maioria, são crianças com menos de seis anos. Os psicólogos e os pediatras aceitam que até essa idade, a criança já tenha passado por vivências suficientes para estruturar sua personalidade. Dizem inclusive que, quanto à personalidade e ao comportamento, somos o que éramos aos seis anos.

Se essa afirmação é verdadeira, como tudo indica, as medidas para prevenir comportamentos anti-sociais terão que ser tomadas antes dos seis anos. É o que chamamos em medicina de prevenção primária. Ou seja, agir antes de iniciado o processo mórbido. Se este já se instalou, apela-se para a prevenção secundária, em que as pessoas doentes são tratadas para evitar que morram ou fiquem incapacitadas. Se conseguem sobreviver, mesmo lesionadas, passa-se à prevenção terciária, na tentativa de reabilitá-las ou impedir que morram.

O combate à impunidade, por exemplo, é um tipo de prevenção secundária, que tem por objetivo punir o marginal ou infrator, para evitar que ele continue sua ação nociva contra as pessoas ou o meio ambiente. A prisão do indivíduo, criança ou adulto, leva-nos a uma forma de prevenção terciária, que tem como objetivo a segregação do infrator da sociedade para que ele não a agrida, e principalmente para devolvê-lo a essa mesma sociedade recuperado. Isso só poderia ser conseguido por meio de estruturas adequadas e equipes multidisciplinares competentes, de custo elevado.

Nos depósitos de presos, superlotados e imundos, os internos nada fazem, a não ser aprender novas modalidades de crimes e pensar em formas de vingança contra os que lá os colocaram, o que explica por que, em Brasília, 85% dos egressos das penitenciárias saem e, em pouco tempo, retornam.

Acredito que só existe uma maneira de diminuir a violência: assegurar que todas as crianças, principalmente nos seis primeiros anos de vida, recebam a proteção que lhes é assegurada pelo artigo 227 da Constituição, acrescido dos seguintes adendos:

- "Os pais só deverão ter filhos se estiverem dispostos a amá-los e protegê-los; caso contrário, serão instruídos sobre como evitá-los";
- "As crianças vítimas de violência no lar — considerada a forma mais comum e a maior responsável pela perpetuação do processo, pois o violento gera o violento — deverão ser colocadas em lares substitutos";
- "A privação materna, por si só capaz de formar delinqüentes, deverá ser combatida: toda criança deverá ter uma mãe e uma família, sendo obrigação e responsabilidade do Estado promover, facilitar e agilizar os processos de adoção ou de colocação familiar, para que as crianças não fiquem, nem um dia, abandonadas";
- "Os hospitais deverão promover a participação dos pais no tratamento dos filhos";
- "As creches e as escolas maternais necessitam ter pessoal habilitado, que conheça as necessidades emocionais das crianças";

- "Na seleção de todo e qualquer profissional para cuidar de crianças, deverá ser levado em consideração o fato de gostarem delas."

Parece difícil conseguir tudo isso, mas, sem dúvida, será muito mais fácil do que acabar com a impunidade. Nunca se conseguirá diminuir o número de violentos, sejam eles ricos ou pobres, políticos, governantes, magistrados, religiosos, médicos, militares, advogados, empreiteiros, comerciantes, industriais, policiais, se não evitarmos que a semente da violência seja implantada nas crianças.

A adolescência é a fase mais perigosa, quando diversos fatores modificam profundamente o comportamento das pessoas. Os adolescentes que não têm a semente da violência são idealistas; os que têm desafiam os familiares, as pessoas e o mundo, responsabilizando-os por seus problemas e, às vezes, tentando resolvê-los praticando atos socialmente condenáveis. Por isso, são os adolescentes que mais enriquecem as páginas policiais, como autores ou vítimas de atos violentos. Só nos resta tentar tratá-los, o que não se conseguirá baixando a idade de inimputabilidade criminal para 16 ou para 14 anos.

O amor, o carinho, a compreensão, a disciplina consciente são as armas que temos para combater a violência. A punição, às vezes indiscriminada e injusta, só agrava a situação.

Violência doméstica

A violência poderia ser comparada ao produto do cruzamento de um camaleão, cuja aparência muda conforme o ambiente, com uma medusa, símbolo mitológico representado por uma mulher com várias cabeças que, quando cortadas, crescem novamente. Ela se apresenta sob várias formas, de acordo com o ambiente ou com as pessoas e, a cada ação para controlá-la, surgem novas variáveis que tornam seu controle extremamente complexo, difícil, oneroso e desgastante.

Infelizmente, valendo-se da comparação, as tentativas de controle e de combate à violência contentam-se em "cortar as cabeças" consideradas mais importantes, como impunidade, narcotráfico, controle de armas, drogas e álcool, meninos de rua, excessos da televisão etc. O que não leva a lugar nenhum, pois elas crescerão de novo se não matarmos a própria medusa.

A forma mais grave de violência, a maior de todas elas, a grande fábrica de indivíduos violentos, é a doméstica, perpetrada contra seres pequenos e indefesos por aqueles que tinham obrigação de protegê-los. Embora seja a mais freqüente, a mais grave e a mais importante, pois é a principal geradora e perpetuadora da violência, não costuma ser noticiada nos jornais e na televisão. Como se diz, "ela não dá ibope". Crianças são surradas, estupradas, humilhadas, maltratadas, feridas e mortas pelos pais ou responsáveis, escudados pelas paredes do lar e protegidos pela omissão das testemunhas, entre as quais encontram-se, não raramente, as próprias mães. Todos se assustam, num misto de horror e curiosidade, ao tomar conhecimento diariamente da incidência de crimes bárbaros, de assaltos, de estupros, roubos, agressões, seqüestros, que não respeitam sequer a luz do dia. Mas ninguém sabe da violência doméstica, ninguém a vê, e por isso mesmo muito poucos se preocupam com esse tipo sórdido, silencioso, sub-reptício e despercebido de violência, perpetrado no espaço que deveria ser sagrado e que fere o âmago da dignidade, da liberdade e da integridade física e espiritual das crianças.

As crianças vitimizadas ficam marcadas para sempre e uma boa parte irá perpetuar o ciclo. A privação materna e a violência doméstica são as duas maiores causas de delinqüência e constituem o coração da medusa, que precisa ser atingido para que nossas crianças possam tornar-se adultos honestos e felizes.

Se não houver uma relação afetiva satisfatória no lar, a violência não será contida. Criança que não recebe atenção, amor, carinho e é exposta a agressões, frustrações ou indiferença é incapaz de amar. Existem maneiras de diagnosticar a violência doméstica, de punir os agressores e de proteger as crianças. O que não existe é o cumprimento dos preceitos de nossa Constituição, relativos aos direitos das crianças e dos adolescentes, e do Estatuto especialmente criado para eles.

Televisão

Será a televisão mais um eletrodoméstico?

Depende. Como equipamento, sim. Do ponto de vista social — comunitário, familiar, individual —, a televisão nada tem a ver com geladeiras, tostadeiras, máquinas de lavar roupas, lavadoras de pratos. Talvez tenha algum parentesco com o rádio. Quem pensa estar colocando mais um eletrodoméstico em casa ao adquirir uma televisão está enganado.

Diferente dos outros, ela nos permite ver e ouvir as notícias; leva-nos ao mundo dos sonhos e das fantasias; mostra-nos a realidade, seja ela alegre ou triste, a violência cotidiana, os grandes acontecimentos; expõe as virtudes e os vícios dos homens, as posições divergentes, contraditórias e mesmo disparatadas das pessoas, dos políticos, dos governos; delicia-nos com espetáculos de arte e cultura; tenta nos convencer sobre as melhores compras; mostra-nos os grandes avanços da ciência e da tecnologia; permite-nos conhecer a previsão do tempo em todos os recantos do mundo.

A televisão é tão importante que, em muitos lares, existe a sala da televisão, destinada especificamente a ela. Para alguns sociólogos, como Bronfenbrenner, da Universidade de Cornell, a família americana atual é constituída de "pai, mãe, dois filhos e um aparelho de televisão, todos igualmente responsáveis pelas qualidades humanas, ou desumanas, das novas gerações". Não é para menos, já que ela desempenha múltiplas funções: babá, recreadora, educadora, professora, conselheira, informante, formadora de opiniões, companheira, amiga. Não existe força mais poderosa para modificar o comportamento do que a televisão.

No Brasil, diz-se até que ela elege políticos e governantes, o que pode ser avaliado pelo esforço que despendem para aparecer alguns segundos no vídeo. E as crianças? Muitas começam a assisti-la com meses de idade. Em torno dos quatro anos, seu grau de desenvolvimento permite-lhes, inclusive, utilizar o controle remoto. Em média, as crianças passam mais tempo diante da televisão do que na escola, nos passeios e, o pior, do que com os pais e a família. Nem sempre por assim o desejarem, pois, com freqüência, reclamam dos pais e dos irmãos, que estão sempre assistindo à televisão e não têm tempo para lhes dar atenção.

A hora das refeições, momento em que a família deveria se reunir, conversar, trocar idéias, confraternizar, virou o horário nobre das novelas, quando o silêncio é exigido para permitir que todos acompanhem o que está se passando com os personagens. Os pequeninos, que rondam os familiares em busca de migalhas de atenção, são freqüentemente enxotados para deixarem de chatear, ou punidos com um "já para a cama".

É incrível o número de pais que conhecem a fundo o enredo das novelas, fazem previsões, criticam ou elogiam o desempenho ou a conduta dos personagens, mas desconhecem o que se passa dentro de sua casa: as dificuldades escolares dos filhos, as frustrações, as lágrimas, os amores não correspondidos dos adolescentes. Deve ser horrível para uma criança achar que seus pais gostam mais dos artistas do que delas.

Sem dúvida, a televisão conseguiu, em muitos lares, separar a família. Um não sabe da vida do outro. O problema torna-se mais sério nas de alto poder aquisitivo, pois para não brigarem ou se incomodarem, cada quarto tem uma televisão. E as famílias que almoçam e jantam na frente do vídeo? Essas crianças que vivem diante de uma televisão, criadas e educadas por ela, com pouca ou nenhuma atenção dos pais, eu denomino "filhos da televisão". Calcula-se que, até terminar o ensino médio, uma criança tenha assistido a 15 mil horas de televisão contra 11 mil horas de ensino formal. Só isso acabaria com qualquer controvérsia sobre sua influência na educação e na formação da personalidade, justificando a preocupação dos pais e pediatras com relação à programação a que as crianças assistem.

Infelizmente, a verdade é que, a não ser que ocorram grandes modificações na mentalidade dos donos dos canais e de quem faz a programação, a televisão poderá conseguir muita coisa, exceto formar bons cidadãos.

Televisão modifica o comportamento das crianças?

Vladimir Kosma Zworrykin, inventor da televisão, acreditava que ela seria uma grande arma para educar e aculturar a população e confessou sua decepção ao vê-la desvirtuada de suas finalidades, acusada de corromper as pessoas, desestruturar a família, fomentar a indisciplina, desencadear a violência. Entre os riscos que a televisão pode causar, está o de poder modificar o comportamento das pessoas, para o bem ou para o mal, principalmente das crianças, que, por estarem em fase de desenvolvimento, são particularmente sensíveis à programação.

Em fins de 1955, coloquei a primeira televisão em minha casa. Numa noite, ao entrar em casa, deparei com meus quatro filhos (dois, três, quatro e cinco anos) assistindo, tensos, olhos colados à tela, rostos e corpos imóveis. De tão concentrados, hipnotizados, não me ouviram abrir a porta e, muito menos, notaram a minha chegada. O filme era sobre os *vikings* e, justo nesse momento, um deles trespassava o outro com uma lança. Ouve-se um urro e as crianças tremem. Para chamar-lhes a atenção, digo: "Hei, turma!" Levam outro susto e protestam quando lhes digo que aquele filme não era indicado para crianças.

Naquele dia, descobri por que meu filho mais velho tinha tanto medo de ir para a cama. Daí em diante, passei, como pediatra, a preocupar-me com a televisão. Alguns meses mais tarde, a situação agravou-se, pois não conseguíamos reunir a família, nem no horário das refeições. Sorte minha, a televisão quebrou e resolvemos não consertá-la durante uns dois anos, decisão da qual nunca nos arrependemos.

Ainda bebês, as crianças são colocadas em frente à televisão, para mantê-las ocupadas. Algumas, entretanto, mostram sinais de descontentamento quando as imagens ou sons estão distorcidos. Entre dois anos e dois anos e meio, elas começam a prestar atenção aos programas e se tornam conscientes de que pessoas e fatos estão sendo retratados. Mas entre um e quatro anos, inatividade e tensão emocional constituem um tipo de combinação fisiologicamente exigente e nada recomendável, pois elas têm capacidade limitada de suportar experiências muito intensas.

A maioria das crianças passa mais tempo assistindo à televisão do que em qualquer outro tipo de atividade, com exceção, talvez, de dormir. Como a televisão é a grande formadora da opinião pública, modificando o comportamento de pessoas adultas, amadurecidas, conscientes, que elegem ou destroem políticos, condenam ou absolvem suspeitos por antecipação, mudam metas e condutas do governo, influenciam julgamentos, criam atmosferas de tranqüilidade ou de revolta, depõem presidentes, criam estereótipos de todo tipo, modificam hábitos e costumes, o que ela poderá fazer atuando sobre seres em crescimento e desenvolvimento, na época em que eles estruturam seus valores, seus códigos de ética e moral, enfim, sua personalidade?

Pediatras, psicólogos, pedagogos, antropólogos, sociólogos, pais, associações científicas, organismos nacionais ou internacionais têm se preocupado em estudar até que ponto, e em que medida, a televisão é responsável por possíveis, prováveis ou incontestáveis modificações no comportamento humano. Sem dúvida, em função da programação, ela tanto pode estimular o desenvolvimento da inteligência, contribuir para o aumento da cultura, desenvolver a curiosidade científica, enriquecendo a formação da personalidade quanto prejudicar o desenvolvimento da inteligência, deformar a personalidade, contribuir para a desestruturação da família, aumentar os conflitos familiares, a violência e os vícios (fumo, alcoolismo, drogas).

A televisão preenche um vácuo no ambiente familiar, formado pela falta de comunicação, pela necessidade de lutar pela sobrevivência, pela ausência de objetivos comuns, pelo cansaço, intolerância e falta de conhecimento sobre as necessidades emocionais infantis. A criança passa a utilizar a televisão para concretizar suas ansiedades, objetivos, fantasias, sonhos, desejos, o que lhes permite aprender e vivenciar com uma intensidade e velocidade muito maior que a proporcionada pelos pais.

Infelizmente, boa parte dos programas é machista, preconceituosa e faz apologia do sexo e da violência. Com isso, as crianças aprendem os estereótipos sociais a respeito de homens, mulheres, idosos, etnias, condições socioeconômicas, inclusive sobre elas próprias. A realidade aparece distorcida: os comerciais são, em sua maioria, feitos por pessoas brancas, bem vestidas, de classe média, semelhantes a artistas ou ídolos, enquanto nos programas infantis, boa parte dos vilões é representada por negros, pardos ou amarelos, pessoas de sotaque estrangeiro (nos Estados Unidos, o espanhol), mal vestidas, pobres, provenientes das camadas mais baixas da população. Os homens são mostrados como mais inteligentes, mais fortes e protetores enquanto as mulheres aparecem como menos inteligentes, sempre complicando as situações, passivas e desamparadas.

A revista *Cláudia* (novembro de 1997) apresentou os resultados de uma pesquisa por ela encomendada e coordenada pelo Prof. Marcio Schiavo. Foram acompanhadas e analisadas 151 horas e 30 minutos de programação infantil, nas seis principais emissoras de televisão do país. Foram registrados 308 estímulos e referências a sexo, um a cada 28 minutos. Foram identificados 49 estereótipos sexuais (menino não chora, flores são coisa de menina), 46 estímulos eróticos visuais, 45 cenas de culto ao corpo, 43 atitudes sensuais, 36 relações de gênero (homem agressivo, mulher passiva), 18 estímulos eróticos verbais, 15 carícias eróticas, 12 piadas maliciosas, 10 canções com conteúdo erótico ou pornográfico, 9 cenas de homossexualismo, 8 fantasias sexuais, 8 relações sexuais simuladas ou insinuadas, 7 cenas de sexualidade e 2 de amor e sexo.

Não se pode esquecer que a pesquisa foi realizada em programação dedicada à criança. Imaginem se fosse repetida levando-se em consideração todos os programas! E as crianças vão aprendendo com o que vêem e ouvem na televisão. Querem exemplos? Crianças pequenas, às vezes com menos de dois anos, que sabem cantar e dançar as músicas da bundinha e da garrafa. Os inúmeros Batmans, Homens-aranha, Super-homens, Mulheres maravilhas, Mickeys que são atendidos todos os dias pelos pediatras nos consultórios. Alguns só permitem ser examinados quando dizemos que somos amigos de algum desses ídolos, ou até de cavalos, cães, gatos, porcos, ratos, que aparecem nos filmes e nos desenhos animados.

Waldyr, quatro anos, foi a primeira criança identificada com um artista de televisão que examinei, isso há cerca de quarenta anos. Estava com sarampo, febre beirando os 40 graus. Ao chegar a sua casa, encontrei-o vestido de vaqueiro, com revólver e tudo o mais, de pé, recostado à porta de seu quarto, pois os vaqueiros têm que ser resistentes e não podem deitar. Só consegui levá-lo para a cama e examiná-lo depois que lhe disse que havia deixado na rua o meu cavalo, o Silver, muito conhecido dele. Para Gauderer, pediatra e psiquiatra infantil, as crianças "estão totalmente desprotegidas e suscetíveis a mensagens que serão prejudiciais à formação de sua identidade".

Em resumo, a criança pode e deve assistir à televisão? Sim, desde que se exerça um certo controle sobre a programação, o horário e o tempo dedicado a ela, que se responda às dúvidas surgidas e que nunca ela substitua o papel imprescindível dos pais na educação e na formação de sua personalidade. Tenha certeza de que uma criança gostará muito mais de ter pais presentes, que brinquem, conversem, dialoguem com ela, do que uma televisão em cores. Não deixe que um eletrodoméstico seja responsável pela formação de seu filho!

A babá eletrônica

Sem dúvida, uma das funções mais importantes da televisão é servir de babá, razão pela qual também é conhecida como babá eletrônica. As babás verdadeiras — as de carne e osso — estão se tornando cada vez mais raras, seja pela falta de pessoas preparadas para desempenhar essas funções, seja pelo custo, que as torna inacessíveis à maior parte da população, seja pela desconfiança em deixar um filho nas mãos de alguém pouco conhecido, num mundo onde a violência impera no dia-a-dia. Para os pais, a televisão ocupa o tempo da criança, liberando-a para outras atividades, domésticas ou não, a um custo-benefício baixo, pelo menos aparentemente.

A babá eletrônica entra em ação cedo, quando os bebês aprendem a assisti-la e amá-la. Colocados no bebê-conforto, na cadeirinha, apoiados em travesseiros, no colo, sentados no chão, deitados, lá estão eles, em frente à televisão. Os pais são quase unânimes em dizer que os filhos se sentem bem mais tranqüilos, adoram a "babá" que os diverte, participa ativamente de sua vida, faz rir ou chorar, ensina-lhes a cantar, principalmente os *jingles* dos comerciais. E ensina-lhes coisas boas ou más, como o pai que trai a esposa com a tia, que é muito rica, desquitada duas vezes, tem iate e apartamento em Paris, transa com o motorista da vizinha, tem duas filhas, uma delas é mãe solteira e diz que é a melhor coisa do mundo, a outra só tem amizades coloridas e vive maritalmente com uma amiga, que por sua vez...

Como a criança de hoje adquire grande parte de seus conhecimentos sobre relacionamentos e comportamentos sociais pela televisão, será que isso é bom? A babá também se encarrega de mostrar-lhes que o dono daquele cassino e de uma linda mercedes, vivendo no meio do luxo, cercado de mulheres bonitas e homens obedientes, é um traficante realizado, que por meio da venda de drogas conseguiu obter tudo o que desejava e que elimina todos aqueles que crê inimigos.

Mostrando tais comportamentos, a inocente babá dá sua inestimável colaboração para desestruturar as famílias, ensinar que os pais, uns caretas, estão aí para serem desobedecidos e enganados, que o crime muitas vezes compensa, que a violência e a falta de caráter têm suas vantagens. As crianças vão crescendo e, tal como os adultos, passam a gostar cada vez mais das chamadas coisas boas do mundo, daquelas que são pecados ou que engordam. Passam a assistir a programas contra-indicados para a idade, principalmente se estão com os amigos. Se são proibidos, vão assisti-los na casa do vizinho, já que elas estão em todos os lares.

Paulinho, cinco anos, diz: "Só gosto mais da televisão porque a mamãe não tem mais tempo para ficar comigo." Mauro, oito anos, reclama: "Minha mãe não me explica mais as coisas; prefere ligar a televisão." Roberta, nove anos: "Era tão bom quando a gente conversava na mesa; hoje, cada um fica em seu quarto vendo a sua televisão." Maura: "Papai e mamãe chegam em casa e vão ver o jornal e a novela; não têm um minuto para a gente." Zezinho, dois anos: "Não quero ficar mais preso na televisão."

Fred Rogers, nos Estados Unidos, aplicou um questionário de quinze perguntas a um grupo de crianças em idade pré-escolar sobre suas preferências. A televisão ficou em penúltimo lugar, só ganhando da que se referia a "brincar com cachorros". Isso mostrou que elas preferiam brincar, passear, jogar, conversar com os pais a assistir à televisão. Entretanto, por incrível que pareça, quanto mais as pessoas crescem, mais se tornam escravas da babá eletrônica.

Platão, em seu livro *A República*, muitos anos antes do nascimento de Jesus Cristo, perguntava se seria justo a falta de cuidados ao se permitir que crianças ouvissem mensagens de pessoas que colocavam em suas mentes idéias contrárias àquelas que queríamos que elas tivessem quando crescessem. Se você estiver de acordo com Platão, ou comigo, não deixe que a babá eletrônica se torne a família de seu filho

O consumidor mirim

"Todas essas crianças têm uma bicicleta Pardal. Peça uma a seu pai e tenho certeza de que, se ele for seu amigo, lhe dará uma igual." "Hoje é noite de Natal. Todas as famílias têm o direito de comer o melhor presunto do mundo, o Porcão. Sem Porcão, você não será feliz." "Você já comprou sua sandalinha Patrícia? Não? Pois veja como a Carlinha ficou bonita com ela." "O Carlinhos é tão forte! Ele toma o chocolate Fortão. Você também pode ser igual a ele. É só tomar Fortão (aí aparece o Carlinhos rodeado de menininhas bonitas, mostrando sua musculatura)." "Você já tem a Carol? É a boneca mais bonita do mundo: mama, faz xixi e fala. Ela tem uma irmãzinha, a Pat, que anda e diz mamãe. Corra, vá comprá-la antes que acabe!" "Você usa o dentifrício Dentinho? Lembre-se que só ele faz seus dentes ficarem fortes e bonitos." "Você quer ser igual a Bárbara (ídolo de televisão das meninas)? Então compre os vestidinhos que ela manda fazer só para você. Você vai ficar igualzinha a ela!"

A propaganda é diversificada: biscoitos, doces, sorvetes, sanduíches, roupas, sapatos, sabonetes, brinquedos, material eletrônico, medicamentos. Toda ela voltada a atrair a criançada. Desde que descobriram o imenso mercado constituído pelos consumidores mirins, eles vêm sendo presas fáceis desse tipo de propaganda maciça, excessiva, inadequada e, na maioria das vezes, antiética, por ser dirigida a um público constituído de pessoas inexperientes, crédulas e incapazes de fazer um juízo crítico.

Um menino de quatro anos foi induzido pelos anúncios a pedir aos pais que lhe comprassem um par de tênis. Em casa, calçou-os, tentou saltar e começou a chorar. Motivo: na propaganda da televisão, os meninos saltavam quase dois metros, em câmera lenta, e ele não conseguia saltar nem um palmo. Um caso típico de propaganda enganosa.

Nos Estados Unidos, calcula-se que 500 milhões de dólares anuais são gastos em comerciais destinados a atingir as crianças e os adolescentes. O resultado? As crianças viraram pedintes, azucrinando a paciência dos pais para conseguir a última novidade anunciada pela televisão. Muitas vezes, apelando para frases também aprendidas: "Se você não me der isso, não vou ser seu amigo", "Você não me dá porque não gosta de mim", "O pai do Carlos (ou a mãe) lhe deu um videogame, pois é amigo dele; você, não". São centenas de outras frases de igual teor, sem nos esquecermos da propaganda subliminar, implícita, veiculada principalmente nas novelas.

Essas situações obrigam a negociações. Pais permissivos, com bom poder aquisitivo, atendem a todos os pedidos para não ser aborrecidos, o que é errado; os autoritários quase sempre negam as solicitações e, não raramente, com agressões, o que também é errado; os que têm autoridade dialogam, explicam e mostram que existem limites a essa voracidade consumista. Infelizmente, uma grande parte da população é incapaz de atender aos mínimos pedidos dos filhos por falta de condições econômicas. E determinados tipos de comerciais podem ser bastante nocivos ao relacionamento intrafamiliar, além de constituir uma violência para o bolso dos pais.

O certo é que as crianças, facilmente impressionáveis e propensas à imitação, podem se tornar vítimas desse tipo de comunicação, que usa alguns artifícios para convencê-las a comprar, como recorrer a personagens que elas amam ou admiram — Xuxa, Angélica, Eliana etc. — desenhos animados, fantasias, filmes, *jingles*, mensagens bem elaboradas especificamente dirigidas ao público infantil, e até prêmios.

As crianças americanas assistem a uma média de 20 mil comerciais, quando permitidos, por ano, boa parte relacionada com alimentos que contêm alto teor de açúcar. Por que os comerciais que promoviam o cigarro, quando permitidos, por exemplo, traziam uma advertência do Ministério da Saúde mostrando seus malefícios, e os que promovem produtos que contêm açúcar não trazem nenhum aviso sobre seu efeito maléfico sobre os dentes? Como os promotores de alimentos gordurosos nada falam sobre seus riscos quando consumidos durante longo tempo? Por que não se pode colocar uma pequena frase nos produtos alimentícios como, por exemplo, "criança que come muito açúcar, sal ou gordura cresce com menos saúde" ou "este sorvete contém açúcar, que pode fazer mal aos dentes e diminuir seu apetite. Só o consuma como sobremesa e não se esqueça de escovar os dentes depois!"?

A solução para o problema é difícil. Não há como os pais impedirem os filhos de assistir a comerciais, pois a maioria está embutida na programação infantil. Também não é possível amadurecermos mais rapidamente as crianças. Por sua vez, os anunciantes têm um único objetivo: vender mais e ganhar mais, logo, não estão dispostos a abrir mão desse filão.

Só vejo um caminho. Uma ação do governo, aliado às entidades que se dedicam às crianças, para que se estabeleça um código de ética que regulamente todo tipo de propaganda dirigida ao público infantil. Mais ou menos nos moldes de como foi feito o Código para Comercialização de Alimentos Infantis para impedir o desmame e promover a amamentação. Não seria desejar muito, se nos lembrarmos de que o Código de Hamurabi, escrito há muitos séculos, punia a exploração comercial de crianças, e, em casos de extrema gravidade, até com a morte.

No Brasil, já existe o Código de Ética da Associação Brasileira de Emissoras de Rádio e Televisão (Abert), que estabelece o horário de apresentação dos programas e a idade recomendável para cada um deles. O que, pelo que se vê na televisão, não deve estar sendo obedecido. Porém, que eu saiba, a Abert não se preocupa com a veiculação de propaganda comercial direcionada ao público infantil. Nos Estados Unidos, existe uma organização, a Action for Children's Television (ACT), que se dedica a estudar as relações entre criança e televisão (comerciais, educação, violência, qualidade dos programas) e que enfrenta dificuldades incríveis para proteger o público infantil, mesmo contando com todo o apoio da forte American Academy of Pediatrics. Infelizmente, aqui ou lá, como dizem as pessoas, o dinheiro fala mais alto.

A televisão contribui para o aumento da violência?

Uma das grandes preocupações dos pais e pediatras está implícita nessa pergunta. E com razão, pois a violência, em suas diversas manifestações, constitui um dos maiores problemas da atualidade, inclusive sob o ponto de vista médico. Ora, se as crianças imitam os gestos, os diálogos e o comportamento visto e ouvido na televisão, por que não aqueles relacionados com a violência? Os acidentes, suicídios, as lesões corporais e principalmente os homicídios já representam a maior causa de morte entre adolescentes nas grandes capitais. Um estudo feito pelo Massachusetts Institute of Technology, em 1974, mostrou que uma criança nascida naquele ano, em uma das principais cidades americanas, teria 2% de possibilidade de vir a ser assassinada, risco maior do que o enfrentado pelos soldados enviados para participar da II Guerra Mundial.

Apesar de tudo, ainda existem controvérsias sobre o aprendizado da violência pela televisão. Alguns estudiosos acham que o risco seria desprezível; outros não têm dúvidas de que ela está contribuindo de forma significativa para o aumento da violência; existe ainda um terceiro grupo que vê até benefícios, pois assistindo a esses programas, as crianças estariam mais bem preparadas para enfrentar o cotidiano violento, em especial o das grandes cidades.

Acredito firmemente que ela influa de maneira poderosa sobre o comportamento infantil, aí incluído seu poder potencial de gerar violência. A criança tanto pode aprender comportamentos agressivos quando pró-sociais.

Pesquisadores americanos calcularam que uma criança, ao fazer 16 anos, já assistiu pela televisão, em média, 200 mil atos violentos, incluindo 33 mil crimes de morte. O pediatra Sabin estimou que, entre cinco e quinze anos, ela tenha assistido à destruição violenta de mais de 13.400 pessoas na telinha. O jornalista Glauco Carneiro relata resultados de uma pesquisa realizada pelo Ministério das Comunicações em dois canais de televisão de Brasília, durante um mês: foram mostrados às crianças cerca de 30 mil homicídios, 1.018 agressões, 410 trapaças, 819 desafios, 86 casos de chantagem e 321 aparições de monstros e animais ferozes, como foi citado pelo médico Meraldo Zisman em seu livro *Violência.*

Na Califórnia, um filme mostrou uma luta de canivete; no dia seguinte, um menino foi esfaqueado numa reedição da luta. Dois dias depois que a televisão retratou meninos de 13 a 19 anos jogando gasolina em mendigos e ateando fogo, um grupo de jovens, em Boston, fez o mesmo com uma mulher, que morreu queimada. O fato nos lembra o mesmo tipo de crime em Brasília, fartamente veiculado pela televisão, em que um grupo de jovens de classe média alta encharcou com álcool o corpo de um índio pataxó e ateou fogo, matando-o. Depois desse episódio, vários mendigos, em distintas cidades brasileiras, sofreram o mesmo tipo de atentado. Há pouco tempo, um adolescente americano, filho de um pastor, atirou em três amigos na escola e os matou aparentemente sem motivo. Ao apurarem-se as causas, concluiu-se que ele havia se inspirado em um filme cujo personagem principal mata vários estudantes no colégio.

Pesquisadores acompanharam o crescimento de 875 crianças de uma área rural do Estado de Nova York e concluíram que as que até os oito anos de idade haviam assistido a um maior número de programas de conteúdo violento eram as que apresentavam maior predisposição a comportamentos agressivos na adolescência. Ao completarem trinta anos, 25% delas já haviam sofrido algum tipo de condenação.

Bandura, Ross e Ross, em 1963, observaram 96 meninos e meninas em idade pré-escolar, normais, com menos de seis anos. Divididas em quatro grupos, elas foram expostas a diferentes formas de violência: o primeiro grupo, a espetáculos em que ela era real; o segundo, em filmes; o terceiro, em desenhos animados; enquanto o quarto era poupado de tudo isso. Após algum tempo, todos eles foram levados a um salão onde havia brinquedos. Todas as crianças dos três primeiros grupos escolheram brinquedos agressivos: 88% das que viram modelos reais ou em filmes e 79% das que haviam assistido a desenhos animados tentaram imitar o que tinham visto, principalmente as que haviam assistido à televisão.

Em 1976, Liebert e Poulos, mostraram que os filmes de bandido-mocinho-índio, comuns na programação infantil, além de aumentarem a tendência a um comportamento mais agressivo, ensinam outros atos anti-sociais, pois mostram como válidos, e às vezes até elogiáveis, agressões, homicídios, roubos, assaltos, seqüestros e outras transgressões à lei, desde que por "uma causa justa". Infelizmente para as crianças, o fato de o cara mau ser punido não invalida a violência praticada — elas continuam admirando o forte, o agressor, o defensor das boas causas, independentemente do tipo de recurso que ele utilizou.

Nas grandes capitais as gangues vêm aumentando progressivamente, tornando perigosa a vida dos cidadãos ordeiros e pacatos. São elas uma das grandes responsáveis pelo aumento da criminalidade. Acredito que a violência televisiva seja sua fonte inspiradora. Em doses grandes ou pequenas, mas repetidas e diárias, ela pode modificar o comportamento de qualquer criança. Assim, cuidado com a televisão!

A televisão é uma diversão recomendável para crianças?

Como tantos outros eventos tecnológicos — como a eletricidade, os raios X, o automóvel, o avião, os medicamentos —, a televisão apresenta riscos. Entretanto, não se pode deixar de usá-la por isso. Quantas pessoas morrem eletrocutadas todos os dias? E os acidentes de trânsito, que constituem uma das maiores causas de morte e incapacitação temporária ou definitiva? E os acidentes aéreos, bem menos comuns, mas que fazem com que muitos tremam ao entrar num avião? E os efeitos colaterais dos medicamentos, em especial os ingeridos sem prescrição médica, que podem levar à morte? Apesar dos riscos, ninguém abre mão deles, embora sejam necessárias algumas precauções.

Embora muita gente não esteja consciente dos riscos, principalmente em relação às crianças — ou talvez, quem sabe, por comodismo prefira ignorá-los —, com a televisão devemos nos comportar da mesma maneira. Nos dias de hoje, não podemos prescindir do conforto que ela proporciona, mas também não podemos permitir que ela seja a responsável pela formação da personalidade de nossos filhos.

PARTE DOIS

Saide

Sinais e sintomas

A criança doente que não sabe falar

Podemos comparar a nossa saúde a uma folha de papel, em que, com o correr dos anos, os vícios ou doenças escrevessem seus nomes. Quando nascemos, a folha está em branco, a não ser que tenham ocorrido problemas na concepção ou na vida intra-uterina. Assim, o recém-nascido seria uma folha limpa; o idoso, ao contrário, estaria com ela toda rabiscada: as doenças, o álcool, as drogas, o fumo, o estresse, as depressões, as emoções, tudo estaria ali registrado.

Pensando dessa forma, o diagnóstico das doenças seria mais difícil quanto mais velha fosse a pessoa; no recém-nascido, que não fala, seria mais fácil. E isso é verdade. Com algumas informações sobre a gestação, o parto, as características do recém-nascido e mais alguns poucos dados do exame físico, é possível se diagnosticar, com segurança, a maioria das patologias neonatais.

No adulto, a "leitura" do nome da doença se torna mais difícil, já que ela está "escrita" entre inúmeras outras, mistura-se a insucessos, frustrações, angústias, depressões, a catapora, gripes, resfriados, otites, diarréias, sarampo, caxumba, meningite, pneumonias. O adulto mistura sentimentos, simulações, sintomas, e pode induzir o médico ao erro. Assim, mesmo com o auxílio de exames complementares, o médico terá dificuldade em descobrir o nome do mal que o aflige naquela folha toda rabiscada.

As informações prestadas pelos pacientes são de extrema valia, mas, mesmo sem elas, em crianças pequenas consegue-se fazer o diagnóstico com precisão. O bebê demonstra por meio do choro e de outras formas de seus sentimentos de aborrecimento, tristeza, abandono, falta de carinho, fome ou dor.

O choro esporádico é normal; o continuado, requer investigação. Não é difícil saber o porquê: Está mamando bem? Comeu bem? Se não, mandamos dar o peito ou alimentos. Tente conversar e brincar com o bebê, fale com ternura. Se ele estiver se sentindo solitário, triste, aborrecido, pára de chorar e ri. Como estão as fezes? Se não evacua há alguns dias, colocar um supositório; se estiver com diarréia, é possível que sejam cólicas. Se tem menos de quatro meses e chora entre 17h e meia-noite, provavelmente serão cólicas dos três meses. Tem menos de quatro meses e chora após a alimentação? Pode estar comendo demais, de menos, ingerindo muito ar, ou o alimento não está lhe fazendo bem. Tem menos de um ano, começou a chorar de repente, está com nariz entupido ou escorrendo, melhora quando é levantado e piora quando é colocado no berço? Deve ser otite. Estica e encolhe as perninhas, parecendo ter cólicas, não está evacuando, chora desesperadamente, em intervalos regulares? Chame o pediatra, pois pode ser grave.

Todo bebê com estado geral comprometido, apático, chorando continuamente, com febre, rouquidão, dificuldade respiratória, vômitos continuados, diarréias profusas, sangue nas fezes e dor abdominal aguda deve ser visto pelo pediatra. As crianças com menos de um ano, com fontanela aberta, dificilmente têm dor de cabeça. As maiores choram e apontam a cabeça, demonstrando o que estão sentindo.

Infelizmente só podemos ir até aí. Não se pode esperar que uma mãe, sem nenhum conhecimento médico, possa ir mais longe no sentido de decidir se seu filho tem algo sério ou não. Isso explica, pelo menos em parte, por que as emergências vivem lotadas de crianças com doenças sem gravidade. A saúde de seu filho é muito importante. Na dúvida, telefone ou leve-o ao médico.

A febre

A maioria das mães considera a febre o inimigo número um dos filhos. Algumas ficam tão apavoradas que se recusam a saber a temperatura ou, ansiosas, passam a tomá-la a intervalos extremamente curtos. E, quando acham que está alta, telefonam ao médico seguidamente e se entregam ao desespero. Conheci uma que, quando a temperatura ultrapassava 38 graus, atirava o termômetro no teto, tendo quebrado mais de uma dúzia.

O medo de que a febre possa gerar prejuízos em seu filho faz com que as mães travem uma verdadeira batalha para combatê-la, valendo-se de todos os recursos possíveis: medicamentos, banhos, compressas de água ou de álcool e outros. Em uma dessas situações, a mãe, desesperada, mergulhou o filho de oito meses na piscina. Todo esse medo vem da noção equivocada de que a febre seja uma enfermidade e não apenas um sintoma, presente em várias doenças, principalmente — embora nem sempre — nas infecciosas.

A presença constante de febre nas infecções levou à inferência errônea de que os antibióticos devam ser utilizados nos processos febris, em especial se a temperatura estiver muito elevada. Algumas pessoas, infelizmente até médicos, chegam a relacionar o nível de temperatura ao uso, ou não, de antibióticos — quanto mais alta, maior a indicação. Não é necessário, contudo, o uso de antibióticos em doenças não-infecciosas e infecciosas de etiologia virótica acompanhadas de febre, pois, em vez de efeito benéfico, pode se obter o inverso. O uso desnecessário, abusivo e indiscriminado de antibióticos tem levado ao aumento da resistência bacteriana, um dos mais terríveis problemas enfrentados pelos médicos.

Considera-se febre a elevação da temperatura corporal acima dos limites normais, ou seja, temperatura axilar acima de 37 graus, oral acima de 37.5 e retal acima de 38 graus. Nas crianças menores de um ano, pode ser considerada normal a temperatura axilar até 37.2 graus. Alguns fatores como calor, agasalhos, ansiedade e mesmo medicamentos, inclusive antibióticos, podem elevar a temperatura corporal. Em locais muito quentes, pode-se obter uma temperatura mais correta tirando a roupa da criança, dando-lhe um pouco de água e esperando cerca de meia hora. No Rio, no verão, recorrendo apenas a esse procedimento, consegui que temperaturas em torno de 38 graus baixassem para menos de 37. Chama-se febrícula a temperatura axilar até 37.5.

Existem alguns fatos e procedimentos que devem ser do conhecimento de todos:

- o nível da febre não está relacionado à gravidade da doença;
- exceto pelo desconforto e pela possibilidade de convulsões em crianças que tenham história pessoal ou familiar de crises convulsivas, a febre não é preocupante até atingir níveis iguais ou superiores a 40 graus;
- muitos médicos, em especial os homeopatas, questionam o uso de antitérmicos em temperaturas inferiores a 38.5 graus, pois acham que a febre é um sinal de que o organismo está lutando contra a infecção e, portanto, não deve ser debelada;
- não utilizar antitérmicos de forma abusiva, pois, como qualquer outro medicamento, podem intoxicar a criança;
- não usar antibióticos sem orientação médica.

Quando seu filho estiver com febre:

- dê antitérmicos (tomar a temperatura toda vez que for administrá-los; se não souber a dose, telefone para o pediatra; se a temperatura não baixar, espere no mínimo uma hora e meia antes de utilizar outro antitérmico — não repita o mesmo antitérmico antes de quatro horas; em menores de dois anos, evite usar aspirina; guarde os antitérmicos fora do alcance das crianças, pois, ingeridos indevidamente, podem produzir intoxicações graves);

- dê banho (e antes um antitérmico; a água deve ser de morna para quente, entre 29 e 32 graus; duração nunca inferior a 15 minutos; pode ser repetido quantas vezes forem necessárias se a temperatura ultrapassar 38.5; água fria, nesses casos, produz calafrios e mal-estar nas crianças; banho rápido não baixa a febre; pode ser substituído por toalhas úmidas envolvendo a criança ou por compressas frias na testa, axilas e virilhas: cuidado com o uso de álcool, pois, em quantidade exagerada, pode levar o bebê até o coma, por inalação dos vapores);
- reduza roupas e agasalhos, exceto quando a criança tiver calafrios.

A subida rápida da temperatura faz com que a criança comece a tremer, tenha os pés e as mãos frios, lábios arroxeados e intenso mal-estar; a temperatura tomada nesse momento engana, pois não é alta, o que ocorrerá poucos minutos mais tarde e pode ultrapassar em pouco tempo os 39 graus. Sempre que isso ocorrer, dê um antitérmico e um banho o mais rápido possível, pois esse quadro é o que mais leva às convulsões febris.

Contate sempre seu médico se:

- seu filho, com menos de seis meses, tiver temperatura acima de 37.5;
- seu filho tiver menos de um ano e você não estiver seguro quanto à dose do antitérmico;
- a febre for superior a 39 graus ou durar mais de 24 horas, sem qualquer outro sintoma;
- a febre estiver associada a vômitos;
- seu filho apresentar qualquer sintoma que o preocupe ou se já tiver tido convulsões.

Bruxismo

"Meu filho está com vermes, doutor. Ele range muito os dentes durante a noite. Não seria bom dar um vermífugo?" Embora as pessoas façam freqüentemente esse tipo de associação, o ranger de dentes tem sua origem em problemas psicológicos e não está relacionado com vermes, que, se presentes, deverão ser eliminados, embora não possam ser responsabilizados pelo problema.

Talvez a explicação para se atribuir o ranger de dentes às verminoses esteja no fato de que sua ocorrência é maior entre crianças de famílias de baixo nível socioeconômico, que são as mais parasitadas e, sem dúvida, as que têm mais problemas ambientais.

Muitas crianças, logo após o nascimento dos dentes superiores e inferiores, atritam uns contra os outros quando acordadas, o que é considerado normal. O ranger diurno é consciente e diferente do noturno, que é inconsciente, intenso e persistente. O ranger de dentes noturno é também conhecido, principalmente em medicina, como bruxismo, por uma associação com bruxa ou bruxaria, em virtude do som produzido.

Sem dúvida, o ranger de dentes aumenta em períodos de maior tensão emocional, quando a criança é afetada de forma real (problemas familiares, escolares, ansiedade causada pela expectativa de provas difíceis) ou imaginária (medo de que possa acontecer alguma coisa terrível). Mas também pode ocorrer, mais raramente, sem associação com as emoções.

O ranger de dentes na infância pode ser considerado como um sintoma de distúrbios emocionais — ansiedade, frustração, tensão, agressividade, irritabilidade, hiperatividade, pavor noturno, fobias. É um sintoma também freqüente entre crianças com paralisia cerebral, em coma, acometidas por doenças intracranianas, como a meningite.

Existem formas leves, médias e graves de bruxismo. Nas leves, o ranger de dentes costuma desaparecer espontaneamente, sem necessidade de tratamento. Nas médias, o ranger ocorre praticamente todas as noites, mas a intensidade não é exagerada. Procura-se, então, investigar os fatores que estão trazendo conflitos e tensões para a criança, no sentido de melhorar as condições ambientais em que ela vive. Nesses casos, calmantes suaves à base de plantas, alguns antialérgicos ou medicamentos homeopáticos ao deitar costumam dar bons resultados.

Nas formas graves, o atrito provoca desgaste acentuado dos dentes e até mesmo fraturas. A criança deve ser encaminhada a um psicólogo, para que seja feito um diagnóstico preciso dos distúrbios emocionais e se receba a orientação necessária, e a odontólogos, para que sejam tomadas as medidas necessárias para impedir as lesões decorrentes do hábito (aparelhos colocados nos dentes durante o sono) e se possa corrigir qualquer problema oclusal.

O bebê vomitador

Os bebês regurgitam e vomitam com freqüência. Regurgitam quando, sem esforço, eliminam pequenas quantidades de alimentos; vomitam quando, com esforço, eliminam grande quantidade de alimentos, atirando-os, às vezes, à distância (vômitos em jato).

A maioria dos bebês regurgita bastante nos primeiros meses de vida, sem que isso prejudique seu desenvolvimento ou tenha significado patológico — são saudáveis. Isso acontece geralmente quando os bebês comem muito; engolem muito ar ao mamar (bebês gulosos, abertura do bico do seio muito pequena, abertura do bico da mamadeira muito pequena ou muito grande, falhas na técnica de administração da mamadeira); são tratados de forma inapropriada após a alimentação (troca de fraldas, brincadeiras exageradas, são balançados no colo ou sobre os joelhos, ficam em posição sentada com a cabeça tombada para a frente); recebem mamadeiras preparadas de forma inadequada (excesso de leite em pó). Às vezes, a mãe só sabe que seu filho regurgita pela verificação de manchas de leite na roupa de cama.

É essencial que seja feita a distinção entre regurgitação e vômito. As mães costumam se assustar ao ver seu bebê vomitar. Entretanto, o vômito ocasional, nos primeiros meses de vida, tal como a regurgitação, não tem nenhum significado. Acontece com maior freqüência entre bebês hipertônicos, facilmente excitáveis ou agitados; após a tosse; quando existe produção excessiva de catarro nasal ou brônquico, muitas vezes como uma forma de limpar os pulmões, o que, geralmente, contra-indica qualquer medida para controlar a tosse ou os vômitos (os remédios contra a tosse não devem ser usados em bebês); como resposta a privações emocionais, principalmente a materna, e a relacionamentos afetivos desajustados; por cheiros ou alimentos que desagradam o bebê.

Os vômitos intensos ou persistentes têm que ter suas causas esclarecidas para receber o tratamento adequado. Para se fazer o diagnóstico da causa dos vômitos, temos que considerar a idade da criança (recém-nascida, lactente, pré-escolar ou escolar); a freqüência e a intensidade dos vômitos; o momento em que eles ocorrem (em jejum, após as refeições, ao andar de carro, durante brincadeiras); as características do material expelido (alimentos, suco gástrico, bile, sangue); a cor (clara, amarelada, escura, esverdeada, avermelhada); o cheiro (ácido, fétido); a relação com a ingestão de determinados alimentos (leite de vaca, cítricos, frutas); o tipo de alimentação (líquida, pastosa, sólida, passada no liquidificador) e as técnicas para administrá-la; outros sintomas ou sinais associados (diarréia, febre, choro, dor).

Se os vômitos são pouco freqüentes, não existe nenhum outro sinal ou sintoma associado, a criança está se desenvolvendo bem e tem aparência saudável — o que geralmente ocorre —, não deve haver motivo para preocupação. Entretanto, se os vômitos forem intensos e repetidos, o peso estiver estacionário ou em declínio, o estado geral comprometido, o material vomitado contiver sangue, bile, for escuro ou esverdeado, houver febre ou diarréia, impõe-se a ida ao médico. O diagnóstico, feito por meio de um bom levantamento do histórico, levar em consideração tudo o que já foi dito anteriormente, inclui um exame clínico detalhado e, se necessário, exames complementares — radiografias, ecografias, exames laboratoriais.

Entre lactentes, as causas mais comuns de vômitos são superalimentação, fórmulas muito diluídas ou concentradas, mamadeiras com orifício grande ou pequeno, falta de oportunidade para arrotar, posição em que o bebê fica deitado sobre o lado esquerdo, alergia a determinados alimentos (leite de vaca, soja, cítricos), malformações do aparelho digestivo (calasia do esôfago, refluxo gastroesofágico, infecções urinárias, respiratórias, gastroenterites, amigdalites), aumento da pressão intracraniana. Essas causas não devem ser estendidas aos recém-nascidos, pré-escolares e escolares.

Conclusão: se a criança vomita ocasionalmente, está com aparência saudável, alegre e cresce bem, em geral não há nada a fazer; se o crescimento está sendo prejudicado, deve-se levar o bebê ao médico, pois caberá a este fazer o diagnóstico — o que, às vezes, não é fácil — e prescrever o tratamento necessário.

Soluço

Os soluços são freqüentes entre recém-nascidos e bebês. Eles são produzidos por espasmos do diafragma, músculo que separa o tórax do abdome, e incomodam e preocupam bastante os adultos, em especial os pais, que acham que, ao soluçar, os bebês sentem a mesma sensação desagradável que eles, o que não é verdade. Quem já não viu um bebê soluçando e, ao mesmo tempo, sorrindo, alegre e feliz? Ou, então, soluçando e adormecendo? Esse é um sinal de que os soluços não lhes causam nenhuma dor ou sofrimento.

Entre os bebês, a causa mais comum dos soluços é a presença de leite no esôfago após as mamadas ou por refluxo do conteúdo do estômago, o que explica por que os glutões soluçam mais. Nesses casos, colocar o bebê semi-sentado e dar a ele uma pequena quantidade de água com uma colher é o suficiente. As comadres costumam mandar colocar pedaços de algodão molhados na testa, batatas nas têmporas e outras medidas do gênero para acabar com os soluços. Todas com ótimo resultado, já que eles desaparecem espontaneamente...

Fraldas molhadas e frio também podem causar soluços no bebê; mudar a fralda e agasalhá-lo acaba com o problema. Mais raramente, a fome pode induzir aos soluços. Entre crianças maiores, eles são bem mais raros e, na maioria das vezes, controláveis por meio de medidas caseiras: bebidas frias, sustos, distração e, a mais efetiva, ingestão de uma colher de sobremesa de açúcar. Fáceis de tratar na infância, os soluços podem ser sinais de uma grande variedade de doenças entre os adultos e, às vezes, de difícil controle.

Alergia

Alergia alimentar

Existem fórmulas práticas que permitem a identificação de alimentos que estejam causando reações alérgicas ou que sejam mal tolerados pelas crianças. A alergia a um alimento pode provocar sintomas digestivos (vômitos, diarréia), respiratórios (coriza, tosse, falta de ar, asma), cutâneos (urticária, edemas), coceira nos olhos, irritabilidade e, em casos graves, desmaio e choque. Estes últimos, felizmente, são muito raros.

Quando há intolerância, os sintomas são de natureza digestiva — vômitos e diarréia. Geralmente, as mães retiram da dieta os alimentos que julgam nocivos, o que até pode resolver o problema.

Para identificar os alimentos nocivos, os médicos usam as chamadas dietas de eliminação, em que se suprimem aqueles mais propensos a desencadear reações: laticínios, frutas e sucos cítricos, nozes, amêndoas, amendoim, milho, trigo, ovos, chocolate e soja.

Uma terceira maneira, mais complicada, consiste em registrar em um diário, durante três ou quatro semanas, tudo o que a criança come (tudo mesmo!), com os respectivos horários, anotando reações e sensações. Os alimentos que a mãe ache suspeitos ou aqueles considerados mais propensos deverão ser cortados por duas semanas. Durante este período, os pais deverão observar sinais de alergia, ou intolerância ou se a criança se sente melhor, mais ativa, disposta, alegre.

Após as duas semanas, será introduzido no cardápio um alimento ou uma classe de alimentos (cítricos, leite, trigo, por exemplo), a que se segue novo período de observação, desta vez por três dias. Se nada acontecer, outro alimento será introduzido, para que, novamente a criança seja observada por mais três dias. E assim sucessivamente, até serem testados todos os alimentos. Quando alguma reação de intolerância ou de alergia for observada, o alimento deverá ser retirado do cardápio. Algumas mães têm pena de privar a criança de tantos alimentos de uma só vez; nesse caso, pode-se retirar somente os de uma classe, como, por exemplo, os laticínios. Durante duas semanas, se verá como a criança reage para em seguida, fazer o mesmo com outros grupos alimentares — soja, trigo, castanhas, cítricos, cada um deles retirado por igual período de duas semanas. No final, os que não fizeram mal serão reintroduzidos, um de cada vez. Observe-se que os sintomas desaparecem quando o alimento nocivo é retirado da dieta e reaparecem quando ele é reintroduzido.

Cuidado! Leia sempre os rótulos dos produtos industrializados e verifique se em sua composição está ou não presente algum alimento agressor. Caso tenha alguma dúvida, consulte o pediatra.

A alergia ao leite de vaca e o crescimento

Perguntaram-me se a alergia ao leite de vaca poderia ser responsável por um retardo no crescimento de uma criança de quatro anos. Dizia a mãe: "Minha filha caçula não cresceu nem um centímetro durante um ano; fato atribuído à alergia ao leite de vaca. Não acho conveniente privar minha filha de um alimento tão nutritivo. O que fazer?"

A parada do crescimento pode ser atribuída a dois tipos de fatores: os intrínsecos (próprios da pessoa, como o funcionamento das glândulas endócrinas, hipófise e tireóide) e os extrínsecos (ambientais, em que se incluem os nutricionais, os psicossociais, a atividade física, os estímulos, as condições socioeconômicas, as relações mãe-filho). A herança funciona como uma interface entre os dois: se os pais são baixos, estatisticamente os filhos também o serão.

Aceitando a informação da mãe de que a criança não cresceu nada — o que é diferente de ter crescido pouco —, terão que ser feitos vários exames: para saber sobre o funcionamento de seu sistema endócrino, principalmente da tireóide (dosagem de hormônios tiroidianos) e da hipófise (hormônio do crescimento), e também uma avaliação de sua idade óssea, através de radiografias. Em relação aos fatores extrínsecos, devem ser avaliados o estado nutricional, as condições de alimentação (inquérito nutricional para saber se os alimentos estão sendo ingeridos em quantidade e qualidade adequadas, apetite), o relacionamento da criança com seu meio, principalmente com os pais (pais angustiados quanto à alimentação), sono e por último as doenças (infecções, principalmente as crônicas, parasitoses, anemias, pneumopatias, cardiopatias, nefropatias, intoxicações crônicas, doenças com perturbações da deglutição, da digestão, da absorção e da excreção de nutrientes, onde se encontram as diarréias crônicas e alergias) e carências afetivas — uma das causas mais importantes.

Somente após uma avaliação bem-feita se conseguirá definir os motivos da parada do crescimento. Ou seja, terá se chegado a um diagnóstico, sem o qual não poderá ser prescrito o tratamento adequado. No nosso exemplo, a alergia ao leite de vaca, embora pouco freqüente, foi responsabilizada pelo problema. A única maneira de confirmar, ou não, essa hipótese, seria tirar leite e derivados da alimentação por um período e verificar se a criança voltou a crescer. Caso isso aconteça, o leite de vaca e seus derivados deverão ser retirados da alimentação, durante algum tempo. À medida que a criança for crescendo, a família deverá fazê-la entender que, por serem prejudiciais à sua saúde, convém evitá-los. Ela poderá, no entanto, ingerir leite e queijo de cabra, consumir todos os outros tipos de alimentos, além de um grande número de derivados de soja.

O fato de uma criança de quatro anos não tomar leite de vaca não deve ser motivo de preocupação, pois ela poderá crescer e se desenvolver normalmente, sem ele. As dificuldades a serem enfrentadas pelos pais de uma criança com intolerância ou alergia ao leite de vaca são bem menores do que as enfrentadas pelos pais de crianças diabéticas, que precisam se submeter a dietas com pouco ou nenhum açúcar. O principal é confirmar se realmente o leite de vaca é o vilão, o que só poderá ser feito após afastarmos todas as outras causas mais prováveis.

Cigarro

O feto fuma?

"Dizem que fumar na gestação faz mal à criança." Há mais ou menos 15 anos, passei por uma experiência extremamente desagradável. Uma senhora loura, linda, mãe de um garotinho de dois anos, engravidou. Quando ia ao consultório, não deixava de puxar seu cigarrinho e dar baforadas em minha direção, rindo e dizendo: "Vocês, médicos, vivem dizendo que fumar faz mal ao feto, só para nos obrigar a parar. Tenho várias amigas que fumaram durante a gestação e nada aconteceu." Eu sempre a avisava: "Você não deve fazer isso, pois está brincando com fogo. O fumo pode ser nocivo para seu filho." Ela ria, e fumava mais. "Vocês todos são uns terroristas." Esse fato se repetiu algumas vezes. Terminada a gestação, nasceu uma criança de baixo peso — 2.300 gramas, 45 centímetros, cabeça pequena — e seu crescimento, inclusive do crânio, fora prejudicado pelo fumo. Aos dois meses, no exame de rotina, já se conseguia identificar que seu sistema nervoso havia sido lesado; no terceiro mês, o retardo do desenvolvimento motor era evidente e encaminhei-o para tratamento especializado. A mãe, desesperada, mudou-se de Brasília. Soube, por amigos comuns, que a criança nunca mais se recuperou.

Em 1940, Essenberg já descrevia a ação nociva do fumo sobre as crias de animais, afetando o peso e o desenvolvimento. Esse fato foi confirmado experimentalmente por numerosos pesquisadores. Em 1957, Simpson demonstrou que as mães fumantes tinham filhos com baixo peso — menos de 2.500 gramas, em número duas vezes maior do que as não-fumantes. Em média, os recém-nascidos de mães que fumam pesam 150 a 200 gramas a menos do que os filhos de não-fumantes.

Esse fato foi confirmado por inúmeros pesquisadores, que inclusive estabeleceram uma relação direta entre esse achado e o número de cigarros consumidos. Ou seja, quanto maior o número de cigarros utilizados, maior o risco fetal. Como não se conseguiu determinar um número de cigarros considerado tolerável, o melhor é não fumar. Além de afetar o peso, o fumo aumenta a incidência de anormalidades dos embriões — malformações congênitas, partos prematuros, e separação prematura da placenta, situação que, embora rara, apresenta risco de vida para a mãe e para a criança.

Os recém-nascidos com peso baixo e os prematuros nascidos antes de 37 semanas de gestação exigem cuidados especiais, em unidades de terapia intensiva. Eles adoecem e morrem com mais freqüência nos primeiros dias ou meses de vida do que aqueles que nascem a termo e com peso normal. Ainda devemos considerar que o futuro desenvolvimento físico e mental dessas crianças poderá ser comprometido. O fumo é nocivo para o feto, tanto da mãe que fuma quanto da que vive em ambiente poluído pela nicotina. Embora nesta última situação a concentração de fumo seja menor, a gestante deve evitar freqüentá-los. Concluindo, a mãe que fuma durante a gestação está entrando num jogo parecido com o da roleta-russa. Tem cinco oportunidades de ter um filho normal e uma de tê-lo anormal. Será que vale a pena correr o risco?

O bebê fumante

Infelizmente, até os bebês fumam. Já se passaram muitos anos desde que presenciei, pela primeira vez, um bebê fumando. Lembro-me bem do dia em que fui chamado a atendê-lo. Ele nascera há poucas horas, e os pais queriam que eu o examinasse. No berçário da maternidade, informaram-me que ele estava com os pais. Ao chegar ao quarto, tive a exata sensação de que estava entrando em uma boate: ambiente escuro, mal ventilado, enfumaçado, barulhento, tanto pelo vozerio quanto pelo espocar de champanhes. E no meio daquela confusão, dormindo e respirando, lá estava ele, o pobre bebê. Ora, se uma pessoa com 60 quilos fuma perto de uma criança de três, é lógico que esta inala proporcionalmente mais fumaça do que aquela. Com um agravante, pois um bebê respira mais rápido do que os adultos e, conseqüentemente, leva maior quantidade de ar aos pulmões. Estima-se que uma criança pequena, em ambiente poluído pela fumaça de cigarros, inale até três vezes mais poluentes do que os próprios fumantes. Infelizmente, o bebê, com poucas horas de vida, já estava aspirando mais de 1.500 substâncias existentes no tabaco, número que sobe para 4.000, se for levada em consideração a pirossíntese, ou seja, a formação de novos elementos a partir da queima do cigarro. Além da nicotina, a maioria deles é maléfica à saúde, como monóxido de carbono, furfural, formaldeído, benzopireno (suspeito de causar câncer), fenóis, acetona e outros.

O ato de fumar pode ser dividido em duas fases: a primeira é a gasosa, constituída pela fumaça exalada pelo cigarro aceso, ou pelo fumante; a segunda, denominada particulada, corresponde à fumaça inalada pela pessoa durante o ato de fumar. Sem dúvida, a fase gasosa é a mais nociva aos que convivem com os fumantes, os chamados fumantes solidários. E quais são os prejuízos para os bebês nessa situação? Nessa idade, os efeitos nocivos estão principalmente relacionados com o aparelho respiratório: infecções de repetição, alergias, asma, sinusites, otites. O fumo reduz a atividade dos cílios, que são os encarregados da limpeza da árvore respiratória, e também a atividade dos macrófagos alveolares, as células da defesa encarregadas de eliminar microorganismos, o que predispõe às infecções.

As crianças cujos pais fumam têm muito mais problemas respiratórios do que as que têm pais não-fumantes. Os estudos mostram uma relação direta entre os problemas respiratórios e o número de fumantes na casa. Freqüentemente, os pais se esquecem de que a fumaça do cigarro voa, impregna o ar e invade todos os aposentos da casa, inclusive o quarto do bebê. Essa observação é importante, pois, muitas vezes, eles pensam que resolvem o problema deixando de fumar no quarto da criança, ou na sala, quando ela estiver presente. Se você não consegue parar de fumar, crie o seu próprio "fumódromo" na varanda, na área de serviço ou na rua. O ideal seria aproveitar a oportunidade do nascimento dos filhos para largar o hábito, seja por amor a eles ou a si próprios.

O fumante solidário

Fumantes solidários ou passivos são aqueles que, embora não fumem, são forçados a inalar a fumaça dos cigarros dos fumantes com quem convivem. Ambos têm a saúde prejudicada.

A maioria das crianças faz parte desse grupo passivo. Algumas começam a "fumar" mesmo antes de nascer. Logicamente, quanto mais novo for o fumante solidário, maiores serão os prejuízos sobre sua saúde. Se recordarmos que poucos minutos de exposição ao fumo já são suficientes para provocar alterações no aparelho respiratório, imaginem o que sofrem os bebês cujos pais carinhosos, ao chegarem em casa, acendem seus cigarros e passam a brincar com eles durante horas. O fato se repete, dia após dia, até que o pulmãozinho não agüenta mais e o bebê é levado ao pediatra, pois vive resfriado, com o peito chiando. Se fica comprovado que o fumo é o responsável e se recomenda aos pais que deixem de fumar em casa, as reações costumam ser de quatro tipos: a primeira resume-se a ficar o dito por não dito ou, quando muito, os pais deixam de fumar no quarto da criança, ou próximo a ela, esquecendo-se de que a fumaça se espalha por toda a casa; a segunda é a procura de outros pediatras, alergistas, homeopatas, pneumologistas, naturopatas, em busca de opiniões que lhes permitam manter o vício, sem culpa; a terceira é chamar o pediatra de incompetente, por não ter conseguido que o filho deixe de viver resfriado, com tosse, apesar de terem feito tudo o que foi recomendado, exceto parar de fumar; e, por último, aqueles que, preocupados com a saúde do filho, passam a fumar fora de casa ou até deixam o hábito.

O tabagismo é responsável por 75 a 90% da mortalidade ocasionada por bronquite crônica, enfisema pulmonar e câncer broncogênico; por 25% das doenças cardiovasculares, infartos, arteriosclerose, derrames cerebrais, arteriopatias; e por outras condições, como as úlceras gástricas e os cânceres da boca, laringe e bexiga. Comprovadamente, existe uma relação direta entre essas doenças, o tempo e a quantidade de cigarros consumidos. Infelizmente, esse raciocínio também é válido para todos os fumantes solidários, o que agrava a situação das crianças. Será que os pais que fumam estão conscientes de que seu vício pode estar prejudicando a saúde dos filhos ou até mesmo contribuindo para encurtar sua vida?

Dia 29 de agosto é o Dia Nacional de Combate ao Fumo. Este capítulo é a nossa pequena contribuição na luta contra o tabagismo, que constitui um dos maiores problemas de saúde pública na atualidade.

Dentição

Quando nascem os dentes

As mães têm um grande interesse em saber a época em que nascerão os dentes, quais os problemas que podem ocorrer e os cuidados para que eles sejam fortes.

Os bebês costumam sugar os dedos. Alguns, a partir do segundo mês, o fazem com extrema voracidade, enfiando quase toda a mão na boca. Vendo isso, as mães, principalmente as de primeira viagem, acham que os dentes estão para nascer e solicitam orientação para "diminuir a aflição" da criança. Isso nada tem a ver com erupção dentária e decorre da grande necessidade que têm os bebês de sugar alguma coisa — o seio, a chupeta, a mamadeira, algum objeto ou mesmo os dedos. Quando os dentes estão para nascer, além de sugar, os bebês começam a morder, o que ocorre a partir do sexto mês, embora alguns já comecem a fazê-lo aos quatro meses. Nessa época, as mães devem oferecer às crianças brinquedos que possam ser mastigados, sem feri-las, feitos preferencialmente de borracha, ou os chamados "mordedores", que podem ser facilmente encontrados.

O primeiro dente pode surgir a qualquer momento, entre os três e os doze meses, embora a média seja de seis a sete meses. Existem crianças que já nascem com dentes, que, quando são pouco firmes, necessitam ser extraídos, pois podem cair e ser engolidos. A época do aparecimento dos dentes difere de criança para criança, não significando que, por exemplo, um bebê com um ano sem nenhum dente tenha obrigatoriamente um problema.

Embora certas doenças possam, de maneira pouco freqüente, influir sobre a época da dentição, esta parece depender mais de fatores genéticos. Em determinadas famílias, os dentes saem mais cedo e, noutras, mais tarde. Isso não significa que uma criança seja mais ou menos desenvolvida do que a outra. Em geral, decorrem dezoito meses entre o nascimento do primeiro e do último dente da primeira dentição.

Os dois primeiros a nascer são os incisivos inferiores centrais; depois de alguns meses, surgem os quatro incisivos superiores. Uma criança com um ano costuma ter esses seis dentes. Depois de um intervalo de alguns meses, surgem, quase ao mesmo tempo, os dois incisivos inferiores e os quatro pré-molares, deixando um espaço para os caninos, as denominadas presas. Após mais alguns meses, no segundo semestre do segundo ano, ou seja, após dezoito meses de vida, nascem os caninos. Os molares são os últimos a nascer e seu surgimento se dá em torno dos dois anos e meio. A maioria das crianças tem sua primeira dentição completa, ou seja, vinte dentes, em torno de dois anos e meio. A não obediência à ordem e cronologia descritas não deve preocupar, pois cada criança é um caso, com suas próprias peculiaridades de desenvolvimento.

Na época em que os dentes permanentes devem surgir, a raiz dos dentes de leite é reabsorvida pelo organismo — o que se chama rizólise —, o que vai abrir espaço para o novo dente e fazer com que os de leite caiam ou fiquem tão moles que possam ser retirados com facilidade.

A dentição mista, época em que convivem dentes de leite com permanentes, começa ao irromperem os primeiros molares permanentes, o que ocorre em torno dos seis anos. Aos sete, nascem os incisivos inferiores; entre sete e oito, os inferiores; entre nove e onze, os primeiros e segundos pré-molares permanentes, no lugar dos primeiros e segundos molares de leite; entre os onze e os doze, os caninos e os segundos molares permanentes. Quando o dente de leite cai, é logo substituído pelo permanente. O molar dos seis anos é extremamente importante, pois é ele que orientará todos os demais.

Quando levar a criança ao dentista pela primeira vez?

O que fazer para os dentes nascerem fortes? Eles se formam antes do nascimento, de modo que a dieta da mãe durante a gestação é importante. Essa dieta deverá ser rica em cálcio e fósforo (leite e queijo), vitamina C (cítricos, frutas maduras, tomate e verduras), e a ela deve se adicionar um suplemento vitamínico que contenha vitamina D, A, complexo B e flúor.

Após o nascimento, começam a se formar os dentes permanentes, que só surgirão por volta dos seis anos. O leite materno provê todos os elementos necessários à sua boa formação. O leite de vaca em pó geralmente é enriquecido com vitaminas A e D. Esteja a criança tomando leite de vaca, ou sendo desmamada, deve-se dar a ela um suplemento vitamínico e pequenas doses de flúor, indicados pelo pediatra. O flúor é um importante elemento para a formação dos dentes. Tão importante que a maioria das cidades já o acrescentam à água servida à população. Nessas cidades, ao contrário das que não são servidas pela rede pública, não há necessidade de administrá-lo às crianças, já que o flúor em quantidade excessiva pode fazer mal aos dentes. Entretanto, se a água utilizada não é a da rede pública, ele deverá ser administrado.

Devemos recordar que o contato freqüente dos dentes com o açúcar (doces, balas, sorvetes, refrigerantes, frutas secas, chicletes) e o amido (pão, biscoito, pizza, macarrão) favorece o aparecimento de cáries, principalmente se ingeridos entre as refeições, pois ficam neles grudados. Pessoalmente, acredito que o pior de todos os hábitos para os dentes é o da mamadeira noturna com açúcar. Além de suprimir, poderíamos fazer com que o bebê tomasse um pouco de água após a mamadeira, o que, mesmo precariamente, poderia diminuir a quantidade de açúcar em contato com os dentes. Aos três anos, poderemos reconhecer quase todas as crianças que tomam mamadeiras açucaradas pela observação dos dentes estragados.

A maioria das frutas e alguns legumes, como a beterraba, contêm açúcar. Nesses casos, além de estar dissolvido, o que facilita sua remoção dos dentes, está misturado com fibras, que exercem um efeito semelhante ao das escovas. O amido ingerido nas refeições sob forma de batata, mandioca, pão, farinhas, não permanece grudado aos dentes. Quanto mais o açúcar e o amido aderirem aos dentes, maior o risco de cáries.

Quando começar a cuidar dos dentes? Desde o primeiro mês, a limpeza da gengiva pode ser feita com gaze umedecida, uma vez por dia, e três vezes depois que nasce o primeiro dente. Existem controvérsias sobre o início do uso da escova. Um ano e meio, dois ou três, quando nascer a primeira série de molares? Mais uma vez, dou-lhes minha opinião. Acho que podemos começar a usá-la entre um ano e um ano e meio. No início, sem pasta, pois as crianças irão comê-la. Apenas uma escova macia e água, após as refeições e, principalmente, ao deitar será o suficiente. Sem imposição, com carinho e paciência, a criança sentirá prazer e aprenderá a escovar os dentes. Uma boa maneira de treinar a criança é deixar que ela nos veja escovar os dentes. Com seu espírito de imitação, ela logo estará tentando fazer a mesma coisa. A escova remove o açúcar, o amido e partículas aderidas aos dentes, principais responsáveis pelas cáries.

Salvo situações excepcionais, como malformações ou traumatismos, aconselha-se que a criança vá ao dentista de seis em seis meses, a partir de dois anos, quer tenha ou não problemas. Essa recomendação é baseada no fato de que, a partir dessa idade, começam a surgir as cáries, e a melhor ocasião para obturá-las é quando estão pequenas. Levá-las ao dentista pela primeira vez antes dessa idade, ou seja, antes que tenham qualquer problema, ajuda-as a adquirir confiança e, mais ainda, contribui para que não tenham medo, o que, infelizmente, ocorre com freqüência.

Alguns pais acham desnecessário cuidar da primeira dentição, já que os dentes vão mesmo cair e por acreditar que o importante seria a segunda dentição. Isto é um equívoco. Os dentes de leite costumam ser substituídos totalmente aos doze anos. Até lá, há que cuidar, e bem, deles. O dente cariado faz a criança sofrer e constitui um perigoso foco de infecção. Se o dente estiver muito estragado ou provocando muita dor, pode se tornar necessária sua extração. O espaço será ocupado pelos dentes vizinhos, afetando irremediavelmente a posição dos dentes definitivos e levando, muitas vezes, à necessidade de aparelhos ortodônticos.

Por que tanta digressão para se responder a uma pergunta tão simples: "Quando levar a criança ao dentista?" Porque, embora a hereditariedade possa ser responsabilizada em parte pela saúde dentária, esta depende fundamentalmente de medidas a serem tomadas pelos obstetras, no pré-natal, e pelos pediatras, nos primeiros meses de vida. Ultimamente, para sorte de todos nós, existem odontopediatras que se preocupam com a higiene oral e dentária das crianças e recomendam medidas preventivas nos primeiros meses de vida. E, como tudo que está relacionado à saúde, é sempre melhor prevenir do que remediar.

Distúrbios provocados pelos dentes

Hipócrates, na antiga Grécia, já dizia: "Crianças em fase de dentição sofrem de coceiras nas gengivas, febre, convulsões, diarréia..." Assim, os antigos propunham espantosas formas de tratamento: lancetar ou raspar as gengivas, aplicar sanguessugas atrás do maxilar, colares de dentes de lobo etc.

Em 1839, mais de 5.000 mortes de bebês ocorridas na Inglaterra e País de Galles foram atribuídas à dentição. Provavelmente os profissionais de saúde da época acreditavam que a dentição pudesse causar qualquer sintoma físico, deixando de diagnosticar as verdadeiras causas.

Até hoje, em muitas regiões do interior, as famílias acham que as convulsões são causadas principalmente por vermes e pelos dentes.

É muito pouco provável que uma criança de três meses, que enfia a mão na boca, baba muito e às vezes sente-se desconfortável, acorda à noite ou chora demais, esteja para ter dentes, que em geral nascem em torno do sexto mês. Eles podem aparecer de repente, sem quaisquer sinais, ou precedidos de edema local da gengiva, excesso de salivação, vontade de morder as coisas, sono agitado, mau humor, choro ou mesmo recusa transitória do peito ou da mamadeira.

É costume se atribuir à erupção dentária febres, resfriados ou diarréias. Embora algumas crianças possam apresentar estes sintomas de forma branda por ocasião do nascimento dos dentes, nunca ache que temperaturas elevadas e diarréias graves se devam a isso.

Visão

Quando levar a criança ao oftalmologista?

Os problemas oculares entre as crianças são comuns e podem ser identificados pelas mães, professoras e pediatras, nas consultas de rotina.

Mariana vive com dor de cabeça, que surge ao final ou após as aulas, nos dias de semana e, nos domingos, após assistir à televisão durante muito tempo. Rebeca tem dor nos olhos, vomita ocasionalmente, e suspeitam que ela tenha enxaqueca. Paulinho quase cola o rosto na televisão. Patrícia estuda e faz os deveres com os olhos praticamente encostados nos livros e cadernos. Pedro enxerga mal o que está escrito no quadro-negro. Margarida não tem interesse pelas aulas e seu rendimento escolar é baixo; para não ser cobrada, senta-se nas cadeiras do fundo da sala de aula. Marcos vive com os olhos vermelhos e lacrimejando. Paula queixa-se com freqüência de dor nos olhos, irritação ou inflamação recorrentes das pálpebras. Márcia vive cansada, sem vontade de estudar e fica sonolenta nas aulas. Roberto tem secreção ocular amarelada. Carla tem o olho direito desviado para dentro. Maria manda o filho Renato tampar alternadamente um dos olhos e pegar um objeto pequeno no chão e verifica que ele tem dificuldade em cumprir a tarefa tentando enxergar apenas com um dos olhos. Marcos franze a testa e fecha as pálpebras ao tentar ler. Ricardo vive esbarrando, tropeçando e caindo. Felipe, ao contrário dos colegas, não consegue identificar letras e objetos a certa distância. Qualquer um desses sintomas pode significar que a criança tem um distúrbio ocular, e, portanto, necessita dos cuidados de um oftalmologista.

Os problemas oculares mais comuns são as conjuntivites (secreções amareladas nos olhos, freqüentemente associadas a resfriados), a miopia (a criança não consegue ver os objetos distantes), a hipermetropia (ao contrário da miopia, ela não enxerga de perto), o astigmatismo (defeito na curvatura da córnea, que exige maior esforço da musculatura ocular e que, embora possa ser um achado isolado, costuma estar associado à miopia ou à hipermetropia), o estrabismo (desvio do globo ocular para dentro ou para fora, também chamado de vesguice), a catarata unilateral ou bilateral (opacificação do cristalino, reconhecida pelo reflexo prateado das pupilas).

Muitos alunos, rotulados de preguiçosos e vadios, na realidade são portadores de distúrbios visuais. Corrigido o defeito, voltam a apresentar um bom rendimento escolar. Existe um consenso de que todas as crianças devam se submeter a um exame oftalmológico de rotina antes de entrar para a escola. Como determinados distúrbios podem estar presentes desde o nascimento, muitos oftalmologistas recomendam que esse exame seja realizado a partir do primeiro ano de vida.

A criança estrábica

"Doutor, o senhor acha que meu filho é vesgo?" A pergunta costuma ser feita por mães de bebês com desvios oculares. Na imensa maioria das vezes, esses desvios são transitórios e desaparecem espontaneamente a partir do sexto mês, quando os movimentos responsáveis pelo paralelismo dos globos oculares passam a ser conjugados e harmônicos, e os bebês começam a ter reflexos de fixação e refixação. Entretanto, se mesmo nos primeiros meses eles tiverem um dos olhos permanentemente desviado, para dentro ou para fora, deverão ser levados a um oftalmologista para receber a orientação adequada.

Entre crianças cansadas, doentes ou muito sensíveis, pode ser observada a presença de um certo grau de estrabismo, que é chamado periódico e é de natureza transitória. Qualquer perda do paralelismo ocular (estrabismo) a partir do sexto mês deve ser considerada uma anormalidade e tratada precocemente, por dois motivos: o estético e, o mais importante, o preventivo pela perda parcial ou total da visão do olho desviado, causada pela falta de estímulos, condição que é denominada ambliopia).

A criança vesga é vítima de uma série de brincadeiras e apelidos por parte dos coleguinhas, o que pode gerar complexos que prejudiquem seu desenvolvimento emocional. Para poder ver as coisas sem duplicidade, a criança estrábica bloqueia um dos olhos; com o passar dos anos, o olho bloqueado, embora com aparência externa normal, perde parcial ou totalmente a capacidade de enxergar (ambliopia). Daí em diante, qualquer procedimento terá como objetivo a recuperação estética, pois a visão estará definitivamente comprometida. Repousa aí a responsabilidade dos pais, das professoras e, em especial, dos médicos em enviar precocemente essas crianças aos oftalmologistas.

O tratamento precoce em geral é simples. Coloca-se um tampão cobrindo o olho dominante para forçar o uso do desviado. Essa conduta pode ou não ser associada aos óculos e aos exercícios ortópticos. A cirurgia é reservada para casos especiais.

Existem vários tipos de estrabismo. O mais comum é o tipo convergente (olho desviado para dentro), seguido pelo divergente (olho desviado para fora); são muito raros o vertical e o misto. Os mais freqüentes podem ser facilmente diagnosticados pela simples observação ou, em caso de dúvidas, por testes de fácil execução, como os do reflexo corneano e da cobertura. O que mais leva a um diagnóstico errado de estrabismo, e que até leva o nome de pseudo-estrabismo, é o epicanto, prega cutânea vertical que cobre parcialmente o canto interno dos olhos, acompanhado do hipertelorismo, maior distância entre os olhos, comum em crianças pequenas com nariz de base larga e achatada, o que dá a impressão de uma distância menor entre as pupilas. Observando-se essas crianças, olhando-as de um lado para o outro, ou mesmo vendo suas fotografias, tem-se a nítida impressão, embora falsa, de que elas sejam estrábicas.

O falso estrabismo é comum entre crianças em torno de um ano. O diagnóstico diferencial entre o verdadeiro e o falso estrabismo é extremamente fácil e pode ser feito por qualquer médico. Crianças aparentemente sadias podem, de um momento para outro, apresentar estrabismo, acompanhado ou não de outros sinais clínicos, como vômitos, torcicolo, alterações neurológicas. Quando isso ocorrer, ela deve ser encaminhada com a máxima urgência a um oftalmologista e a um neurologista.

Gripes e resfriados

Atchim!

Existe muita confusão entre gripe e resfriado. O nome técnico da gripe é *influenza* e seu agente é um vírus da família *Orthomixo viridae*. Ela ocorre sob a forma de epidemias periódicas, em qualquer época do ano. Há três tipos sorológicos de vírus identificados como causadores (A, B e C), não relacionados entre si, e com características epidemiológicas diferentes. O tipo A pode provocar epidemias anuais, com surtos maiores a cada dois ou três anos, e pandemias a cada dez anos. O tipo B ocasiona epidemias a cada três a sete anos; enquanto o C tem ocorrência esporádica.

A infecção provocada por qualquer um desses vírus confere imunidade específica, em graus variáveis. Ou seja, a gripe ocasionada pelo vírus A, por exemplo, imuniza apenas contra infecções causadas pelo vírus A e contra nenhum outro. Também se deve diferenciar a gripe de outras infecções parecidas, principalmente do resfriado comum, que é causado por numerosas variedades de vírus sorologicamente diferentes, pertencentes ao grupo dos rinovírus, adenovírus e parainfluenzae tipos A, B e C. O que significa que resfriado nada tem a ver com gripe.

Esta explicação torna-se necessária porque as mães pensam que, vacinando seus filhos contra a gripe, evitam que eles se resfriem, o que jamais irá acontecer. E por que não recomendamos como rotina a vacina contra a gripe para as crianças? Por vários motivos: ela tem 85% de eficácia; confere proteção de alguns meses a um ano, o que obrigaria a uma vacinação anual; o tipo de vírus pode variar de ano para ano, o que exigiria modificações na vacina para que ela continuasse eficiente.

No entanto, ela é recomendável para pessoas com mais de 65 anos; para crianças e adolescentes que vêm recebendo tratamento prolongado com aspirina; para portadores de pneumopatias crônicas (pneumonias, asma, enfisema), de cardiopatias, de doenças debilitantes; e para profissionais de saúde que possam ser contaminados com facilidade.

Resumindo, que ninguém pense que a vacina acaba com aquela coriza chata e sem fim de seu filho. Além do mais, nariz escorrendo poderá ter como causa uma série de condições não-infecciosas, como o talco, perfumes, animais, bichos de pelúcia, leite de vaca.

E os resfriados? Uma vítima de resfriados de repetição disse certa vez que o inferno não era o fogo eterno com diabinhos espetando os pecadores, e, sim, um lugar onde se pegasse um resfriado por semana. Talvez essa pessoa tenha uma certa razão; trata-se de uma das viroses mais comuns e desagradáveis.

Um dos primeiros casos relatados na História foi o de Jacob, filho de Isaac, neto de Abraão, em torno do ano 2000 a.C. Embora sejam tão comuns e tão antigos, e existam milhares de fórmulas milagrosas para curá-los, a verdade é que até hoje, 4.000 anos mais tarde, ainda não há nenhum tratamento específico.

Provavelmente, uma criança terá cinco vezes mais resfriados do que outras enfermidades. Somente durante o primeiro e o segundo anos de vida, ocorrem, em média, oito por ano. Estima-se que um adulto possa contrair de três a seis resfriados anuais, enquanto crianças com menos de cinco anos, de seis a dez.

O custo social é astronômico, seja pelas faltas ao trabalho que acarreta, seja pelo enorme consumo de medicamentos para o seu tratamento e o de suas complicações. No Brasil, os números devem chegar a mais de 400 milhões de resfriados anuais, a maioria entre crianças. Quanto mais nova for a criança, mais imaturo será seu sistema imunológico e maior sua suscetibilidade. Acima dos cinco anos, porém, a resistência aumenta e os episódios diminuem.

A coriza, comum a outras condições como a alergia, é sua principal característica. Assim como a obstrução nasal, está sempre presente. Geralmente ambas são acompanhadas de mal-estar, falta de apetite, irritabilidade, sonolência, cansaço, congestão ocular (olhos vermelhos, conjuntivite), dores de cabeça e de garganta, rouquidão. Sintomas que explicam a chamada "face miserável" de seus portadores.

As complicações mais comuns são conjuntivites, amigdalites, otites, sinusites, laringites, pneumonias, bronquites, inclusive as espásticas (asma). Embora as mais graves sejam pouco freqüentes em termos percentuais, em termos absolutos — ou seja, considerando-se a enorme incidência na população —, os resfriados estão entre as causas mais importantes das amigdalites, sinusites e pneumonias.

Mais de 200 tipos diferentes de vírus — número crescente pela possibilidade de mutações — são responsáveis pelos resfriados. Dependendo do tipo de cada um deles e do grau de resistência da pessoa, o caso varia de gravidade. Nos leves — raros espirros, discreta obstrução nasal, coceira na garganta — a duração é de um a dois dias, dando a impressão de que foi causado por alguma alergia, fumaça de cigarro, poeira ou ar-condicionado. Nos casos de média gravidade, a duração é de uma semana. Os espirros e a coriza ocorrem em maior intensidade, há congestão ocular, tosse, dor de cabeça, febre baixa e a necessidade do uso constante do lenço. Nos casos graves, há mal-estar intenso, dor no corpo e na cabeça, obstrução nasal e lacrimejamento acentuados. O nariz vira uma cachoeira, os espirros são constantes, o apetite desaparece, a tosse é intensa e, aparentemente, tem-se um quadro de gripe.

As escolas médicas, em geral, dão pouca importância ao estudo e ao ensino de doenças comuns e de baixa complexidade, entre as quais se enquadram os resfriados, preferindo preparar seus alunos para o combate dos quadros raros e de alta complexidade. É uma orientação com a qual não concordo.

Um simples espirro de uma pessoa doente joga cerca de 100 milhões de gotículas no ar, recheadas de vírus. O muco nasal (coriza) disseminado pelos espirros, depositado nas mãos ou nos objetos de uso comum, infecta as pessoas, penetrando no organismo pelas mucosas nasal e ocular. O período de contágio começa um dia antes de surgir a doença e geralmente não ultrapassa cinco dias.

O resfriado pode durar de uma noite a uma semana; o vírus costuma desaparecer em torno de três dias. Se durar mais de duas semanas, é sinal de que alguma complicação deve estar ocorrendo, ou a criança contraiu um novo resfriado.

E o que fazer para evitar que os demais adoeçam quando há alguém resfriado em casa? Quando eu era solteiro, levava horas explicando às mães as fórmulas mágicas para se evitar o contágio. Confesso que depois que meus filhos nasceram, cheguei à conclusão de que essas fórmulas tinham um impecável embasamento teórico, mas não funcionavam na prática.

Algumas pessoas se vangloriam de nunca ter tido um resfriado sequer. Embora a maioria esteja blefando, estima-se que 8% delas estejam realmente dizendo a verdade e acredita-se que essa resistência possa ser atribuída a dietas saudáveis ou a uma dádiva genética.

Como prevenir e tratar os resfriados

A única forma de proteção eficaz e permanente contra as viroses, de modo geral, são as vacinas. Tal como as que existem contra sarampo, catapora, rubéola, caxumba, hepatite A e B, e paralisia infantil. Por incrível que pareça, apesar das inúmeras tentativas, não existe vacina que proteja as pessoas do resfriado comum, a virose mais freqüente do mundo. Algumas razões explicam essa dificuldade, entre elas, o fato de os vírus dos resfriados atacarem as células das mucosas do nariz, das glândulas lacrimais e da faringe, não entrando, como ocorre em outras viroses, na corrente sanguínea. Isso dificulta a produção de anticorpos. Outra razão é que, embora pesquisas recentes tenham demonstrado a possibilidade de se produzir uma vacina efetiva contra vários vírus de uma mesma família, teoricamente seria preciso haver uma vacina para cada uma das mais de duas centenas de espécies de vírus de resfriados conhecidos.

Sem a vacina, resta-nos alertar as famílias sobre as condições que podem causar o aumento ou a diminuição da resistência das crianças. Freqüentemente, os pais responsabilizam uma série de causas, como "vive descalço", "lavou a cabeça à noite", "tomou banho de mangueira", "dormiu sem camisa", "saiu no sereno", "não usa agasalho", "pisou no chão frio", "tomou banho frio", "não enxugou a cabeça depois do banho", "chuta as cobertas", "tomou sorvete".

Mas as condições que favorecem o aparecimento dos resfriados não estão entre as citadas acima. Pelo contrário, as crianças mais afetadas costumam ser as que têm pais fumantes, vivem agasalhadas, só tomam banhos quentes, freqüentam piscinas com água aquecida nos dias frios, são impedidas de tomar gelados, não podem sair quando chove, à noite ou em dias frios. São também as que vivem cansadas pelo excesso de atividades, como aulas curriculares e extracurriculares, exercícios físicos e a prática de esportes, as que dormem ou comem mal, em dietas mal equilibradas.

Os hábitos de vida saudáveis, como os banhos frios, a vida ao ar livre, a dieta equilibrada (refrigerantes, doces, balas, biscoitos e sanduíches só em festinhas ou fins de semana), leite materno para os bebês até o sexto mês, natação, exercícios físicos, atividades adequadas à idade (sem excessos que levem ao cansaço físico ou mental; saiba-se que os corredores e levantadores de peso resfriam-se mais facilmente), vestuário de acordo com a temperatura ambiente (os encapotados resfriam-se mais), não aquecimento do quarto, tempo livre para brincar, correr e exercitar a criatividade, ambientes ventilados, sem muita gente e não poluídos pela fumaça, lavagem freqüente das mãos e o cumprimento do calendário de vacinações, aumentam a resistência das crianças, diminuindo a incidência e a gravidade dos resfriados.

Confirmando a veracidade dessas recomendações, é comum os pais levarem os filhos aos consultórios no início das aulas, comentando: "Doutor, o Roberto passou as férias na praia, tomou sol e chuva, banhos de mar muito frios, abusou dos refrigerantes gelados e dos sorvetes, vivia quase pelado e não pegou nenhum resfriado. Foi só voltar e já está com o nariz escorrendo, tosse e febre." Infelizmente, a única fórmula infalível para não se resfriar é evitar o contato com pessoas resfriadas.

Os antibióticos, tão usados, são ineficazes contra os vírus e criam resistências bacterianas. São indicados somente no tratamento das complicações.

Não existindo medicamentos específicos, tratam-se os sintomas e as complicações dos resfriados. A febre, a tosse e a obstrução nasal são os sinais que mais preocupam os pais. Acima dos dois meses, a febre não deve ser motivo de preocupação, a não ser se for acompanhada de vômitos ou persista em níveis elevados por horas ou por mais de três dias. Para controlá-la, usamos antitérmicos (acetaminofem) evitando-se o uso de aspirina para crianças pequenas; os banhos para baixá-la devem ser mornos ou quentes, nunca frios, embora as compressas possam ser frias.

A tosse é um mecanismo de defesa do organismo para eliminar o catarro. Por essa razão, recorrer a medicamentos para eliminá-la é contra-indicado, sendo particularmente nocivo para os bebês, que, por terem pouca força, têm dificuldade em expectorar. Alguns expectorantes podem ser usados, com receita médica, ou preparados à base de mel, própolis, limão, abacaxi e açúcar. São os chamados lambedores. Eles melhoram a tosse, são seguros e, sobretudo, hidratam as crianças.

Principalmente para os bebês, a hidratação é a medida mais importante para a eliminação do catarro. Por isso, deve-se aumentar a oferta de líquidos (água, sopa, chás, sucos, água de coco) e umidificar o ambiente, em particular o quarto em que a criança dorme.

Contra a obstrução nasal, são indicadas gotas nasais ou nebulizações à base de soro fisiológico, umidificação do quarto e posicionamento da cabeça da criança em nível superior ao do corpo (com travesseiros, ou levantando a cabeceira do berço), especialmente quando se tratar de bebês. O uso de descongestionantes nasais deve ser limitado, pois eles podem se tornar irritantes para a mucosa e acarretar uma obstrução maior do que a do próprio resfriado, quando adotados por um período superior a cinco dias. Também podem causar agitação, insônia e, em doses elevadas, palidez, sudorese profusa, torpor e sonolência.

Principalmente, NÃO USAR DESCONGESTIONANTES NASAIS DESTINADOS A ADULTOS EM CRIANÇAS. E não esquecer que as gotas, como as escovas de dentes, só devem servir a uma criança (uso estritamente pessoal). Para isso, marque a caixa do medicamento com o nome de quem o estiver usando. A aspiração das secreções nasais com uma seringa apropriada é útil, particularmente no caso dos bebês.

Se a criança não tiver apetite, não force e lhe dê aquilo que mais a apetece, evitando os alimentos gordurosos. Embora ainda sujeita a controvérsias, a administração de vitamina C pode ser feita em doses elevadas. Existem remédios homeopáticos indicados para os resfriados.

A criança doente deve ser mantida em casa, agasalhada de acordo com o ambiente, em cômodos arejados, devidamente protegida das variações de temperatura. Os resfriados geralmente são benignos e costumam ser curados com ou sem tratamento. Entretanto, existem modificações no quadro clínico, que exigem a ida a um serviço de saúde e, portanto, precisam ser do conhecimento de todos:

- febre alta e **vômitos**;
- sonolência anormal ou dificuldade para despertar;
- febre alta persistente ou recorrente;
- obstrução nasal após dez dias acompanhada de catarro amarelo ou esverdeado persistente;
- não desaparecimento dos sintomas entre sete e dez dias ou agravamento destes;
- falta de ar, respiração ofegante, chiado, batimento das asas do nariz, palidez acentuada ou cianose;
- recusa acentuada de líquidos e alimentos;
- surgimento de *novos* sintomas, como diarréia **ou vômitos**;
- dor nos ouvidos ou na garganta;
- dor na cabeça, principalmente na testa e no rosto (sinusite);
- tosse persistente, ainda mais se acompanhada de febre alta ou baixa;
- rouquidão acentuada, principalmente se acompanhada de febre alta.

Todos esses sinais podem indicar complicações, das quais as mais temidas são as pneumonias, as broncopneumonias e a asma. Grande parte dessas complicações deve-se a infecções bacterianas, que necessitam de antibióticos no tratamento.

Meu filho vive resfriado

O resfriado diminui a resistência orgânica, permitindo que outros germes que habitam o nariz e a garganta, como estreptococo, o hemofilos e o pneumococo, proliferem e se espalhem, provocando amigdalites, otites, bronquites, pneumonias, sinusites.

Para tentar aumentar a resistência das crianças aos resfriados, lançamos mão de uma série de artifícios:

- fugir do cigarro: a criança não pode ser um fumante solidário, sobretudo quando tem tendência a infecções respiratórias e asma;
- não agasalhar demais, pois os encapotados são mais propensos aos resfriados;
- diminuir gradativamente a temperatura do banho, até conseguir que ele seja quase frio (não faça isso durante as doenças, em particular as respiratórias);
- não aquecer demais o quarto da criança.
- Por último, o mais importante: o resfriado é uma doença altamente transmissível. Quanto menor a criança, mais suscetível. Nas famílias pequenas, os resfriados são bem menos comuns que nas grandes. Existe uma relação direta entre resfriados e número de crianças num mesmo ambiente, o que explica a alta incidência nas creches e escolinhas, mesmo naquelas bem cuidadas. O resfriado é transmissível um dia antes da coriza e por três dias depois.

Crechite e escolite

Pedrinho, doze meses, está na creche, sem febre, olhos avermelhados, nariz entupido e coriza clara. Subitamente, dá um espirro e os vírus se espalham por toda a sala. Paulinho, a seu lado, recebe alguns milhões de gotículas e vai ser a nova vítima. Um a dois dias depois, Paulinho realmente começa a ter coriza, febre e o nariz entope. Ele ficará imune à espécie de vírus que o atacou, mas existem outras duzentas espécies prontas para o ataque.

Em época de frio, os ambientes fechados, como escolas e creches, acabam se tornando um espaço propício para doenças contagiosas. Existe prevenção?

A institucionalização da criança em orfanatos, creches e escolas maternais envolve alguns problemas. Entre eles, dois preocupam os profissionais de saúde, em especial, os pediatras: os relacionados com a esfera emocional e com as doenças infecciosas. Sem dúvida, as doenças infecciosas e as diarréicas são muito mais comuns entre crianças, principalmente entre as que têm menos de três anos e freqüentam escolas e creches. As gripes recorrentes — na maioria das vezes, resfriados — atacam as crianças a intervalos bem curtos, até de 15 em 15 dias.

Uma observação interessante é que, nas creches, as infecções respiratórias são mais comuns entre as crianças com boas condições domiciliares do que entre aquelas provenientes de lares pobres.

O que explicaria essa maior incidência de infecções em creches e escolas maternais? Em primeiro lugar, o confinamento de indivíduos suscetíveis — crianças pequenas — em espaços reduzidos, às vezes sem aeração suficiente, por um grande número de horas. Em segundo lugar, talvez até o motivo mais importante, é o fato de boa parte das mães trabalhar fora de casa, não ter com quem deixar o filho e levá-lo, ainda doente, para a creche, onde passa a infectar os coleguinhas.

Quantas vezes a criança tem febre alta à noite e, pela manhã, sem febre, mas seguramente ainda transmitindo a doença, é levada para a creche? E quantas vezes a criança tem febre ou diarréia na creche, e a mãe, impossibilitada de deixar o trabalho, somente vai buscá-la horas depois de haver sido avisada? É inacreditável o número de vezes em que atendemos crianças com temperaturas elevadas, estado geral comprometido, face miserável, marcha cambaleante, diarréias severas, tosse intensa e em que nos é feita a pergunta: "Será que dá para ele voltar para a escola amanhã?" E, freqüentemente, elas voltam às aulas mesmo sem permissão.

Seriam as mães inconscientes? Não acredito. Pressionadas pelo trabalho, pelos chefes e sem ter com quem deixar os filhos, só lhes resta tentar levá-los para a creche. Tudo piora quando chove ou o frio é intenso, época em que os resfriados são mais comuns e em que as janelas costumam ficar semi-abertas ou fechadas, aumentando o confinamento e a possibilidade de transmissão.

E o contágio é quase inevitável. Uma das formas mais constantes é o contato com objetos de uso comum, como brinquedos, livros, cadeiras, copos contaminados pelo muco nasal da criança doente. Ela transmite o vírus se, após limpar o nariz, tocar nos objetos ou nas mãos de outra criança. E esta, por sua vez, inadvertidamente levar a mão ao nariz.

Portanto, quando uma criança que vai à creche vive resfriada, a ponto de seu crescimento começar a ficar comprometido, duas condutas estão indicadas: a primeira, deixar a criança freqüentar a creche, pois a cada resfriado, ela irá adquirindo maior resistência aos vírus e ficará cada vez menos propensa a adoecer. A segunda, retirar a criança da creche ou da escola, por algum tempo para permitir que ela recupere a resistência.

Para a prevenção de doenças diarréicas, é imprescindível contar com pessoal habilitado no preparo dos alimentos em boas condições higiênicas, no cuidado de crianças e no manejo de dejetos. Uma das coisas mais importantes na prevenção das diarréias é saber lavar bem as mãos. Para que creches e maternais diminuam a incidência de diarréias e infecções respiratórias, é necessário que seja proibida a entrada de adultos e crianças doentes, ou em fase de convalescença. Fácil de dizer, mas quase impossível de cumprir na prática.

Garganta

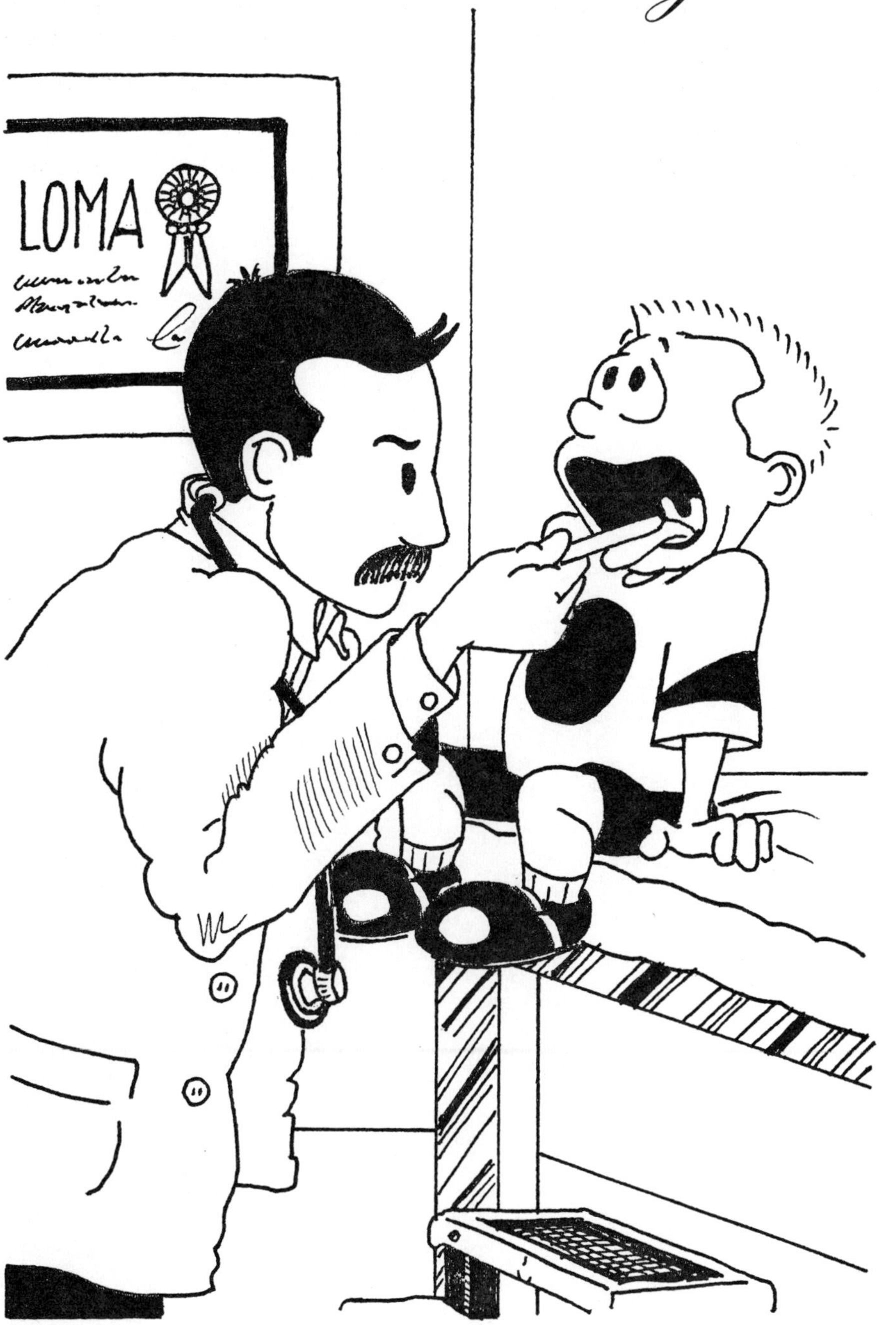

Dor de garganta

Uma das maiores causas de erro em pediatria é a prescrição de antibióticos para dor de garganta, sem o exame prévio da criança. Geralmente, a causa é virótica — gripes ou resfriados — e o uso de antibióticos, além de desnecessário, pode até ser nocivo. A dor de garganta, que ocorre nas faringites (inflamação da faringe), laringites (inflamação da laringe) e amigdalites (inflamação das amígdalas), é sempre atribuída pelos leigos a infecções amigdalianas, que exigem o uso de antimicrobianos.

É comum os pais acharem que crianças com febre alta estejam com a garganta vermelha e, portanto, com amigdalite, necessitando tomar antibióticos. A verdade é que, com freqüência, a criança não tem sequer a garganta vermelha. Outro erro comum é o de se pensar que ela tem amigdalite porque apresenta uns "pontinhos brancos" nas amígdalas. Muitas vezes, por mais que se esforce, ao examinar a criança, o pediatra não consegue ver os pontinhos, ou estes nada mais são do que um material esbranquiçado no interior das criptas amigdalianas, que, quando se desloca, parece um grão de arroz, fétido, e nada tem a ver com infecção. Geralmente, as infecções viróticas provocam somente hiperemia (vermelhidão) das amígdalas ou da faringe, um dos sinais utilizados para se fazer o diagnóstico diferencial das infecções bacterianas.

Infelizmente, certos vírus — adenovirus, *Epstein-Barr* (mononucleose), sincicial respiratório — podem causar inflamação do tipo purulento, parecida com as infecções bacterianas; nesses casos, existem outros sintomas próprios das viroses, como congestão nasal, alterações gastrointestinais, aumento de gânglios, aumento do fígado etc. Dificilmente um bebê terá amigdalites de etiologia bacteriana, por ter amígdalas extremamente pequenas e ser protegido pela IgA do leite materno. Entretanto, eles não estão livres das faringoamigdalites e laringites virais, que podem ser até purulentas. Embora a maioria das dores de garganta seja ocasionada por infecções — viróticas ou bacterianas —, elas também podem ser atribuídas a causas irritativas, como fumaça de cigarro, poeira, secura do ar, ambientes poluídos.

Com essas explicações, talvez as pessoas compreendam por que os pediatras muitas vezes se recusam a medicar as crianças por telefone, sem examiná-las.

Amigdalite é coisa séria

As amígdalas têm como função proteger o organismo de germes que entram pelas vias respiratórias. Existem as amígdalas palatinas, as mais conhecidas, que ficam na entrada da garganta; as linguais e as faríngeas, que ficam na parte posterior das narinas e são conhecidas como adenóides. Elas constituem um anel linfático, chamado de Waldeyer. Comumente denominadas de amigdalites, as infecções aí localizadas são também chamadas faringoamigdalianas ou adenoamigdalianas.

A maioria das adenoamigdalites é viral, seguida das bacterianas e de grupos de infecções mais raras (fungos) ou de etiologia desconhecida. As que mais preocupam os pediatras são as bacterianas, em especial as causadas pelos *Streptococcus pyogenes* (beta-hemolítico do grupo A), que representam em torno de 15% do total das amigdalites, capazes de ocasionar complicações graves no coração (febre reumática) ou nos rins. Outras bactérias, como o *H. influenzae*, *M. pneumoniae*, *Streptococcus viridans*, *Staphylococcus aureus*, e vírus, como *Epstein-Barr*, da mononucleose, adenovirus e sincicial respiratório, podem ocasionar faringoamigdalites.

As amigdalites constituem um dos problemas mais comuns em pediatria. A maior dificuldade encontrada é a de se saber se a causa é viral, em que os antibióticos são desnecessários e até nocivos, ou bacteriana, que exige seu uso, principalmente se a amigdalite for causada pelo *Streptococcus pyogenes*. As virais vêm acompanhadas de coriza, obstrução nasal, tosse, conjuntivite e outros sinais de infecção viral; as amígdalas apresentam-se hiperemiadas, excepcionalmente são encontradas placas ou pontos purulentos e, na maioria das vezes, não há aumento dos gânglios cervicais. Nas bacterianas, a febre é muito alta, ocorre dor de garganta espontânea ou à deglutição, cefaléia, vômitos e dor abdominal; ao exame, as amígdalas apresentam-se extremamente hiperemiadas, com placas ou pontos purulentos, que surgem, às vezes, somente no segundo dia de febre; os gânglios cervicais aumentam e tornam-se dolorosos e podem surgir pontos avermelhados no palato (petéquias).

A escarlatina, doença potencialmente grave, nada mais é do que uma amigdalite estreptocócica, acompanhada de erupção cutânea vermelha e característica, assemelhando-se a uma lixa, que surge entre doze horas e dois dias após o início da febre, dura em torno de sete dias, após os quais a pele, principalmente a das extremidades, começa a descascar ou a escamar. A língua, vermelha e inchada assemelha-se a uma framboesa (língua de framboesa) e o estado geral fica comprometido.

Os diagnósticos da mononucleose e da herpangina podem ser estabelecidos com relativa facilidade pelo exame local e clínico.

Um tipo de amigdalite, porém, nunca poderá deixar de ser diagnosticada. Trata-se da produzida pelo *Streptococcus*, pois o seu tratamento correto, com a penicilina, um de seus derivados ou a eritromicina, durante um mínimo de 10 dias, é a única medida efetiva para se prevenir a febre reumática e as lesões renais. Exames de laboratório poderão ajudar no diagnóstico diferencial entre infecção viral e bacteriana ou até mesmo confirmar a presença do estreptococo. Nos raros casos em que, apesar de tudo, o diagnóstico continua duvidoso, eu recomendaria o uso de antibióticos. Como diz o ditado, "na dúvida, pró-réu".

Quando retirar as amígdalas

De 1956 a 1967, fui médico de um dos melhores colégios do Rio, o *Chapeuzinho Vermelho*, que, naquela época, recebia alunos para o maternal e o primário, em sua maioria provenientes de famílias abastadas. Praticamente a metade não tinha amígdalas e usava botinhas para correção de pés chatos. Faltavam amígdalas e sobravam botas. As mães achavam que as amígdalas estavam grandes, iam diretamente aos especialistas, que infalivelmente concordavam com a cirurgia para retirá-las.

Hoje, felizmente, os pediatras e os otorrinolaringologistas são mais prudentes e indicam a cirurgia com muita parcimônia, obedecendo a critérios estritos. Essa mudança de atitude ocorreu, em grande parte, em função de estudos relacionados com o crescimento normal das crianças, que demonstraram que o tecido linfóide, de que são constituídas as amígdalas e adenóides, é relativamente pequeno ao nascimento e vai aumentando gradativamente até os seis ou oito anos de idade, para depois involuir. Essa é a razão que explica por que as crianças entre um e oito anos têm amígdalas e adenóides grandes. Elas formam um anel, o anel linfóide de Waldeyer, que constitui uma verdadeira barreira para defender o organismo de infecções respiratórias, tão comuns na infância. Essas infecções também são responsáveis pelo aumento de volume das amígdalas e adenóides — quanto mais repetidas, maior seu tamanho.

Nas crianças com mais de dois anos e meio que tomam mamadeira deitadas, o refluxo do leite para o nariz constitui um fator irritativo e contribui para um maior aumento das adenóides. Esse aumento exagerado pode dificultar bastante a respiração nasal; a criança passa a respirar pela boca, a viver de boca aberta, a roncar, a babar, a ter crises de apnéia durante o sono, corrimento nasal crônico, alterações na fala, no palato, na arcada dentária, na audição, a ter otites médias de repetição e sinusite crônica. Essas alterações podem justificar a retirada das adenóides, poupando-se ou não as amígdalas.

Nos casos em que haja amígdalas muito grandes que dificultem a deglutição — o que é extremamente raro —, ou nas amigdalites bacterianas recorrentes e freqüentes — mais de sete por ano —, principalmente as de etiologia estreptocócica, indica-se a extração. É bom lembrar que os episódios de amigdalites viróticas, as gripes e os resfriados, não terão sua freqüência diminuída. Crianças alérgicas que apresentam hipertrofia e hiperemia das amígdalas também não serão beneficiadas e poderão ser até prejudicadas com a cirurgia.

Em conclusão, as amígdalas e as adenóides têm uma função importantíssima na defesa do organismo, principalmente contra as infecções respiratórias, as mais comuns na infância. Sua retirada somente deverá ser feita com indicações muito precisas, levando-se em conta a relação risco-benefício. Dentro do possível, a cirurgia não deverá ser recomendada antes dos dois anos.

Doenças

Doenças exantemáticas

Existe um grande grupo de doenças, infecciosas ou não, que podem apresentar erupções de cor avermelhada, denominadas exantemas, razão pela qual são conhecidas como doenças exantemáticas.

Há dois grandes grupos de exantemas: os máculo-papulosos e os pápulo-vesiculosos. Os primeiros ocorrem nas doenças eruptivas clássicas, conhecidas desde a antiguidade, quando foram classificadas por ordem de aparecimento, a saber: sarampo (primeira moléstia), escarlatina (segunda moléstia), rubéola (terceira moléstia), eritema infeccioso (quinta moléstia), roséola ou exantema súbito (sexta moléstia).

A quarta moléstia é hoje considerada um tipo de escarlatina mais leve. Esse tipo de exantema máculo-papuloso pode ocorrer, ocasionalmente, na mononucleose, toxoplasmose, riquetsioses, adenoviroses, enteroviroses, reações alérgicas a medicamentos e em muitas outras situações. Os exantemas pápulo-vesiculosos, cuja erupção se caracteriza pela existência de bolhas ou vesículas, ocorrem na varicela ou catapora, na varíola (já extinta no mundo há muitos anos), nas infecções herpéticas, no impetigo, no estrófulo (picadas de insetos), no molusco contagioso.

Como são muito freqüentes entre as crianças, as mais comuns ficaram conhecidas como doenças próprias da infância. Parecidas, poderão ser confundidas por leigos, e mesmo por médicos, se se tentar diagnosticá-las somente pela observação das lesões da pele. Olhar uma criança coberta de erupção e diagnosticar sarampo pode ser uma temeridade. Embora o diagnóstico possa ser feito pelas características do exantema — aspecto (máculo-papulo-eritematoso morbiliforme, roseoliforme, escarlatiniforme, urticariforme nas alergias), local de início (no sarampo, atrás das orelhas), direção do alastramento (da cabeça ao tronco e aos membros, no sarampo), distribuição (pelo tronco, mais comum na rubéola) e evolução das lesões — é bom não arriscar, pois existe um número grande de doenças exantemáticas parecidas. Como prova disso, não é raro que pais levem seus filhos ao consultório por suspeitar que eles estejam com uma dessas doenças, e, no final, se descobrir que nada mais têm do que picadas de insetos, estragos feitos por pernilongos ou pulgas.

Ao se examinar uma criança com exantema, é obrigatório um bom levantamento da história clínica, em que se pergunta se a criança teve contato com alguém com doença eruptiva; se esteve ou está com febre (início em poucos dias, se baixa ou alta); se a erupção surgiu durante ou depois da febre; se as lesões coçam muito ou pouco (alergias); se a criança teve outros sintomas, como dor de cabeça, vômitos, diarréia. Após a tomada dos dados, deve-se proceder a um exame físico minucioso, pois existem vários achados que permitem um diagnóstico preciso.

Ainda que se tome todos esses cuidados, é difícil diagnosticar com certeza algumas doenças eventualmente acompanhadas de exantema, mesmo com exames complementares. Felizmente, a grande maioria das doenças exantemáticas é de fácil diagnóstico. Há alguns anos, os pais achavam que tudo era sarampo; hoje, com a vacinação em massa, o sarampo quase desapareceu, e a vilã passou a ser a rubéola.

Roséola, rubéola ou alergia?

A roséola é uma das doenças exantemáticas mais comuns. Quase todas as pessoas já a tiveram. Entretanto, a maioria dos pais ignora que os filhos tenham tido e atribuem o exantema a outras infecções, como a rubéola, a reações alérgicas ou a medicamentos.

A roséola, também chamada exantema súbito, ataca crianças com menos de três anos, principalmente as menores de um ano. É transmitida de uma criança doente para outra, e a erupção surge de oito a quinze dias depois do contato. Começa com febre, que dura em torno de três dias ou no máximo cinco. De início, a febre é muito alta, o que poderá levar a convulsões as crianças predispostas; depois, vai baixando progressivamente até que, a partir do quarto dia, surge uma erupção rósea na face, que rapidamente se espalha pelo corpo e piora com o calor (roupas quentes, sol). Ao surgir a febre alta, os pais, temerosos, levam o filho ao médico, que, pelo exame, somente constatará que a faringe está hiperemiada, o que o leva, com freqüência, a diagnosticar faringite e a prescrever um antibiótico para evitar a progressão da doença. A febre acaba quase milagrosamente ao surgir a erupção.

Esta é a única das doenças eruptivas clássicas em que isso acontece. Em todas as outras (sarampo, rubéola, escarlatina), a febre aumenta quando surge a erupção, o que facilita o diagnóstico: criança com menos de dois anos que apresenta febre alta durante três a cinco dias, garganta vermelha e erupções ao desaparecer a febre está com roséola.

A rubéola é uma ocorrência rara entre crianças com menos de um ano, manifestando-se comumente entre as maiores de três anos. A febre surge com a erupção e dificilmente ultrapassa os 38 graus; os gânglios da nuca costumam apresentar aumento de volume. O diagnóstico correto é importante, pois a rubéola é uma doença benigna para quem a tem, mas capaz de produzir grandes estragos quando uma gestante é infectada.

Outra confusão importante está relacionada com a alergia a antibióticos. Como o bebê tem febre alta, o médico identifica somente uma faringite e, embora pergunte, não consegue nenhuma informação sobre o contágio, acabando por prescrever um antibiótico. Quando surge a erupção, os pais, e às vezes até os médicos, costumam atribuí-la ao antibiótico. Daí em diante, toda vez que a criança é levada ao pediatra, os pais avisam: "Doutor, ele é alérgico a... (nome do antibiótico)." Assim, quando somos informados de que a criança é "alérgica" a algum antibiótico, é bom apurarmos se a criança realmente não teve roséola. E isso é muito fácil: criança com menos de três anos que apresenta febre alta, atribuída a amigdalite ou faringite, que acaba no quarto dia com o surgimento de uma erupção, não é alérgica a antibiótico, contraiu roséola!

Medo da rubéola

As chamadas doenças próprias da infância (rubéola, sarampo, caxumba, varicela), quando ocorrem em crianças bem nutridas ou antes da puberdade, são, em geral, benignas, necessitam somente de tratamento sintomático, raramente se complicam e não costumam deixar seqüelas. Entretanto, tudo é muito diferente quando ocorrem em adultos ou em crianças desnutridas, ou quando dão a impressão de serem doenças distintas. Após a puberdade, a gravidade é maior, as complicações são mais freqüentes e, muitas vezes, o tratamento terá que ser individualizado.

Existem duas formas de rubéola com desenvolvimento bem diferente: a congênita ou pré-natal e a adquirida ou pós-natal. A pós-natal ou adquirida é benigna, caracterizada entre as crianças por erupção (exantema), febre baixa, faringe avermelhada, aumento de volume dos gânglios da nuca, bom estado geral; não é motivo de maiores preocupações, pois costuma ser curada somente com medicação sintomática, devendo evitar-se aspirina. Quanto à rubéola congênita ou pré-natal, há o risco de a infecção do concepto (embrião, feto) ocasionar malformações, retardo do crescimento, nascimento prematuro, doença ou mesmo a morte. O risco de malformações é maior quando a infecção ocorre no primeiro trimestre de gestação, período em que os órgãos ainda estão em formação, diminuindo nos dois meses seguintes.

Recém-nascidos podem apresentar forma extremamente grave da doença, com quadro de icterícia e de hemorragias, que com freqüência leva à morte ou a retardos no crescimento e no desenvolvimento. Esses recém-nascidos constituem um grave problema de saúde pública, pois durante um ano ou às vezes até dois, são autênticos reservatórios de vírus e podem transmitir a doença para as pessoas que cuidam deles, inclusive as grávidas. Quando institucionalizados em hospitais ou em creches, deverá ser feita advertência às gestantes quanto ao perigo de se acercarem deles. Conheci uma auxiliar de enfermagem que, por falta de aviso, passou a cuidar de um bebê infectado e adquiriu a doença no início da gestação. É preciso que se diga que, embora o risco seja grande, nem todo filho de gestante portadora de rubéola nasce malformado ou doente, principalmente se a infecção tiver ocorrido após o primeiro trimestre.

Cerca de 30% dos casos são subclínicos, ou inaparentes. Ocorrem sem o exantema (erupção), mas transmitem a doença. Na grande maioria deles, o quadro clínico (exantema, características da febre, aumento dos gânglios da nuca, estado geral) permite o diagnóstico. Porém, existem algumas viroses com sinais e sintomas parecidos com os da rubéola (enteroviroses, sarampo em criança vacinada, alergias, mononucleose, toxoplasmose) que provocam dúvidas. Como regra prática, toda pessoa, principalmente criança, com rubéola ou com suspeita da doença, que tenha tido contato com pessoa portadora ou apresente erupção parecida deve ser afastada das gestantes. Mesmo porque o período de contágio inicia-se sete dias antes da erupção e prolonga-se até o terceiro dia após o início do exantema, embora raramente o vírus possa ser eliminado até o décimo quarto dia.

O medo da rubéola pode ser facilmente justificado pelo que foi dito. Atualmente, já dispomos da vacina tríplice viral (sarampo, caxumba, rubéola), disponível nos centros de saúde, que previne a rubéola e deve ser administrada a todas as crianças com mais de um ano. Todas as mulheres que não tiverem tido rubéola ou não tiverem recebido a vacina deverão ser vacinadas, desde que não estejam grávidas.

Varicela é catapora?

Varicela é o nome de uma doença virótica, eruptiva, altamente contagiosa, comum e benigna na infância, principalmente entre dois e sete anos de idade. O nome popular da varicela é catapora e, tal como a caxumba, é conhecida no Nordeste como papeira.

Quinze a vinte dias depois do contato, surgem febre, mal-estar e logo começam a aparecer pequenas manchas avermelhadas, arredondadas ou ovaladas, que se transformam rapidamente em pápulas (como se fossem picadas de insetos). Essas lesões são pruriginosas, coçam muito e localizam-se inicialmente no tronco, na face, depois na boca e na vagina, poupando as mãos e os pés. Um dia depois, no centro das pápulas, surgem vesículas (pequenas bolhas de água) com conteúdo claro, que no segundo dia transformam-se em crostas (casquinhas). As lesões surgem até o quinto ou sétimo dia, quando as crostas começam a se desprender e a doença deixa de ser transmissível. As crostas se desprendem do quinto ao vigésimo dia. O período de contágio vai de dois dias antes da erupção até a fase de descamação, ou seja, cinco a sete dias após o início da erupção. É a única doença eruptiva que apresenta ao mesmo tempo pápulas, vesículas e crostas.

Entre crianças com menos de um ano e adultos, a catapora deve ser motivo de preocupação, pois o quadro clínico geralmente é mais grave e as complicações são bem mais freqüentes. As lesões da catapora não deixam marcas, a não ser que ocorram infecções secundárias. As mais comuns são as ocasionadas por bactérias — estafilococos e estreptococos (impetigo, celulites, abscessos). Todas as vezes em que as lesões se transformarem em bolhas grandes, com conteúdo purulento e, principalmente, com um grande halo eritematoso (vermelho) ao redor, a criança deverá ser levada ao médico, pois são sinais de infecção bacteriana que deverá ser tratada com antibióticos. O encaminhamento ao médico será ainda mais urgente se a criança apresentar febre alta e comprometimento do estado geral.

O tratamento da varicela é sintomático: acetaminofem para a febre, antialérgicos e banhos com permanganato de potássio, para evitar infecções ou fécula (maisena ou polvilho) para aliviar a coceira. Não agasalhar demais a criança, pois o calor aumenta a coceira; evitar que ela brinque na terra e cortar-lhe as unhas para diminuir o risco de infecções. Não se deve usar antibióticos no tratamento da catapora quando não houver complicações e muito menos aspirina, que pode provocar a Síndrome de Reye, de mau prognóstico. A imunidade conferida pela catapora é definitiva — ela não se repete duas vezes, a não ser entre crianças com deficiências imunológicas. A varicela ou catapora pode ser prevenida com a vacinação, que está indicada a partir de 12 meses. Todos os adolescentes que não tiveram catapora devem ser vacinados. Nos casos muito graves prescrevem-se os antivirais (aciclovir).

Caxumba

A caxumba é uma infecção virótica, febril, muito contagiosa, transmitida pela saliva, que ataca as glândulas salivares, as parótidas, em particular, razão pela qual seu nome técnico é parotidite epidêmica. É uma das doenças próprias da infância, comum entre pré-escolares e escolares.

Embora o diagnóstico clínico seja feito pelo aumento do volume das glândulas parótidas, localizadas na frente das orelhas, e ou das submandibulares, localizadas abaixo da mandíbula, a caxumba é uma virose generalizada que pode atacar vários órgãos, como o pâncreas, os testículos, os ovários e o sistema nervoso central, com ou sem aumento das parótidas. Inicia-se com febre, falta de apetite, dores de cabeça e musculares e mal-estar. As dores no ouvido, abaixo da mandíbula e ao mastigar, surgem um dia depois, com o aumento das glândulas salivares, que se tornam sensíveis à pressão, dado útil para o diagnóstico. Pressionando-se na frente do ouvido, a criança reclama de dor. Esse teste é útil para se estabelecer a diferença entre a caxumba, que ocorre na frente da orelha, e o aumento de volume dos gânglios na região cervical ou abaixo da orelha, que não costumam doer à pressão. Com freqüência, os pais nos telefonam dizendo que os filhos estão com caxumba, quando na realidade o que ocorre é um aumento de volume dos gânglios. Como a conduta médica é diferente nas duas situações, é conveniente que a criança seja examinada para que um diagnóstico correto seja feito. Na maioria das vezes, primeiro há um aumento de volume de uma parótida, depois da outra, desaparecendo o edema entre cinco e sete dias.

A caxumba é contagiosa dos seis dias anteriores ao surgimento do quadro clínico aos nove dias posteriores ao início do edema das glândulas salivares. O tratamento é sintomático e não se deve usar aspirina. Isso é muito importante, pois pode causar complicações graves. Como o pâncreas, com freqüência, é atacado, os alimentos gordurosos devem ser restringidos. A meningoencefalite é uma complicação que não é rara e, entre crianças, benigna. Os pais têm receio de que a caxumba "desça" para os testículos, entretanto, a orquite e a epididimite são raras antes da puberdade.

Dificilmente, para não se dizer que é impossível, uma criança tem caxumba pela segunda vez. Então, por que tantos pais dizem que seus filhos tiveram caxumba mais de uma vez? Porque há um grande número de condições clínicas que provocam o aumento de volume das parótidas e são confundidas com a caxumba: infecções virais e bacterianas, cálculos dos canais salivares, reações alérgicas, medicamentos (iodo, utilizado em remédios para a tosse), insuflação (ao encher bolas de borracha), tumores.

A vacina tríplice viral previne a caxumba, a rubéola e o sarampo e deve ser administrada a todas as crianças. Adolescentes e adultos que não tiveram a doença deverão ser vacinados, pois entre eles, as complicações podem ser fatais.

Sinusite

Freqüentemente, os pais estranham quando se suspeita de sinusite numa criança, ainda mais quando ela é muito pequena. "Como doutor? Criança tem sinusite?" Sim, e são relativamente comuns. Acredita-se que, de cada oito episódios de rinofaringite, um evolua para sinusite.

Até os três anos, apenas os seios maxilares e etmoidais estão presentes, comunicando-se com a cavidade nasal por um orifício de drenagem. Eles têm a função de umidificar, filtrar e aquecer o ar inspirado. Posteriormente, surgem os seios frontais e o esfenoidal. A sinusite é resultante de uma obstrução dos orifícios de drenagem dos seios da face, em conseqüência de um edema da mucosa, provocado por fatores infecciosos — viróticos ou bacterianos, alérgicos, químicos ou físicos. Essa obstrução causa retenção de secreções, o que favorece a instalação de infecções por diversos tipos de germes.

A sinusite geralmente aparece depois de um resfriado, viagem de avião com a criança resfriada, instilação de gotas nasais durante muito tempo, prática de natação, principalmente quando a criança mergulha muito e existe excesso de cloro na piscina. Ela pode ser aguda ou crônica; evoluir com ou sem febre. O desconforto é maior à noite, devido ao acúmulo de secreções na nasofaringe. Tosse persistente, geralmente noturna, corrimento amarelado na faringe, dor de cabeça na testa ou na nuca, mau hálito, como um resfriado que não acaba, esses sinais ou sintomas podem estar todos, ou somente alguns, presentes.

Para o tratamento, é necessário:

- promover a drenagem dos seios da face, para isso, pingando gotas de soro fisiológico no nariz, ou gotas descongestionantes, por períodos curtos;
- administrar os antibióticos mais adequados, em prazos que vão de dez a vinte dias; analgésicos, se existe dor; antitérmicos, se existe febre; e medicação sintomática para tosse;
- suspender banhos de piscina e de mar, pois os mergulhos são prejudiciais;
- controlar os poluentes ambientais.

As recaídas podem ser causadas por alergias, provocadas por uma série de fatores, entre os quais destacam-se: fumo, leite de vaca, poeira, ácaros, pêlos, penas, lã. Nesses casos, são indicados anti-histamínicos, corticóides tópicos no nariz, medicamentos homeopáticos e, com freqüência, necessita-se consultar um especialista. Sol, ar livre, exercícios físicos, boa alimentação e sono reparador ajudam bastante. Um médico competente, no entanto, é a forma mais correta de se tratar uma sinusite.

O perigo do colesterol alto

O colesterol se encontra distribuído por vários tecidos do corpo — gorduras, sangue, cérebro, rins, fígado, tecido nervoso. Trata-se de um nutriente indispensável. Na natureza, é encontrado em produtos de origem animal — carnes, laticínios e ovos.

A ingestão exagerada de produtos que contenham gorduras, sobretudo quando ricos em colesterol, faz com que seus níveis subam no sangue, ultrapassando o limite aceitável de 170 mg/dl e levando a uma série de distúrbios, o maior deles, a deposição de gordura nos vasos. É a arteriosclerose, que leva aos infartos cardíacos e a acidentes cerebrais. Já se foi o tempo em que os infartos eram preocupação dos médicos de adultos. Durante a Guerra da Coréia, os médicos americanos, ao fazer necropsias, constataram que um número grande de jovens com menos de vinte anos mortos nas batalhas já apresentava acentuados estreitamentos das artérias, semelhantes aos encontrados em adultos com mais de cinqüenta ou sessenta anos, candidatos à hipertensão arterial e aos infartos — tudo estava relacionado com o aumento do colesterol do sangue. Desde então, desenvolveram-se inúmeros estudos e chegou-se a uma trágica conclusão: a arteriosclerose, acúmulo de gordura nas artérias, começa na infância e, às vezes, no bebê. Assim, a prevenção da hipertensão arterial, da doença coronariana e dos acidentes vasculares cerebrais passou a ser também um problema pediátrico.

A prevenção é feita pela modificação dos hábitos alimentares, dieta pobre em colesterol e gorduras, prática de exercícios físicos e abstenção do fumo. Entre crianças com predisposição genética, ou seja, que tenham antepassados, principalmente pai ou mãe, com níveis altos de colesterol ou que tenham tido qualquer manifestação que indique comprometimento vascular, como angina ou infarto, essas modificações de hábitos tornam-se obrigatórias e o nível de colesterol no sangue deverá ser verificado periodicamente. Somente a prevenção precoce, primária, que deve ser iniciada na mais tenra infância pela amamentação e, posteriormente, evitando-se a ingestão de alimentos ricos em gorduras ou colesterol, poderá evitar ou retardar a evolução clínica sorrateira e silenciosa da arteriosclerose, freqüentemente só diagnosticada com a morte ou a incapacitação das pessoas. Mas cuidado com produtos rotulados como "sem colesterol"; existem óleos altamente saturados, como o azeite-de-dendê, que podem ter um efeito pior sobre os níveis de colesterol do que outros alimentos ricos em gordura.

Crianças hiperativas

Antes de mais nada, é necessário fazer a distinção entre crianças inquietas e hiperativas. A maioria das crianças é inquieta. Costuma-se dizer que as crianças estão com o "bicho-carpinteiro", por não conseguirem ficar quietas. Uma de suas grandes necessidades é ter espaço físico suficiente para andar, correr, brincar, condição tão importante quanto a alimentação para o seu crescimento. Infelizmente, a vida nas grandes cidades não permite que tenham à sua disposição o espaço necessário para isso. Presas em apartamentos, às vezes minúsculos, têm seus movimentos tolhidos e são obrigadas a ficar inativas. A movimentação serve como uma via de descarga da agressividade, ajudando-as a manter seu equilíbrio emocional. Se não se movimentam, elas podem ficar agitadas e inquietas. Quem ignora os efeitos sedativos sobre a criança dos esportes e dos brinquedos? Não é sem razão que as mães levam os pequeninos para os parques, para gastarem suas energias e voltarem para casa mais tranqüilos. Se seu filho se enquadra nessa situação, dê-lhe espaço e oportunidade para se movimentar e o problema estará resolvido.

E a criança hiperativa? Quem não se lembra do Pimentinha das histórias em quadrinhos, que vivia fazendo travessuras e cuja inquietação passava dos limites aceitáveis? Embora as crianças se divertissem com ele, para os pais e professores, a possibilidade de ter um Pimentinha em casa ou na escola era aterrorizante. As crianças hiperativas não param quietas, não conseguem terminar tarefas simples, quebram tudo, tumultuam a casa e a escola, passam o dia criando problemas para os que as cercam. Os pais e os mestres confessam-se incapazes de controlá-las: "Já tentamos tudo. Não sabemos mais o que fazer com ele." O médico da família acha que "Não há motivos para preocupações, pois, com o tempo, tudo passará". Os parentes e vizinhos colocam a culpa nos pais: "Faz tudo isso porque foi estragado. Não lhe deram educação." Até que, um dia, os pais são informados de que o filho é hiperativo.

A hiperatividade, hipercinesia ou hiperatividade com déficit de atenção é caracterizada por desatenção, impulsividade, hiperatividade e incapacidade de concentração. Essas características criam problemas no cotidiano dessas crianças, principalmente quando estão nas escolas, onde parecem ser perturbadas. Entretanto, os problemas começam como conseqüência do comportamento hiperativo. Como as crianças pequenas são freqüentemente inquietas, só se suspeita de hiperatividade geralmente a partir dos cinco anos. Como ajudá-las? Os pais e professores poderão ajudá-las de várias maneiras: em primeiro lugar, compreendendo e aceitando seu temperamento; posteriormente, ensinando-as a dividir suas tarefas em pequenos segmentos, mais fáceis de serem resolvidos, e incentivando-as a praticar esportes, mesmo no horário das aulas. O tratamento é complexo, exigindo a ajuda de vários profissionais e medicamentos de uso controlado.

Existem vários problemas neurológicos, orgânicos, comportamentais ou relacionados com o desenvolvimento cuja sintomatologia é muito semelhante à da hiperatividade. Por esse motivo, recomenda-se ouvir a opinião de um especialista no assunto. Cuidado! Não confunda a inquietação normal das crianças com hiperatividade.

Dores

Dores nas pernas

As dores nos membros inferiores são muito comuns na infância. Podem ser orgânicas — doenças reumáticas, ósseas, sangüíneas — de crescimento e de origem emocional.

As dores orgânicas não têm horário, ocorrem mais durante o dia, freqüentemente prejudicam a locomoção e, muitas vezes, vêm acompanhadas de sinais sistêmicos — febre, dor de cabeça, cansaço, mal-estar — ou locais — dor, calor, rubor, edema. Quando isso acontece, existe a necessidade de se chegar a um diagnóstico correto, para que seja feito o tratamento adequado. Os exames complementares — sangue, radiografias, tomografia, gamagrafia, ressonância magnética — dependem do quadro clínico.

As dores de crescimento ocorrem durante a noite. A criança acorda com dores intensas, intermitentes, localizadas preferencialmente nas coxas ou na batata das pernas, que melhoram com massagens, fricção com álcool, analgésicos, espontaneamente ou até mesmo com um pouco de carinho. Pela manhã, a criança desperta como se nada tivesse acontecido, anda e brinca normalmente. Embora sejam freqüentes, durem meses ou anos e tenham sido objeto de inúmeros estudos, ainda existe muito mistério sobre elas, o que explica por que muitas vezes o nome é colocado entre aspas — "dores de crescimento".

As dores de caráter emocional são comuns entre pré-escolares e escolares. São conhecidas as que surgem na hora de ir para a escola, desaparecem no ônibus e nunca aparecem aos domingos, feriados e nas férias. Também são comuns as que ocorrem por imitação. Quando familiares ou amigos têm algum problema nos membros inferiores, a criança passa a imitá-los, mancando e queixando-se. As crianças com dores de crescimento ou emocionais com freqüência reclamam de dor na barriga e na cabeça.

Em resumo: crianças com dores nas pernas que ocorrem durante o dia, aumentam com exercícios e se associam a outros sintomas deverão ser sempre examinadas pelo médico, para que seja esclarecida a causa e indicado o tratamento necessário. Crianças com dores de crescimento que ocorrem à noite e não prejudicam as atividades físicas e aquelas com dores de origem emocional, mesmo benignas, deverão ser levadas ao consultório para que os pais recebam orientação adequada.

Dor de ouvido

Os resfriados e as otites médias agudas, que costumam causar dor de ouvido, são as infecções mais comuns entre as crianças. Aos cinco anos, quase todas elas já tiveram pelo menos um episódio de otite. Estudos realizados entre crianças de até três anos mostraram que 46% tinham tido três ou mais episódios de otite, e 16%, seis ou mais. A dor de ouvido acomete principalmente os bebês e as crianças pequenas, diminuindo com o crescimento, sendo rara nos adultos. Dois são os principais motivos que explicam o fato: a diminuição da incidência de resfriados com a idade, grandes responsáveis pelas otites, e as modificações anatômicas da orelha decorrentes do crescimento.

Nos Estados Unidos, foi estimado em 25 milhões o número de otites por ano, cujo tratamento, incluindo as complicações, custou em torno de 5 bilhões de dólares. Como se pode ver, a dor de ouvido não tem nada a ver com subdesenvolvimento. A otite média aguda surge quando ocorre obstrução da tuba auditiva, que comunica o ouvido médio com o nariz. Ela é produzida pela congestão da mucosa do nariz, da nasofaringe, da orelha média e da própria tuba. A obstrução da tuba leva à reabsorção do ar na orelha média, tornando negativa a pressão no seu interior (vácuo), o que acarreta transudação (secreção) e desvio do tímpano. As mudanças de posição do tímpano para dentro, como ocorre na fase inicial das otites médias agudas, ou para fora, quando surge supuração, provocam dor aguda, intensa, como se a orelha estivesse latejando. Muitas vezes, consegue-se fazer o diagnóstico por telefone, perguntando-se a idade da criança (bebê); se está resfriada (nariz escorrendo, entupido ou com coriza amarelada); se nadou muito ou viajou de avião naquele dia; se está puxando uma das orelhinhas; se o choro diminui quando é colocada no colo ou no ombro, aumentando quando deitada, ou, ainda, se o choro diminui quando a orelha (geralmente a que está sendo puxada) fica encostada na pessoa que segura a criança, pois o aquecimento diminui a dor.

Um grande número de fatores pode produzir a obstrução da tuba, que é também conhecida como trompa de Eustáquio, causando dor de ouvido. As infecções virais (resfriados) ou bacterianas são responsáveis pela maioria dos casos. Em segundo lugar, fatores anatômicos podem causar obstrução funcional ou anatômica da tuba. A funcional ocorre entre crianças pequenas, em que a falta de um apoio cartilaginoso adequado da tuba, devido à própria imaturidade, dá menos firmeza às suas paredes, o que permite que elas colem com mais facilidade, obstruindo-a. A obstrução mecânica é produzida principalmente pelo aumento das adenóides. Entretanto, do ponto de vista anatômico, o mais importante é que a tuba auditiva das crianças é mais curta e reta — o que facilita a drenagem das secreções para dentro da orelha média — e, principalmente, muito mais estreita, o que possibilita sua obstrução por congestões relativamente pequenas da mucosa ou por secreções.

Outros fatores que devem ser pesquisados no caso de otites médias recorrentes são as imunodeficiências (em especial a de imunoglobulinas A e G), a alergia (leite de vaca), hipertrofia e infecções de adenóides, fenda palatina (goela de lobo), refluxo gastroesofágico, uso de mamadeiras com a criança deitada após o terceiro ano de vida e fatores ambientais.

Crianças pequenas criadas em casa têm muito menos episódios de otites do que aquelas que vão para as creches ou escolinhas, por serem menos expostas ao contágio das infecções respiratórias. Idealmente, elas deveriam ir para as creches ou escolas apenas após o terceiro ano de vida, o que se reconhece não ser sempre possível. Existe um comprovado aumento da incidência de casos de otite média em crianças fumantes passivas, ou seja, expostas à fumaça dos cigarros dos familiares. A fumaça prejudica as funções de defesa do aparelho respiratório, por produzir danos à função mucociliar e alterar a competência imunológica.

Como a maioria das crianças com dor de ouvido é portadora de otites médias agudas de natureza infecciosa, a natação — em especial quando praticadas em piscinas aquecidas que favorecem a proliferação de germes — e os vôos de avião podem ocasioná-las, sobretudo se ela já estiver resfriada.

A amamentação é extremamente importante na prevenção das infecções respiratórias agudas nos primeiros meses de vida, devido à imunidade passiva conferida pelo leite materno; as crianças que tomam mamadeira têm mais otites.

A primeira coisa a ser feita quando uma criança tem dor de ouvido é controlar a dor, que é lancinante. Para isso, recorrem-se a substâncias analgésicas (dipirona, acetaminofem), evitando-se o uso do ácido acetilsalicílico (aspirina) em crianças pequenas.

Existem fórmulas caseiras para diminuir a dor por meio do calor, tais como sacos de água quente, compressas de água morna, cataplasmas feitas com farinha de trigo ou de milho, embrulhadas em lenços e colocadas na orelha, ou, ainda, pingando-se no conduto auditivo gotas de óleo ligeiramente aquecidas.

Em casos excepcionais (dor, infecção), poderão ser colocados medicamentos no ouvido, desde que haja indicação médica. Como a maioria dos casos de otites médias deve-se a infecções respiratórias (resfriados), é indicada a instilação de soro fisiológico nas narinas. Existem controvérsias sobre o uso de anti-histamínicos e descongestionantes nasais, administrados por via oral (Dimetap, Descon, Naldecon). Alguns acham que eles não deveriam ser indicados, e outros julgam que, diminuindo-se a produção de muco e o edema das mucosas, se melhoraria o quadro clínico. Sempre que houver febre, os antibióticos devem ser utilizados. Embora as amoxicilinas sejam as mais eficazes, caberá ao médico dizer qual o antibiótico indicado, a dose e a duração do tratamento:

O risco de recorrência aumenta quando:

- existem casos de familiares próximos (pais, irmãos) que tenham tido muitos episódios de dor de ouvido;
- a criança tem menos de dois anos e, principalmente, se o primeiro episódio ocorreu antes dos seis meses de idade;
- a criança freqüenta creche ou escolinha;
- a criança teve mais de três episódios nos últimos seis meses;
- a criança sofre exposição freqüente à fumaça de cigarros.

Para se evitar a recorrência das otites médias, é imprescindível que sejam identificados e afastados os fatores responsáveis. Se, entretanto, os episódios se repetirem com freqüência, ou a curtos intervalos, a criança deverá ser levada a um especialista. As otites médias agudas recorrentes podem levar à diminuição ou até à perda da audição.

Dor de barriga

Pode-se afirmar que todas as crianças tiveram, têm ou irão ter dores na barriga. Embora sejam comuns e, na maioria das vezes, não constituam sinal de gravidade, podem, ocasionalmente, representar um risco e apresentar grandes dificuldades diagnósticas. As dores abdominais podem ser divididas em agudas, de início súbito em uma criança previamente normal; as recorrentes, que se repetem em intervalos regulares ou variáveis; e as crônicas, de longa duração. Como regra geral, todas as dores abdominais agudas, com duração superior a uma hora, deverão ser comunicadas ao médico, e os medicamentos que modifiquem a dinâmica intestinal, como os laxantes, não deverão ser administrados sem prescrição.

A grande maioria das dores de barriga entre crianças de quatro a seis anos é do tipo crônico e recorrente, isto é, ocorre com freqüência, durante um longo período de tempo. Embora possam ser motivadas por dezenas de fatores, as pressões em casa, na escola e dos amigos constituem a causa mais importante de seu aparecimento. Exemplos comuns são a dor de barriga na hora das refeições, na hora de ir para a escola ou para a cama. A criança estressada tem uma necessidade incontrolável de chamar a atenção e, para isso, vale-se de uma série de artifícios, sendo dos mais comuns as dores de cabeça, nas pernas, no peito e na barriga. Embora seja essa a causa mais habitual, existem outras, e, portanto, toda criança com dor abdominal deve ser levada ao médico. O diagnóstico preciso pode exigir que sejam feitos exames complementares — laboratoriais, radiológicos, ecografias, endoscopias.

Entre os bebês, os motivos mais comuns de dores na barriga são as cólicas ou a indigestão, entre os comilões. As invaginações intestinais são raras, exigem cuidados e costumam ocorrer entre bebês sadios de quatro meses a dois anos, provocando dores agudas, intensas e recorrentes, geralmente acompanhadas de vômitos e de emissão de fezes contendo sangue. Esses bebês necessitam de atendimento médico de urgência.

Cocô e xixi

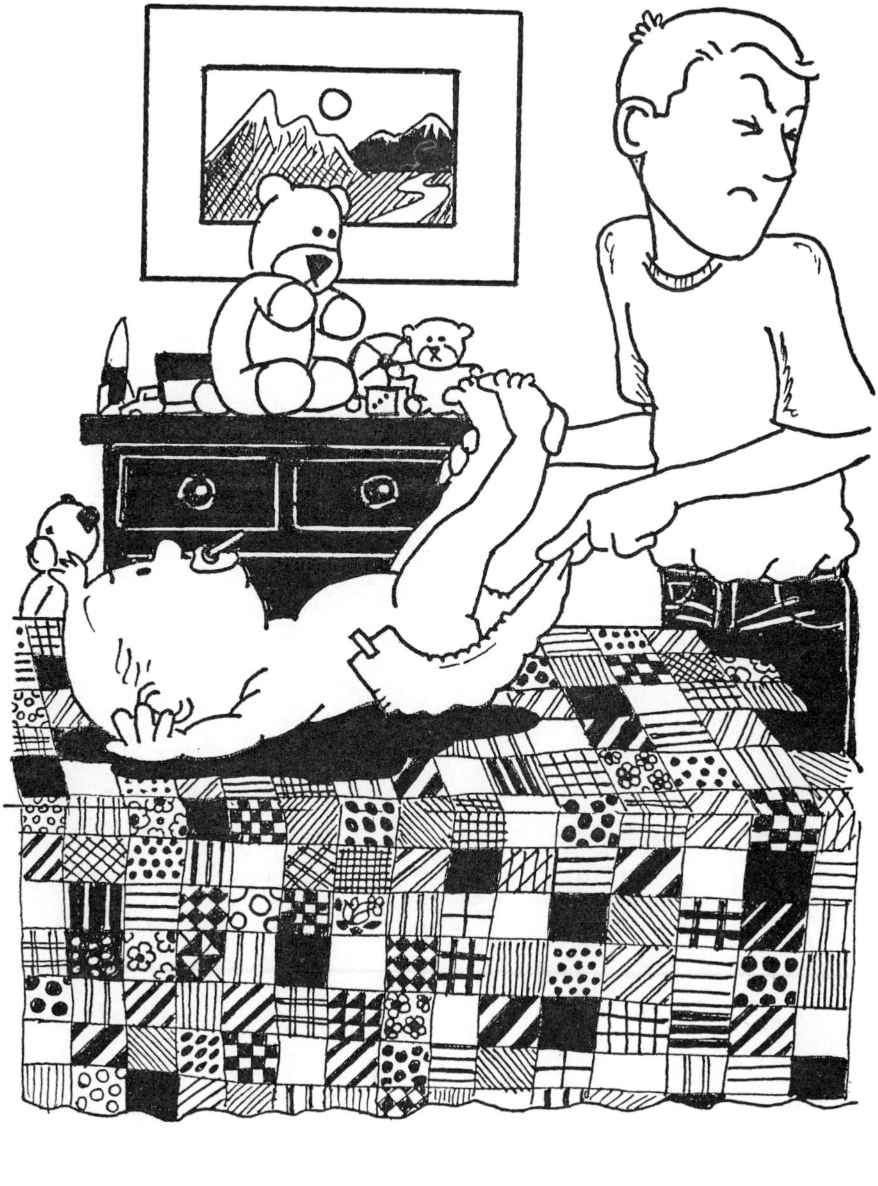

Quando e como tirar as fraldas?

Quando os pais ficam angustiados pela demora em conseguir que o filho deixe de usar fraldas, para tranqüilizá-los, costumo perguntar-lhes: "Vocês já viram alguma criança de cinco anos de fraldas?" A resposta é sempre "não". Então, não há motivos para preocupações, pois quase todas, em algum momento entre dois e três anos, deixam de usá-las, embora algumas demorem um pouco mais.

À primeira vista, o problema do treinamento para o banheiro pode parecer sem importância para os pais, e até para os médicos, mas não é. No início do século, a atitude prevalente era a da permissividade. Na década de trinta, passou-se a recorrer a técnicas coercitivas, em que se preconizava o treinamento precoce e obrigatório. Os efeitos foram desastrosos e as evidências clínicas passaram a desaconselhar esse método. Os estudos sobre desenvolvimento infantil mostraram que a criança só vai aprender a usar o penico quando estiver física, mental e emocionalmente preparada. Em outras palavras, elas costumam treinar a si mesmas, como parte de um processo natural de amadurecimento.

Costumo recomendar que as crianças nunca sejam colocadas no penico antes de começarem a andar bem, o que costuma ocorrer, mais ou menos, aos quinze meses. Entre um e dois anos, a criança começa a demonstrar a vontade de urinar ou evacuar por gestos, caretas, parando de brincar, ficando quietinha num canto, retesando-se, gritando ou agachando, agarrando a fralda ou a roupa, o que permite que a família identifique, com facilidade, o momento de colocá-la no penico. No princípio, ela fica sentada pouco tempo, levanta-se e vai fazer onde achar mais conveniente, às vezes com o penico na cabeça. Não se esqueça de fazer festinhas quando ela se demorar no penico, mesmo que não faça nada. Deixe-a familiarizar-se com ele. Algumas observações orientam-nos sobre a época de começar a usá-lo: quando se percebe um horário determinado para evacuar e urinar; quando a criança fica sem fazer xixi por algumas horas; quando demonstra capacidade de entender algumas perguntas, como "está na hora de fazer pipi?", "está na hora de fazer cocô?"

Algumas dicas importantes:

- não comece a treinar seu filho muito cedo, ou seja, antes que ele comece a andar bem. Embora alguns pais se vangloriem de que seus filhos passaram a usar o penico antes de um ano, isso é triste para os pediatras e, mais ainda, para eles. O treinamento pode ser começado, com sucesso, entre quinze meses e dois anos de idade e leva de meses a um ano, nunca algumas semanas. Qualquer problema emocional — nascimento de irmão, viagem da mãe, conflito entre os pais — pode levar à regressão, ou seja, a criança volta a fazer nas fraldas ou nas calças;
- aprenda a identificar os sinais utilizados pela criança para demonstrar o desejo de urinar ou de evacuar;
- não coloque a criança no vaso sanitário suspensa pelas axilas, pois, com medo de cair, ela não fará nada e passará a ter terror do vaso;
- nunca demonstre à criança tristeza, preocupação e muito menos raiva — que é interpretada como abandono —, caso ela não faça no penico;

- nunca force seu filho a usar o penico, pois há o risco de se provocar distúrbios que poderão prolongar-se pelo resto da vida, como a constipação crônica, que se origina com freqüência nessa época;
- lembre-se: o controle da urina à noite é mais tardio.

Assim, o carinho, a compreensão, a tranqüilidade, a calma e a despreocupação são os ingredientes essenciais para o treinamento do controle esfincteriano da criança.

Meu filho faz xixi na cama

A emissão involuntária de urina pela criança, quando já deveria estar apta a controlá-la, ou seja, entre os dois e os três anos, denomina-se enurese. Ela pode ser diurna ou noturna. A noturna é a mais freqüente e também a que mais aborrece os pais. Ocorre em 20% das crianças até 5 anos, em 10% até 6 anos, em 7% até 8 anos e em 3% até 12 anos, sendo mais comum em meninos. Em contraste com a enurese diurna, que pode ser intencional, é sempre involuntária, o que torna a conduta em relação à criança que faz xixi nas calças diferente da que faz na cama. Se uma criança apresentar as duas formas, será tratada primeiramente a diurna e posteriormente a noturna.

A enurese pode ser primária — quando a criança nunca, ou raramente, tenha controlado a emissão de urina durante a noite — ou secundária — quando esse controle existiu durante meses ou anos e foi perdido. As primárias são mais comuns e de mais difícil resolução. A maioria das crianças portadoras desse tipo tem uma bexiga pequena e incapaz de guardar urina durante os longos períodos de sono, o que as leva a fazer xixi uma ou mais vezes durante a noite. A grande maioria desses casos tem uma base genética, ou seja, o pai, a mãe, os avós, os tios ou outros parentes tiveram o mesmo problema na infância.

As crianças com enurese secundária adquirida provavelmente começaram a urinar na cama por problemas psicológicos ou, mais raro, por condições orgânicas, responsáveis por somente 3% dos casos. Todas as crianças enuréticas deverão fazer exame de urina, incluindo cultura, pois as infecções urinárias são a causa mais comum das enureses orgânicas. Esse exame permitirá também o diagnóstico de diabete, que, embora raramente, pode ser responsável pela enurese.

Outras causas orgânicas da enurese noturna secundária são a constipação intestinal, sonambulismo, adenóides muito grandes, levando a crises de apnéia noturna, malformações do aparelho urinário, da região sacra da coluna, disritmias. Recordando, somente 3% das enureses se devem a causas orgânicas, sendo as genéticas e psicológicas responsáveis por 97%.

O que podemos fazer e principalmente o que não devemos fazer quando nosso filho faz xixi na cama? Primeiro, levá-lo ao médico, para uma avaliação clínica que permita afastar aquelas raras, mas importantes, causas orgânicas. Se não existe uma doença, o problema será genético ou psicológico. Nesses casos, como poderemos ajudar a criança?

Em primeiro lugar, teremos que nos conscientizar de que o problema pode ser desagradável, aborrecido, desgastante, mas é comum, não é sério e tem duração limitada. Ou seja, não vai durar a vida inteira e a criança não é culpada por ele. Alguns entendidos chegam a achar que os pais não devem fazer nada, a não ser que o filho se sinta preocupado ou aborrecido.

Quatro condutas são consideradas fundamentais. Todas as crianças que urinam na cama devem ser estimuladas e devem se sentir responsáveis pela solução do problema. Se conseguirem controlar a urina, devem ser recompensadas com palavras ou gestos que indiquem nossa alegria e possam fazê-las sentir-se vitoriosas.

O sistema de estrelinhas é muito interessante: todo dia em que não urinar na cama, ela ganha uma estrelinha de prata para colar no calendário. Assim, se sentirá recompensada e visualizará o resultado de seu esforço. Caso tenha mais de sete anos, poderá ajudar a mãe a trocar a roupa de cama, sem nenhuma palavra de repreensão, de punição, nem mesmo comentários desairosos.

Em segundo lugar, para diminuir a produção de urina, deve-se evitar o uso de mamadeiras à noite, deixando-se de atender também as reiteradas e insistentes solicitações de "Mamãe (ou papai), eu quero água!", na hora de dormir. Restringir a ingestão de líquidos após o jantar, ou pelo menos duas horas antes de deitar, é uma boa medida. Dificilmente a criança enurética controlará sua urina tomando uma ou mais mamadeiras durante a noite. A produção de urina também poderá ser diminuída com medicamentos, indicados pelo pediatra.

Em terceiro lugar, com crianças maiores, poderemos tentar aumentar a capacidade da bexiga, prolongando-se o intervalo entre as micções durante o dia. Pedimos à criança que segure a urina ao máximo quando tiver vontade de urinar. Esse exercício poderá reduzir em até 40% o número de micções noturnas.

Em quarto lugar, treinar a criança a utilizar o banheiro durante a noite, o que seria a melhor forma de resolver o problema, porém não a mais simples. Pode-se tentar despertá-las para urinar, o que não é fácil, pois elas costumam ter sono profundo; usar despertadores que seriam acionados assim que a criança começasse a urinar ou mesmo quando estivesse com a bexiga cheia (nos Estados Unidos, têm sido muito usados); utilizar rádios-relógio, regulados para despertar a criança três a quatro horas após o início do sono.

Por último, existem medicamentos que, eventualmente, podem ser indicados pelo pediatra.

A enurese, às vezes, torna-se uma situação frustrante para as crianças, para os pais e para os próprios pediatras, pela dificuldade de controle e pelos problemas emocionais que causa. Punir, humilhar ou ridicularizar o filho só poderá agravar a situação. Mais uma vez, a compreensão, a atenção e o carinho são exigidos dos pais, para lidar com esta condição, que tem sempre um final feliz.

Meu filho faz cocô nas calças

"Doutor, meu filho vive com a cuequinha suja de cocô." Enquanto enurese é a eliminação involuntária de urina em época que já deveria existir controle esfincteriano, ou seja, entre dois e três anos, denomina-se encoprese quando o mesmo tipo de problema ocorre em relação às fezes. Ambas são mais comuns em meninos.

Durante o primeiro ano de vida, a criança não consegue controlar a evacuação, que é, basicamente, um ato reflexo. Em algum momento, a partir de um ano de idade, ela poderá ter maturidade suficiente para controlar o esfíncter anal. E é a partir dessa idade que as crianças devem começar a aprender a usar o peniquinho. Costumo recomendar que esse treinamento seja iniciado quando a criança já estiver andando e tenha, assim, liberdade de optar por ficar, ou não, sentada no peniquinho, evitando, até certo ponto, a tomada de atitudes coercitivas por parte dos adultos, que são extremamente prejudiciais. O correto treinamento da criança no controle de suas atividades esfincterianas — micção e evacuação — é de extrema importância.

Infelizmente ainda é grande o número de pais que, por ansiedade ou ignorância, interferem erroneamente nesse processo, o que dá origem a problemas de longa duração e difícil tratamento, sendo os mais comuns a constipação — dificuldade em evacuar, fezes duras, firmes, cilíndricas ou arredondadas — e a encoprese, caracterizada pela eliminação involuntária de fezes. Devido à constipação, as fezes se acumulam no reto, formando uma espécie de tampão (fecaloma), dilatando-o e causando relaxamento reflexo do ânus. Isso permite que pequenas porções de fezes amolecidas escorram por suas bordas, o que faz com que a criança viva com a calça suja.

Por uma ser conseqüência da outra, a constipação e a encoprese podem ser prevenidas e tratadas de forma semelhante, com pequenas variações. A prevenção começa com o treinamento da criança para controlar a emissão de fezes, ou seja, ensinando-a a utilizar o penico ou o vaso sanitário. Esse treinamento é fácil? Sim, na maioria das vezes, embora exija tempo e paciência dos treinadores, pais ou babás. A exceção são aquelas crianças que evacuam várias vezes por dia; elas constituem uma minoria, cujo treinamento deverá ser adiado.

Seria extremamente aborrecido para a criança ser colocada no penico várias vezes por dia. Ela já está andando? Sim, então basta observá-la. Com o crescimento, ela vai progressivamente adquirindo o controle da bexiga e dos intestinos. O máximo que os pais necessitam fazer é observá-la para ver quando ela está apta a ser treinada, e então encorajá-la a usar o local adequado.

Geralmente a vontade de evacuar ocorre alguns minutos após a ingestão do café da manhã, e a criança a demonstra de alguma maneira — grunhe, faz cara feia ou séria, aperta a barriga, resmunga. Esse é o momento oportuno para tirar a fralda e acostumá-la com o uso do peniquinho ou do vaso. O vaso deverá ter um assento pequeno, especial para crianças, a fim de que ela se sinta confortável e, principalmente, segura. Vários casos de constipação ocorrem pela utilização de vasos com assentos para adultos, em que a criança, apavorada, só pensa em se livrar dessa situação, temendo morrer afogada dentro do buraco da privada.

No início, a criança pega o penico, coloca-o na cabeça, sai andando pela casa, carregando-o, e aproveita para fazer cocô no lugar que mais lhe apetecer, inclusive no tapete persa, presente de casamento da vovó. O que fazer? Paciência, pois isso irá se repetir um sem-número de vezes. Para que o acontecido no tapete não se repita, coloque sempre a criança em um lugar onde ela possa trafegar livremente e eleger o local onde evacuará, sem traumatizar os adultos.

Após o ato, a sujeira será retirada, sem comentários. Um dia, vitoriosa, ela faz no penico, fica rodando em torno do mesmo e olhando seu interior, namorando as próprias fezes. Nesse momento, uma salva de palmas, cantar o *Parabéns pra Você* ou qualquer outra forma que expresse nosso orgulho e alegria será bem-vinda. Daí para a frente, quase sempre tudo marchará bem.

Entretanto, algumas crianças têm um profundo sentimento de posse e respeito por suas fezes. Entendem que elas são suas. Não gostam de perdê-las no vaso sanitário e se apavoram com o ruído infernal da descarga. São essas que, de repente, deixam de fazer no local certo e voltam a utilizar as calças ou o assoalho. Não aceitam que suas fezes passem a ser do urinol, do vaso ou da mãe. Esse sentimento de posse às vezes é tão grande que a criança brinca com as próprias fezes e, ocasionalmente, até as come, o que repugna e apavora o adulto, que deve aceitar o ato como natural e nunca como motivo de reprimenda. Essas crianças retêm as fezes enquanto estão sentadas no vaso ou no penico; depois que são retiradas, fazem no chão. Com paciência, com carinho, sem castigos, repreensões e, principalmente, sem coerção, em pouco tempo, elas voltarão a utilizar o local certo.

A criança passa a controlar seus esfíncteres em torno dos dois anos, em geral até dois anos e meio. Esse treinamento, quando feito erroneamente, pode levar à constipação ou à encoprese. Os erros mais cometidos são: iniciar precocemente o treinamento, coagir física ou verbalmente a criança a evacuar, obrigá-la a ficar assentada no vaso ou no urinol, lançar mão de advertências, ameaças ou castigos quando a criança evacuar nas calças ou nas fraldas, no chão ou em outro local.

Existem mães, pais ou avós que se orgulham de dizer que a criança faz suas necessidades no penico desde tenra idade. Conheci uma avó que, desde os dois meses, passava os dias segurando a netinha no urinol e se vangloriava de ter conseguido que ela fizesse cocô no penico desde os oito meses.

Coitadinha das duas. É muito comum, e muito errado, tentar treinar a criança quando ela ainda não tem maturidade para isso.

Também comum é a cobrança diária, pelos pais, familiares ou babás, da evacuação; na maioria das vezes, na frente da criança, que, não sendo tola, passa a manipular a família. "Maria, a Beatriz fez cocô hoje?" "Não, D. Beth, levei-a quatro vezes ao banheiro, mas ela não fez nada; espremeu muito, mas nada." "Beth, a Beatriz fez cocô hoje?" "Não, Carlos, há três dias ela não faz nada." E assim o tema principal das conversas na família passa a ser o cocô da Beatriz: se fez ou não fez, quantos dias já se passaram, se comeu mamão ou verduras etc. E a Beatriz cada vez mais presa. Algumas crianças chegam a olhar para as mães e a dizer: "Mamãe, ainda não fiz cocô hoje!", para torná-las mais preocupadas. Nesses casos, ou conseguimos convencer a família a não demonstrar as suas angústias fecais, principalmente na frente da criança, ou mandamos todos para um psicólogo.

Desde o momento em que a criança percebe que não consegue manobrar a família, vai gradativamente voltando a evacuar normalmente. Em geral, além de tentarmos diminuir a angústia dos pais, damos para a criança algum medicamento que torne as fezes mais pastosas e assim facilite a evacuação. Por último, a frustração dos pais os leva a exigir que os filhos evacuem todos os dias e no local certo, provocando além da constipação, problemas emocionais de longa duração, como obsessão pela limpeza, meticulosidade exagerada, preocupação excessiva com distúrbios intestinais e dificuldades no relacionamento. Mais uma vez, teremos que tratar dos pais. Quando a criança passa vários dias sem evacuar, as fezes ficam duras e grossas e sua passagem causa dor e fere o ânus, produzindo fissuras anais que agravam o processo doloroso. Sentindo dor, ela segura mais as fezes e o quadro piora.

Como se pode depreender, a maioria dos casos de constipação ou de encoprese tem um fundo emocional. E, além do que foi dito, podem ocorrer por motivos tão simples como esquecer freqüentemente de ir ao banheiro para não deixar de brincar, pelo nascimento de um irmão, por se sentir preterida, por separação dos pais, por morte de pessoa por ela muito querida, por ter perdido sua babá.

Embora a encoprese tenha uma tendência à cura após um ou dois anos de duração, deve ser tratada pelo mal-estar que causa à família e mais ainda à criança, que pode ser motivo de chacota entre os colegas pelo mau cheiro que emite. O tratamento, com alguma freqüência, exigirá o apoio de pediatras e principalmente de psicólogos ou psiquiatras infantis, quando houver a necessidade de reorientação psicológica com a psicoterapia formal.

Tal como na enurese, a constipação pode ter origem orgânica, ou seja, produzida por doenças, embora, raramente isso aconteça. Um exemplo é o megacolo congênito, que necessita de tratamento cirúrgico. Como causas de constipação ainda temos os erros alimentares, como a ingestão exagerada de leite, uma dieta pobre em fibras e folhas, ou ainda a ingestão deficiente de líquidos. Não devemos confundir o que aqui foi escrito com a falta de evacuações, que, às vezes, dura até uma semana em crianças que mamam no peito, com um ou dois meses de idade. Essas crianças, apesar de ficarem vários dias sem evacuar, eliminam fezes líquidas ou pastosas e aumentam bem de peso. O fato é explicado pelo bom aproveitamento do leite materno, que deixa pouco resíduo e necessita ser acumulado por vários dias para que consiga induzir a evacuação.

Como nos devemos conduzir em relação à constipação e à encoprese? Em primeiro lugar, prevenir, ou seja, realizar o treinamento das crianças em época oportuna, após começarem a andar, de forma correta, com paciência e compreensão, evitando-se condutas que possam provocar reações negativas. Convencer os pais de que a evacuação, a micção e a alimentação são atos fisiológicos que se realizam de acordo com ditames da natureza e que tentativas para modificá-los poderão ser desastrosas. Todas as crianças comem, urinam e evacuam quando necessitam e não em obediência à nossa vontade. Não são justificáveis ameaças, punições, obsessões, chantagens, humilhações ou outras atitudes que visem coagir a criança.

Como tratamento, deveremos limitar o consumo de leite a meio litro por dia, aumentar a ingestão de líquidos e de alimentos ricos em fibras ou celulose (folhas), oferecer suco de ameixas pretas cozidas, dar uma colher das de chá de açúcar mascavo por dia, evitar queijos e sorvetes. Além dessas medidas, caberá ao pediatra avaliar a necessidade do uso de medicamentos, indicar aqueles que julgue mais eficientes e definir a duração do tratamento. Como vocês já deverão ter concluído, mais uma vez, a compreensão, a paciência, o carinho, a amizade e a presença dos pais são muito mais importantes do que a medicina para prevenir ou curar estas condições clínicas.

Características

Gagueira

A gagueira — repetição de sílabas, palavras ou combinação de palavras entrecortadas por pausas ou hesitações — é freqüente em grande número de crianças na fase pré-escolar, ou seja, em algum momento, a partir dos dois anos. Costuma ser acompanhada de caretas, arquejos, piscadelas e até sapateado, nos casos de maior gravidade.

Existem muitas teorias para explicar a gagueira que vão desde o treinamento deficiente da articulação e respiração durante a fala, dominância lateral mista (crianças canhotas obrigadas a usar a mão direita), problemas no sistema que rege a retroinformação sobre a fala de uma pessoa para si mesma, até causas emocionais conseqüentes a pressões dos pais a respeito da fala apropriada ou conflitos emocionais profundos.

A gagueira é mais comum em meninos e na idade de dois para três anos, época em que a criança se esforça para compor frases mais longas e expressar novos pensamentos. Ao não encontrar as palavras adequadas, hesita ou interrompe a frase. Sem dúvida, o estado emocional tem grande relação com a gagueira. Um irmãozinho que nasce, um parente querido que viaja, a babá que é mandada embora, a retirada traumática da chupeta, a falta de atenção e de carinho, as pressões disciplinares são fatores que poderão desencadeá-la ou mesmo agravá-la.

A gagueira desaparece na quase totalidade das crianças, em alguns meses, se não existir uma preocupação exagerada dos familiares ou das pessoas que com elas convivam, tentando corrigi-las a todo momento ou, pior ainda, humilhando-as ou ridicularizando-as. O contexto familiar e os conflitos emocionais são fatores que contribuem para a persistência da gagueira até a fase adulta. Nesses casos, existe a necessidade de se recorrer à psicoterapia e à fonoterapia. Os progressos no controle da gagueira persistente têm sido consideráveis, utilizando-se computadores, videoteipes, metrônomos e outros avanços tecnológicos. A denominada língua presa não tem nada a ver com a gagueira.

As seguintes orientações são úteis no trato diário com uma criança gaga:

- não a corrija nem tente ajudá-la a falar e, muito menos, não a ache engraçada ou a humilhe;
- encoraje-a a falar, mas não a force;
- dê-lhe atenção, participe de seus brinquedos e atividades;
- promova sua autoconfiança, fazendo-a sentir que você conhece o seu problema, mas que isso não influi no amor e carinho que lhe dedica.

O canhoto

"Julinho, eu já lhe disse que você tem que pegar as coisas com a mão direita! Vou colocá-lo de castigo se você não fizer o que estou mandando." Quando eu era criança, ouvi inúmeras vezes recriminações como essa. Havia uma idéia generalizada e errônea de que era ruim para as crianças usarem mais a mão esquerda. Essa crença surgiu há muitos anos, e não foi no Brasil.

No latim, no italiano, no espanhol, a esquerda é denominada *sinistra*, palavra que nos induz a pensar em situações desagradáveis em que o risco, o mal, o terror e o perigo estão presentes. Possivelmente, o termo surgiu pela crença de que qualquer coisa à esquerda podia acarretar males ou falta de sorte. A partir daí, muitas culturas, inclusive a nossa, passaram a desencorajar, ou mesmo a impedir, o uso da mão esquerda.

Como resultado, os canhotinhos começaram a ser freqüentemente punidos e até castigados, caso utilizassem a mão esquerda — alguns tinham a mão amarrada ou engessada. Cheguei a presenciar a tristeza de mães que choravam por terem filhos canhotos. Em função dessa repressão, boa parte das crianças passava a usar as duas mãos; algumas, a direita, e outras não conseguiam deixar de usar a esquerda. Existe algum fundamento para essa prevenção contra os canhotos?

Não. Eles não são menos dotados, não são mais feios, menos inteligentes, mais desajeitados, nem apresentam maiores dificuldades na escola ou nos esportes do que os destros. Mas, como a imensa maioria da população é de destros, objetos, utensílios e aparelhos são desenvolvidos para serem usados com a mão direita. Isso dificulta um pouco a vida dos canhotos quando têm de utilizar tesouras, abridores de latas, computadores e carteiras escolares, por exemplo. Para os destros terem uma idéia da dificuldade dos canhotos, basta tentar usar a mão esquerda para trocar uma simples lâmpada.

Cerca de 10% da população mundial é de canhotos. Por que existem canhotos? Na grande maioria das pessoas, o hemisfério cerebral esquerdo comanda os movimentos do lado direito do corpo. Nos canhotos, o hemisfério direito comanda o lado esquerdo do corpo. Esse comando invertido não só modifica a preferência no uso das mãos ou dos pés (os canhotinhos do futebol) como de todas as outras áreas motoras ou não. Isso explica por que o canhoto coagido a usar a mão direita pode ter comprometido o desenvolvimento da fala e da escrita, por exemplo.

Ao serem contrariadas na sua lateralidade, as crianças podem apresentar distúrbios graves de comunicação, como gagueira, perda de fluência da fala, disgrafia (escrita em garranchos).

Qual a causa do canhotismo? Alguns acreditam que 70% das crianças que tenham um dos pais canhotos também o serão. Outros acham que, se um dos pais for canhoto, ele irá estimular os filhos a utilizar a mão esquerda, como um treinamento inconsciente e permanente, desde a mais tenra idade.

A lateralidade se define geralmente em torno dos três anos, mas existem bebês que já demonstram sua preferência em utilizar uma das mãos. Por meio de ultra-sonografia, consegui detectar até fetos que preferem levar uma ou outra das mãos à boca. A maioria dos estudos indica que o canhotismo é inato e hereditário.

Nas sociedades onde não há preconceitos em relação aos canhotos, sua vida corre mansa e tranqüila. Entretanto, ainda há culturas onde o preconceito existe. Para os esquimós, eles são poderosos feiticeiros.

Em 1966, crianças canhotas residentes na Itália foram comparadas (por Young e Knapp) a crianças canhotas de descendência italiana, moradoras de Boston, nos Estados Unidos. As canhotas italianas eram "mais exigentes, impacientes, subjetivas, dependentes e hipocondríacas", possivelmente por sua pouca aceitação no meio em que viviam e, principalmente, pela pressão que sofriam para "abandonar sua disposição natural ou enfrentar as penalidades sociais".

No Japão, eles também enfrentam problemas. Conta-se a história de uma criança portadora de um tique sério que, levada ao psiquiatra, revelou ser canhota. Descobriu-se que a mãe lhe amarrava a mão esquerda, para que ela só utilizasse a direita. O tique desapareceu assim que a mão não foi mais amarrada. O número de crianças japonesas canhotas e neuróticas é tão alto que existem programas especiais para combater as velhas crenças, educar os adultos e ajudar as crianças a resolverem seus problemas (*Time*, 1974).

Se seu filho é canhoto, aceite-o como ele é. No máximo, você poderá treiná-lo, desde os primeiros meses, com carinho, sem forçar, a pegar os objetos com as duas mãos. Ele poderá tornar-se ambidestro. Se continuar a preferir a mãozinha esquerda, deixe-o, pois Leonardo da Vinci, Michelangelo, Picasso, Chaplin, Beethoven, Gandhi e outros grandes vultos da história também foram canhotos.

Meu filho é baixinho

As crianças pequenas sofrem desde que nascem. Existe um inconformismo da maioria dos pais, e mesmo da sociedade, em relação a elas. Embora cresçam e se desenvolvam normalmente, o fato de serem pequenas parece inaceitável. Não é raro pais bem baixinhos levarem seus filhos aos consultórios para que, num passe de mágica, o médico os torne altos.

No momento em que o espermatozóide e o óvulo se juntam para dar início a uma nova vida, são definidas as características do futuro ser: cor dos olhos, dos cabelos, da pele, estatura, beleza, feiúra. Embora algumas dessas características sejam passíveis de modificações, como os cabelos, que podem ser pintados; os olhos, que podem mudar de cor com lentes de contato; a aparência do rosto, que pode mudar com os progressos e os segredos da maquilagem, transformando as feias em belas; o peso, que as dietas alteram; o mesmo não acontece com a altura. Só atingimos o máximo permitido por nosso potencial genético.

A baixa estatura pode ser atribuída a várias causas. A hereditariedade e o retardo constitucional da puberdade, quando as pessoas crescem mais tarde, são responsáveis por 80% dos casos; os 20% restantes se devem à desnutrição e a várias doenças, como as genéticas, ocasionadas por anomalias cromossômicas, como no mongolismo (síndrome de

Down), ou dos próprios genes, como nos distúrbios metabólicos, e as endocrinopatias.

Como o pediatra pode contribuir para que uma criança cresça melhor? Vamos supor que, no momento da fecundação, a estatura determinada pela genética seja de 1,70m. Se a gestante fuma, bebe, ingere drogas, não se alimenta corretamente, a criança já nasce menor. Em outras palavras, já perdeu alguns pontinhos na estatura, que não chegará mais a 1,70m. Em certas áreas do Nordeste, 20% das crianças já nascem desnutridas, com o peso e a estatura comprometidos, devido principalmente à falta de alimentação materna. A maioria dessas crianças terá sua estatura comprometida definitivamente. A gravidade desse fato justificou a publicação de um livro, *Nordeste Pigmeu*, do Prof. Meraldo Zismann.

Inúmeros fatores podem influir negativamente sobre o crescimento, como a desnutrição, os erros alimentares, as doenças, as infecções decorrentes da falta de imunização, as infecções respiratórias e diarréicas recorrentes, a asma grave, a falta de cuidados higiênicos, os distúrbios emocionais, que constituem uma das maiores causas de diminuição do apetite, a poluição ambiental, principalmente a ocasionada pela fumaça dos cigarros.

Daí a importância de as crianças serem levadas a consultas periódicas, momento em que as mães ou os responsáveis receberão instruções relacionadas com a alimentação, a necessidade do cumprimento do calendario de vacinações, os cuidados higiênicos, os perigos do fumo, do uso de bebidas alcoólicas, de drogas e de medicamentos sem prescrição médica e a prevenção de acidentes. Todas essas medidas e muitas outras, contribuem para que a criança consiga atingir o máximo da estatura a que tem direito pelo seu potencial genético.

Em 80% dos casos de baixa estatura, não se consegue identificar qualquer causa orgânica, nenhum distúrbio endócrino, e, em menos de 1%, existe deficiência de hormônio do crescimento. Resumindo, a grande maioria das crianças somente necessita ser protegida dos fatores ambientais que possam prejudicar seu crescimento e também das pessoas que valorizam a altura como um fator indispensável para obter sucesso ou poder na vida. Não existe uma fórmula mágica para acabar com os baixinhos; tanto que eles estão por aí, geralmente felizes, esbanjando simpatia e recebendo apelidos carinhosos.

O Paulo é baixinho mesmo ou será que ele é pequeno quando comparado aos irmãos, primos, colegas e filhos dos vizinhos? Em algumas famílias, o filho "menor do que os outros" é causa de uma tragédia. Não aceitando a diferença, a família procura meios de fazer com que a criança cresça e fique igual ou, se possível, maior que as outras. A luta começa por tentar empanturrá-la de comida, usando-se a doçura ou a violência; segue com remédios milagrosos que aparecem na televisão ou são indicados por pessoas "experientes" que já viveram o mesmo problema; e termina em uma peregrinação por consultórios de pediatras, endocrinologistas, naturopatas, homeopatas etc. Para a grande maioria dos baixinhos, que o são por fatores hereditários (pai ou mãe baixos) ou por atrasos constitucionais do crescimento ou da puberdade, tudo será em vão.

Quando uma criança considerada pequena é levada ao consultório, a primeira avaliação a ser feita é a confirmação, ou não, de que de fato ela é pequena. Para isso, são utilizados gráficos que, possibilitando a comparação da estatura atual com as anteriores, permitem uma boa avaliação da velocidade do seu crescimento. São consideradas de baixa estatura aquelas com altura inferior a dois desvios padrões da média, ou abaixo do 3º percentil, o que é fácil de ser constatado por meio de gráficos. Confirmada a baixa estatura, recordamos que a grande maioria dessas crianças não é doente, portanto, não necessita de tratamento. Mesmo assim, todas as crianças de baixa estatura ou aquelas que tenham tido um crescimento normal que passou a ser retardado devem fazer exames clínicos, radiológicos e laboratoriais, para afastar ou confirmar a existência de qualquer condição orgânica. Se confirmada, a criança deverá ser encaminhada a um profissional especializado para o tratamento adequado.

Existem algumas regras muito importantes a serem seguidas com a criança de baixa estatura:

- não faça comparações com as outras crianças e muito menos com os irmãos;
- não insista para que ela se alimente melhor, dizendo que só assim ela crescerá, pois isso poderá levar à diminuição do apetite;
- não associe a estatura das pessoas com o sucesso nos esportes, nos estudos, na vida social ou profissional. Faça com que a criança acredite que "tamanho não é documento", recorrendo, se necessário, ao exemplo de pessoas conhecidas ou vultos da História;
- estimule o bom sono e a boa alimentação, pois são muito importantes para o crescimento;
- aumente sua auto-estima e sua autoconfiança. Não exija que ela pratique esportes em que a altura seja importante. Elogie-a, recompense-a nas vitórias e esteja ao seu lado nas dificuldades e nas derrotas. Nunca a rotule de "burra", "feia", "incapaz" e, muito menos, não utilize apelidos pejorativos;
- se os pais forem baixos, encoraje-a a praticar esportes em que a altura não seja importante. Não insista para que ela seja uma revelação no basquete ou no vôlei, como o pai quis ser e não conseguiu;
- só use hormônios por indicação médica, pois podem produzir reações desagradáveis e resultados precários, como fazer com que a criança cresça muito quando utilizados, porém prejudicando a estatura final, que será inferior à esperada. Não use sua angústia para pressionar os médicos. Infelizmente, o hormônio do crescimento (GH) só faz crescer as crianças que têm deficiência dele, o que corresponde a 1% dos baixinhos; ele tem sido aplicado desnecessariamente em crianças normais sem resultado. Quando há retardo constitucional da puberdade, as crianças crescem mais tarde e podem se tornar altas sem nenhum tipo de tratamento. Nesses casos, muitas vezes, e erroneamente, o resultado é atribuído ao hormônio. Acrescente-se a isso o fato de que, até o momento, não são conhecidos

seus efeitos colaterais, exceto para o bolso dos pais, pois é caríssimo. E não existem ainda dados para se prever o que ocorrerá a longo prazo com as crianças que o receberam.

A altura não é um fator importante na vida de uma criança. O que se deseja é que ela seja sadia, alegre, cheia de vida e feliz. E isso só poderá ocorrer se você amá-la como ela é.

Fimose

Em quase todos os recém-nascidos, o prepúcio recobre a glande e a ela está aderido, o que o torna irretrátil. À impossibilidade de exteriorização da glande, devido a aderências ou à pequena abertura do meato urinário, denomina-se fimose, considerada normal entre os recém-nascidos.

Em sua sabedoria, a natureza visa proteger a glande e o meato uretral externo das assaduras, infecções e traumatismos. Ainda no primeiro ano de vida, o prepúcio começa a se descolar da glande; aos seis meses, 75% dos meninos ainda têm o prepúcio aderente; com um ano, a metade; aos dois anos, 20% e, aos quatro, a separação torna-se completa na grande maioria, podendo permanecer, entretanto, pequenas aderências, que não costumam exigir qualquer forma de tratamento.

Sendo a fimose entre os recém-nascidos normal, as indicações para a circuncisão, ou seja, a retirada cirúrgica de parte do prepúcio, são muito restritas. A circuncisão é um procedimento antigo, de pelo menos 6.000 anos. De acordo com Heródoto, os egípcios foram os primeiros a adotá-la. Antigamente, era praticada por vários motivos, quase todos sem uma indicação médica, como marcar escravos, identificar tribos secretas, como parte de cerimônias de iniciação da puberdade ou em obediência a ritos religiosos. Até hoje, os israelitas circuncisam todos os recém-nascidos. Gardner, em seu livro *O Destino do Prepúcio*, confirma o fato de serem raras as indicações médicas. Mesmo assim, nos Estados Unidos e em alguns países da Europa, houve um tempo em que havia uma verdadeira perseguição ao prepúcio, atribuindo-se a ele a culpa por dificuldades na limpeza do pênis, infecções, câncer e, por incrível que pareça, uma maior incidência de câncer do cérvix uterino das mulheres dos não-circuncisados. Em alguns locais, a operação tornou-se quase rotineira e todos os pais eram consultados sobre a circuncisão ou não do filho.

Como costuma acontecer, o exagero e o desrespeito à natureza têm um preço. As complicações da circuncisão, como a estenose do meato, desvios do jato urinário, aderências fibrosas, hemorragias, septicemias, abscessos renais, passaram a ocorrer com maior freqüência, sendo responsabilizadas até pela morte de algumas crianças. Esse quadro fez mudar a conduta em inúmeras maternidades, que, hoje, permitem a operação somente com indicação médica justificada ou por motivos religiosos, caso dos judeus.

A circuncisão, em nossa opinião, estaria indicada quando o prepúcio impede a visualização do meato uretral, mesmo quando tracionado, obstruindo o jato urinário e, conseqüentemente, ocasionando dificuldades miccionais que podem ser a causa de infecções urinárias recorrentes. Outra indicação seria quando infecções recorrentes no pênis se devessem à retenção e infecção do esmegma, as balanopostites. A dermatite amoniacal (assaduras), as balanopostites e as tentativas para dilatar a abertura do prepúcio, por meio de exercícios que eram ensinados às mães até pouco tempo atrás, em vez de melhorarem a situação, acarretam um estreitamento maior do orifício prepucial — fimose secundária — e podem tornar obrigatória a circuncisão em crianças que poderiam ter o problema resolvido espontaneamente.

Não se deve confundir com fimose os casos de prepúcio grande, retrátil, em que se pode ver a glande com facilidade, e aqueles em que há um freio que prende uma pequena parte do prepúcio ao pênis. Resumindo, a princípio, o melhor é não fazer nada e aguardar a natureza. Nos raros casos em que ela não resolva espontaneamente ou quando surgirem complicações, a circuncisão será indicada.

Algumas pessoas, entre as quais não me incluo, acham que essa cirurgia em recém-nascidos possa ser feita sem anestesia, "por que eles não sentem dor". Não é verdade. O fato é que, imobilizados, não têm como reagir, a não ser urrar, o que sabem fazer muito bem.

Para aqueles que ainda duvidam do papel protetor do prepúcio, aqui vai uma história, que testemunhei várias vezes. Marcelinho, dois anos, chegou ao meu consultório com o prepúcio em frangalhos. Estava andando pela casa e viu uma gaveta semi-aberta em um móvel baixinho. Começou a brincar de abri-la e fechá-la. De repente, seu "peru" foi olhar o que havia dentro. Marcelinho fechou a gaveta e quase o decepou. O prepúcio foi sacrificado, mas a masculinidade de Marcelinho foi salva.

Pé chato

"O senhor não acha que o Pablo precisa usar botinha? Olhe só os pés dele, como são chatos; ele pisa torto!" Pablo tem um ano e está começando a andar.

Na fase inicial da marcha, as crianças apresentam algumas alterações na posição dos pés, a mais comum delas é o pé plano ou pé chato. O pé plano em crianças com menos de dois anos é freqüente e normal, ou seja, fisiológico, para o qual existe uma predisposição familiar. A criança caminha perfeitamente bem e não sente nada. Entretanto, a maioria dos pais procura os pediatras preocupada com a aparência dos pés e a possibilidade de algum prejuízo futuro. Os casos de pé plano entre crianças pequenas estão ligados ao próprio desenvolvimento, e a maioria desaparece espontaneamente até os seis anos de idade. Quando existe uma predisposição familiar, o uso de medidas corretivas (sapatos ou botas especiais) não influenciará a evolução.

Nos casos de pé plano, existe uma frouxidão dos tecidos moles, com perda do arco longitudinal normal, acompanhada de desvio para dentro ou para fora do pé (pronação ou eversão da parte anterior do pé). Os joelhos, principalmente em crianças mais gordinhas, desviam-se para dentro e, às vezes, quase se juntam (joelhos valgos, pernas em X, junteiras). Essa posição dos joelhos, quando provocada por pés chatos, tende a se corrigir espontaneamente até os seis anos de idade. Entretanto, quando for muito acentuada após os dois ou três anos, poderá requerer cuidados ortopédicos.

Na década de 50, a maioria das crianças com menos de cinco anos usava botinhas para corrigir o pé plano. Estudos relacionados com o crescimento e o desenvolvimento infantil demonstraram que esse achado era normal, fisiológico e comum entre crianças com menos de dois anos. A indicação de botinhas, nesses casos, representaria o mesmo que a prescrição de dentaduras para corrigir a falta de dentes em crianças de seis meses. O diagnóstico diferencial entre o pé plano fisiológico e o pé torto congênito, malformação que exige cuidados especializados, às vezes desde o nascimento, é feito com facilidade pelos pediatras e ortopedistas. Já entre adolescentes e adultos, o pé chato pode causar desconforto após longas caminhadas.

Medicina

O que faz o pediatra?

Pediatria vem do grego *paidos* (criança) e *iatreia* (medicina), e significa medicina das crianças. Hoje, considera-se a pediatria como a área da medicina que se dedica ao ser humano em crescimento e desenvolvimento. Dentro desse conceito, sua abrangência vai da concepção à adolescência, ou seja, até os 18 anos. Muito estranham quando dizemos que nossa responsabilidade começa antes do nascimento, acreditando que o período pré-natal seja de exclusiva responsabilidade do obstetra. Entretanto, a puericultura pré-natal, cuja responsabilidade é zelar pela saúde do feto, faz parte da pediatria. Quando dizemos às mães que seu bebê corre riscos se elas beberem, fumarem, tomarem medicamentos sem indicação médica ou contraírem determinadas infecções, estamos praticando a puericultura pré-natal.

Se perguntarem às pessoas o que faz o pediatra, vão receber como resposta: "Trata das doenças das crianças." Não é uma resposta correta, pois, mais importante do que isso é a promoção da saúde das crianças e a prevenção de doenças, o que fazemos quando orientamos as mães quanto aos cuidados com a alimentação, à formação de bons hábitos higiênicos para preservar a saúde física, mental, emocional e ao cumprimento correto do calendário de vacinações.

O pediatra é o último remanescente do médico generalista ou do médico de família, aquele que trata das doenças mais comuns e de menor complexidade. Quando um adulto tem uma dor de ouvido, uma lesão de pele, uma tosse renitente, uma dificuldade de digestão, ele corre para o especialista. Quando têm um problema de qualquer ordem, as crianças são levadas ao pediatra, que soluciona a maior parte deles, encaminhando aos especialistas os casos mais complicados. Assim, a pediatria não é uma especialidade, embora existam diversas especialidades pediátricas.

A forma de atuação dos pediatras dá a eles uma visão integral da criança, sadia ou doente, e do meio familiar, o que facilita o diagnóstico e a conduta terapêutica, e contribui para o bom relacionamento com a própria criança e sua família. Isso talvez explique por que muitos pacientes já adultos continuem a procurá-los, solicitando indicações de outros profissionais ou mesmo pedindo para continuar a ser atendidos por mais algum tempo.

Grande número de doenças dos adultos pode ser prevenido durante a infância. Quando se ensina que a alimentação deve ser pobre em sal, açúcar e gorduras e rica em vegetais e fibras, estamos fazendo a prevenção do infarto e do câncer. Quando as famílias são alertadas para que não fumem perto das crianças, visa-se à prevenção de várias doenças respiratórias, entre elas, o câncer e o enfisema. Para finalizar, se alguém me perguntasse qual seria o requisito mais importante para se fazer Pediatria, eu responderia: gostar de crianças.

O telefone

O telefone é paradoxalmente o melhor colaborador e o maior inimigo do pediatra. Sem ele, é impossível a existência de uma boa clínica. Com ele, nossa vida pode se tornar um inferno, seja pelo tempo despendido no seu uso, seja pelos horários mais esdrúxulos em que é utilizado. Vou exemplificar. Morei no Rio até 1967. Lá, atendia cerca de 50 telefonemas por dia. Freqüentemente, na hora do jantar (o almoço já havia sido abolido), minha esposa me ajudava a cortar os alimentos para que eu pudesse atender os telefonemas e, não raramente, a vizinha batia em nossa porta, perguntando se o telefone estava quebrado, tal o número de pessoas que chamavam para sua casa. Todas as noites, entre onze e seis da manhã, atendia cerca de quatro telefonemas.

Para se conseguir ter uma boa clínica é necessário que, além de um bom relacionamento com as mães, o médico seja sempre e facilmente localizável, o que irá depender da cooperação da esposa e ou de uma excelente empregada para o atendimento dos telefonemas e a anotação correta dos recados. É desanimador, em situações de urgência, o cliente ouvir respostas como: "Não sei onde ele está", "Não sei a que horas chega", "Tente mais tarde", "Às vezes, ele vem almoçar", "Eu acho que ele viajou".

Para manter uma boa clínica, é imprescindível também uma boa recepcionista no consultório. Conheci uma que me disse: "Doutor, sua *freguesa* já chegou." Durou um dia. Outra que opinava sobre as prescrições, algumas vezes de forma contrária. E mais uma que não gostava das mães nem das crianças.

Infelizmente, nem todos os pediatras se casam com mulheres que se dispõem também a ser boas secretárias e, atualmente, não é fácil contar com uma empregada que atenda bem os telefonemas, saiba anotar recados e se disponha a ficar em casa aos domingos e feriados, caso os patrões tenham que se ausentar. Talvez seja essa uma das principais razões, certamente não a única, responsáveis pelo quase desaparecimento dos profissionais com grande clínica e por sua substituição progressiva por médicos que se associam para trabalhar em grupo.

Exemplos de recados "bem dados", que, se freqüentes, acabam com qualquer clínica: "Doutor, um amigo seu do Ministério disse para o senhor ligar com urgência para ele." "Como era o nome dele, Maria?" "Não sei, mas ele disse que era seu amigo." "Doutor, o filho da D. Tatiana está com muita febre e disse para o senhor ligar para ela"; após quatro horas, a D. Mariana ligou reclamando que havia deixado um recado urgente. "Doutor, tem uma senhora louca atrás do senhor, tomei nota do telefone." O telefone anotado era 299-3939, e o da senhora aflita era 289-3730. "Ligaram do Rio de Janeiro e disseram para o senhor ligar pra lá." Missão impossível... "Aquele amigo seu, médico de São Paulo, precisa falar com o senhor, hoje." E, pior, tem aquelas que, não sabendo escrever ou tomar os recados, recebem-nos e nunca os transmitem. Horas, dias ou meses mais tarde, o cliente reclama da falta de resposta. Por tudo isso, se após um prazo razoável, você não tiver retorno de sua ligação, é bom repeti-la, pois o recado pode não ter sido dado ou então ter sido transmitido truncado ou distorcido.

As mães e os pais, em sua imensa maioria, nos poupam, com algumas exceções. Exemplos das exceções que ocorrem principalmente nos telefonemas para a casa dos pediatras. Duas horas da manhã: "Doutor, desculpe-me o horário. O senhor estava dormindo? Estou lhe telefonando porque vamos viajar amanhã cedo de férias e queria saber qual o nome de um bom remédio para enjôo." Mesmo horário: "Doutor, o senhor estava dormindo?

Desculpe-me o horário [notem que, primeiro, são pessoas educadas e, segundo, acreditam que os pediatras durmam muito tarde ou, talvez, bem cedo, de madrugada]. Como o senhor sai cedo, fiquei com medo de não encontrá-lo em casa. O que é bom para diarréia de criança?" Mais ou menos, mesmo horário, mesmas frases iniciais: "Tenho a impressão de que a Luizinha vai ficar resfriada e queria um remédio para prevenir." "Ela tem alguma coisa?" "Não, mas, antes que tenha, eu queria medicá-la." "Doutor, o senhor vai ao consultório amanhã?" (boa pergunta para se fazer à meia-noite). Onze horas da noite: "O Zezinho está com febre alta desde ontem cedo. Quase 39 graus o dia todo. Estou muito preocupada. Será que o senhor poderia vê-lo agora?" "Meu filho está vomitando desde ontem. Quem sabe ele teria que ser examinado agora?" Esperar um ou dois dias para telefonar para o médico em uma situação que pode configurar uma urgência não é uma boa norma.

Há também telefonemas feitos para a residência do pediatra em horários compatíveis, que, porém, não levam a nada: "Estive em seu consultório há mais ou menos um ano. Sou mãe do Pafúncio. Será que o senhor se lembra do peso e da altura dele?" "O senhor me receitou um remédio ótimo para resfriado há dois meses. O senhor se lembra do nome?" "As 'bolinhas' que o senhor receitou na última consulta deram muito resultado. Como se chamavam?" "Será que o Juquinha tomou vacina tríplice?"

Outro problema sério é a falta de papel e lápis à mão: "Doutor, meu filho está com diarréia e vômitos. O que devo fazer?" "Anote o nome dos remédios." "Um minuto que não tenho nada que escreva. Maria, onde está a caneta que estava aqui? Robertinho, você tirou a caneta da mamãe? Ah, doutor, um momento que vou procurar uma caneta." Passados cinco longos minutos, o pediatra estava jantando, vendo o final de um filme policial ou, quem sabe, atendendo a uma criança com febre alta em seu consultório, quando chega a caneta. "Doutor, perdoe-me, mas a caneta está sem tinta vou telefonar-lhe daqui a pouco."

Estamos jantando, conversando com nossos filhos, quando o telefone toca: "Doutor, estou com uma dúvida sobre a sopinha. É para dar quente ou fria? Não entendi bem a questão dos legumes; um só ou os quatro que estão na receita? A sopinha substitui ou é dada após a mamadeira..."; "Doutor, a Mariazinha continua com febre. Às 4 da manhã, teve 37.74; às 7h30, 38; às 9h32, 36.74; às 11h34, 37.27; às 2h22, 37.12; às...".

Com 45 anos de prática, poderíamos, quem sabe, escrever sobre alguns milhares de telefonemas. Todas as perguntas são válidas. O que se questiona é o fato de as ligações terem sido feitas para o local errado e nos horários inconvenientes, não sendo de urgência. Mesmo as que aparentam ser urgentes, em realidade, não o são, pois deveriam ser feitas muito antes e para o consultório.

Algumas regras práticas para o uso do telefone:

- tenha sempre papel e lápis à mão;
- telefone para o consultório para dar notícias sobre a saúde de seu filho, quando ele estiver doente, para dar informações sobre a evolução do quadro clínico, para sanar suas dúvidas sobre alimentação, vacinação, crescimento e desenvolvimento, prescrições, para combinar um eventual retorno à consulta, para solicitar orientação sobre tratamento e conduta nas doenças, para fazer qualquer tipo de pergunta sobre a saúde de seu filho. Não espere até a noite para comunicar sobre a doença de seu filho, o que evitará uma série de inconvenientes, como a saída de casa à noite com a criança, a procura de farmácias de plantão para comprar medicamentos, a dificuldade ou mesmo a impossibilidade de se realizar exames complementares, com o conseqüente atraso no diagnóstico. Tudo isso é agravado pelo cansaço do médico. Quando estiver preocupado com a saúde de seu filho, seja franco, se quiser que o médico o examine;
- telefone para a casa de seu médico, a qualquer hora, se seu filho apresentar qualquer situação dolorosa ou de emergência;
- evite chamadas longas, pois o médico poderá estar atendendo outro paciente.

Para finalizar, o telefone é o grande salva-vidas nas emergências. Quando elas ocorrem, devem ser atendidas rapidamente e a qualquer hora.

Homeopatia

As doenças alérgicas ainda constituem um problema em pediatria, embora nos últimos anos tenha havido grandes progressos no tratamento. As dificuldades no controle dos episódios, principalmente das alergias respiratórias, em que se inclui a asma, faz com que as pessoas procurem vários tipos de ajuda, desde os remédios convencionais da medicina alopática aos homeopáticos e até a utilização de chás, poções, raízes, benzeduras e simpatias diversas.

Como se pode depreender, várias dessas soluções dependem de crença, e algumas, como as famosas poções de fórmula secreta, podem ser até nocivas. A maioria das crianças portadoras de asma tem uma diminuição espontânea das crises entre os oito e dez anos de idade, período em que a maioria desses remédios ou condutas funcionam.

Tanto o tratamento alopático quanto o homeopático são indicados nas doenças alérgicas. Embora a maioria dos alopatas não acredite e mesmo ironize a homeopatia, e vice-versa, qualquer dos dois tratamentos pode dar bons resultados. Algumas crianças reagem melhor a uma ou a outra terapêutica. Conheço inúmeros casos de asma que foram controlados pelos pediatras, pelos alergistas ou pelos homeopatas. Infelizmente, a radicalização de posições ainda faz com que, muitas vezes, a alopatia e a homeopatia sejam consideradas antagônicas: ou se receita um ou outro tipo de medicamento e nunca um homeopático com o alopático. Hoje, entretanto, cresce o número de profissionais que utilizam a combinação das duas terapêuticas. Tempo virá em que se conseguirá definir com mais precisão a indicação de cada uma delas ou a combinação de ambas.

Atestado médico é coisa séria

Infringe o Código de Ética Médica e torna-se passível de punição o profissional que "fornece atestado médico sem ter praticado o ato profissional que o justifique, ou que não corresponda à verdade". O ato médico, no caso, é a consulta. Em outras palavras, o atestado não poderá ser fornecido sem se examinar previamente o paciente; caso contrário, será considerado falso. Realizando o exame, a consulta, o médico tem o direito de ser remunerado pelo seu trabalho. Entretanto, o que deveria ser considerado óbvio, na prática, não é bem compreendido por todos. Uma das situações mais constrangedoras da prática médica pediátrica é a solicitação de atestados médicos com finalidades múltiplas: falta às aulas e ao trabalho, programas de intercâmbio, amamentação, esportes, acompanhamento.

A título de ilustração, vejamos alguns exemplos de situações cotidianas: "Neuza, peça ao doutor para deixar dois atestados para os meus filhos fazerem judô." "Sônia, o Flavinho esteve doente e perdeu uma prova. Vou mandar o motorista pegar o atestado." "Queria que o senhor fizesse um atestado para o Marcos. Ele está muito bem, por isso há mais de um ano não vou até aí." "O Robertinho vai até aí para o senhor preencher um atestado para o intercâmbio. É só assinar." Na realidade, o que tem que ser feito é um atestado em que devem constar peso, altura, pressão arterial, datas das imunizações, parecer sobre o estado de saúde do Robertinho e sobre eventuais contra-indicações a práticas esportivas e, por último, assinatura e endereço, para que possa ser sanada qualquer dúvida.

Com relação a atestados de intercâmbio que exigem datas de vacinação, quando existem dúvidas sobre a aplicação de algumas delas, é comum os pais dizerem: "Doutor, isso não tem importância; bota aí qualquer data ou, se o senhor quiser, assine, que eu acabo de preencher." E eu respondo: "Se seu filho contrair uma infecção e os médicos de lá errarem o diagnóstico por acharem que seu filho está vacinado, a culpa será deles, sua ou de quem assinou o atestado, no caso, eu?"

"Doutor, me dá um atestado de amamentação?" "Mas você nunca amamentou!" "Não, é só para eu ter mais 15 dias de licença. Todo mundo no serviço faz isso e, além do mais, eu não vou contar para ninguém." "Estivemos em Cabo Frio no carnaval e resolvemos passar mais uns dias. O Fernandinho perdeu algumas provas e eu preciso que o senhor me dê um atestado médico dizendo que ele estava doente, pois só assim poderá realizá-las." "O senhor poderia me dar um atestado dizendo que eu preciso de sete dias de licença para acompanhar meu filho doente?" "Mas ele está resfriado, sem febre, não há nada que indique a necessidade de a senhora ficar em casa todos esses dias..." Atestado é coisa séria. Os Conselhos de Medicina vêm tentando banir os atestados "de favor", punindo os médicos. Infelizmente, boa parte dos clientes não entende assim e acha uma desconsideração negar um atestado e... mudam de médico. Tais clientes talvez ignorem que o profissional que usa o ato de atestar como uma forma de angariar clientes está praticando um ato tão passível de punição quanto o de fornecer atestados "de favor".

Em quase meio século de vida profissional, por duas vezes, vivi situações ligadas ao fornecimento de atestado. Na primeira vez, eu havia acabado de receber meu diploma. Morava no Rio e um de meus colegas de pensão, estudante de engenharia, pediu-me um atestado, pois havia perdido uma prova. Dois dias depois, tive um dos maiores dissabores de minha vida. Outro colega, também estudante de engenharia, chegou na pensão e disse, para todos ouvirem, que eu havia me tornado um dos indivíduos mais conhecidos da Escola de Engenharia: seu professor havia rasgado o meu atestado diante de toda a turma, lido o meu nome e me atribuído os piores adjetivos. Aí, eu soube de toda a história. O colega faltoso havia saído no meio da prova sem entregá-la, e o professor havia-lhe prometido uma nota zero, ao que ele retrucou: "Não vai dar, porque eu vou trazer um atestado médico." Foi o primeiro e o último atestado que dei atendendo ao meu coração. A segunda vez ocorreu já em Brasília, na década de setenta, quando eu chefiava o Serviço de Pediatria da Unidade Integrada de Saúde de Sobradinho, da Universidade de Brasília. Examinamos um grande grupo de crianças que iriam para a colônia de férias. Houve um acidente e uma das crianças afogou-se durante as atividades. O coronel que coordenava a colônia procurou o diretor da unidade com o atestado na mão, julgando que ele tivesse sido fornecido "de favor". O atestado era meu. Foi aberto um processo pela família, alegando negligência. Ao ser chamado para depor, o delegado perguntou-me se eu desejaria saber o que a família da criança havia dito de mim. Respondi que sim. Lá estava escrito que eu havia examinado detidamente a criança, verificando, inclusive, a pressão arterial.

Na minha longa carreira, já vi muito médico pagar por ouvir a voz de seu coração em momentos dramáticos. Certa manhã, durante os anos sessenta, eu estava na enfermaria de crianças do Hospital dos Servidores do Estado, quando vi um pai chorando e mostrando um papel para os médicos e enfermeiras. Curioso, fui ver o que era: um atestado de óbito, assinado por um grande amigo meu. O pai, que estava com o filho internado, dizia: "Meu filho está tão doente que já estou até com o atestado de óbito assinado." E mostrava o papel para comprovar o que dizia. Poucos dias mais tarde, encontrei-me com o colega que havia fornecido o atestado, por sinal um profissional muito humano e competente, e contei-lhe o fato, dizendo-lhe que a criança "morta" já estava quase tendo alta. Aí, soube o resto da história. Ele havia atendido a criança com desidratação grave. No dia seguinte, o pai o procurou dizendo que ela havia morrido e ele precisava do atestado. Conhecedor da gravidade do caso e penalizado pela situação da família, que morava em área rural de difícil acesso, ele assinou o atestado de óbito de uma criança... viva. Atestado "de favor", nunca!

Dia da criança

Dia da criança

Tenho certeza de que um decreto como o descrito a seguir seria um grande presente para as crianças e para as famílias:

O Presidente da República, levando em consideração que já foi criança e adolescente, que teve oportunidade de freqüentar bons estabelecimentos de ensino, que foi um dos privilegiados que conseguiram terminar o curso superior e fazer pós-graduação, fatores que lhe deram condições para que ocupasse um lugar de destaque no meio cultural do país, resolve decretar o seguinte:

Art. 1º Todas as mulheres terão oportunidade de conhecer, antecipadamente, as responsabilidades que assumem ao se tornarem mães.

Art. 2º A assistência pré-natal será gratuita e de boa qualidade.

Art. 3º A assistência ao parto, hospitalar ou domiciliar, será realizada por pessoal habilitado.

§ 1º As cesarianas só serão indicadas se existirem motivos de ordem médica que as justifiquem.

§ 2º Toda mulher será preparada para ter um parto normal.

Art. 4º Todo recém-nascido tem o direito de ficar ao lado de sua mãe (alojamento conjunto) desde o momento do nascimento.

§ 1º Quando, por motivo de ordem médica, isso não for possível, serão criadas oportunidades para que mãe e filho se vejam com freqüência, mesmo que o filho esteja internado em unidade de cuidados intensivos.

§ 2º Os pais terão o direito de ver os filhos recém-nascidos quando desejarem, não necessitando esperar o horário de visitas.

§ 3º Os berçários serão utilizados para o atendimento de recém-nascidos que estejam doentes ou cujas mães não tenham condições de lhes oferecer cuidados.

Art. 5º Todo recém-nascido tem o direito de ser amamentado por sua própria mãe, na hora em que assim o desejar.

§ 1º Quando, por motivo de ordem médica, isso for impossível, deverão ser criadas facilidades que permitam aos recém-nascidos, principalmente àqueles que estejam em situação de risco, receber leite das próprias mães, estimulando-se a criação de bancos de leite.

Art. 6º Sendo a privação materna uma das causas mais importantes para a geração de comportamentos anti-sociais, aí incluída a violência, caberá ao Estado a responsabilidade de tomar as medidas necessárias para que toda criança tenha uma família.

§ 1º Não será admitida a permanência prolongada de crianças em instituições, aguardando adoção.

§ 2º Serão estudadas e implantadas medidas que não permitam a retomada de crianças adotadas que foram comprovadamente abandonadas.

§ 3º Quando houver dificuldade em conseguir uma nova família, a criança deverá ficar em lares substitutos.

Art. 7º Todas as crianças, do nascimento até o terceiro ano de vida, deverão ficar com suas mães ou famílias. Se, por qualquer motivo, isso for impossível, deverão ser enviadas para creches.

§ 1º As creches atenderão às necessidades de crianças em crescimento e desenvolvimento, independentemente de sexo, cor, credo e, principalmente, de condição social.

§ 2º As creches chamadas de guarda serão desativadas, e não existirão as dedicadas às crianças "carentes", pois todas elas receberão o mesmo tipo de tratamento.

Art. 8º As creches e escolas maternais, governamentais ou não, que atendem alunos de até seis anos, período crítico para a formação da personalidade, serão obrigadas a receber crianças de todas as classes sociais.

§ 1º Não existirão creches e escolas maternais e primárias privativas de crianças ricas ou pobres.

§ 2º O parágrafo anterior permitirá que as crianças desenvolvam comportamentos de igualdade e fraternidade, que constituem a base da democracia.

Art. 9º A criança que tenha sido vítima de violência doméstica contumaz e comprovada, seja física, mental ou sexual será colocada em um lar substituto.

§ 1º Os castigos físicos estão proibidos.

§ 2º Para que a auto-estima e a autoconfiança das crianças não sejam prejudicadas, as reprimendas somente poderão ser utilizadas na razão de uma para quatro recompensas, e as expressões "burro", "ignorante", "incapaz", "você não tem jeito" e outras do mesmo teor que as classifiquem negativamente serão proibidas.

Art. 10. As crianças doentes terão prioridade de atendimento nas instituições de saúde, evitando-se que elas permaneçam esperando em filas.

§ 1º Nunca uma criança poderá deixar de ser atendida por falta de vagas.

§ 2º As mães com crianças, enquanto esperam ser atendidas, devem ficar em locais arejados, limpos, onde possam aguardar sentadas.

Art. 11. A criança hospitalizada terá o direito de ser acompanhada pela mãe, pai ou familiares.

Art. 12. A mesma dignidade de atendimento que existe nos consultórios particulares existirá nos hospitais públicos.

Art. 13. Fica assegurado às crianças o direito de brincar, sendo proibido o trabalho antes dos 14 anos.

§ 1º As aulas de judô, de inglês, de natação, os esportes competitivos e outras atividades do agrado dos pais não poderão ser incluídas entre as atividades lúdicas, por acarretarem obrigação.

§ 2º Ao brincar, a criança aprende a trabalhar e a criar, ambas atividades de grande importância para o seu futuro.

Art. 14. Cabe aos professores a busca de soluções que permitam a aposentadoria das mochilas carregadas de livros.

Art. 15. O artigo 227 da Constituição Federal e O Estatuto da Criança e do Adolescente continuam válidos e passarão do discurso para a prática.

Art. 16. Para o cumprimento deste decreto, é necessário que se saiba que, para amar, é preciso ter amado e, mais importante ainda, ter sido amado.

Infelizmente, não tenho competência para assinar este documento. Mas existe alguém que tem e pode...

Este livro foi composto na tipologia
Goudy Old Style, em corpo 11,5/16, e impresso
em papel Offset 75g/m² no Sistema Cameron
da Divisão Gráfica da Distribuidora Record.